まえがき

税法学習は、税理士への真の第一歩!

本書を手にしたみなさんの多くは、税理士試験の会計科目(簿記論、財務諸表論)の受験をされた方や無事合格された方だと思います。よくぞ、ここまで来られました!

そして、いよいよ税法科目の学習をはじめようとされる方にあらためて伝えておきたいことがあります。それは、税理士とは「税法のプロフェッショナルであり、法律家である」ということです。

ですから、税法の学習は税理士への真の第一歩を踏み出したことになります。

ここからまた気を引き締めていけば、税理士試験の合格も間近です。

さて、ネットスクールでは税理士試験を目指す方への資格支援の学校として、画期的なことを行いました。それは、本来、高額な受講料を払ってのみ手にすることのできる講座使用教材を書店やネットショップで市販することでした。

これにより、独学者にも平等に合格を目指す機会を提供することができましたし、また、独学者が同じ教材を使用して講座学習に切り替えられるという利便性を高めることができました。

一方で、講座使用教材を誰もが購入できるということは、講座の付加価値の希薄化を招き、さらには講座のノウハウの流出というリスクも抱えてしまうことになりかねません。

しかしそれでも、人生を賭けてチャレンジする受験生にとってよりよい教材は生命線であり、その気持ちを想像したときに、講座使用教材を市販することについて一縷の迷いも生じることはありませんでした。さらに言えば、講座のノウハウとして主要な要素である講師からの説明を側注として書き添えることで、独学でもより理解の深まる教科書に仕上げることに注力いたしました。

合格するための状況は我々が整えます。

みなさんは、この本で勇気を持って始め、本気で学んでください。

そうすれば、みなさん自身ばかりではなく、みなさんの周りの人たちをも幸せにできる、そんな人生が開けてきます。

さあ、この一歩、いま踏み出しましょう!

税理士WEB講座
講師一同

目次
Contents

税理士試験　教科書
法人税法Ⅱ　基礎完成編

合格に必要な知識を効果的に習得するために

本書の構成・特長

このセクションで何を学習するのか、また、その学習の要点についてまとめています。

教科書で学習した内容をすぐに問題集で確認できるようになっています。

側注には、主に講師からの補足説明を記載し、理解の深度と学習のモチベーションが高まるよう工夫しています。

本試験対策として必要な学習項目をセクションごとに整理し、効率よく学習を進められます。

Section 3 その他の論点

交際費等の範囲は、非常に広く、その内容も多岐に渡ります。交際費等から除かれる飲食費の範囲や、交際費等の経理に応じた処理等についても押えておく必要があります。

このSectionでは、交際費等について、これまでの内容以外に注意しなければならない論点を学習します。

1 交際費等から除かれる飲食費と接待飲食費

▸▸問題集問題3

1．取扱い（措法61の4⑥二）

交際費等に該当する費用であっても、飲食費*01)（専らその法人の役員若しくは従業員又はこれらの親族に対する接待等のために支出するものは除きます。*02)）で、一人当たりの支出金額が10,000円以下のものは、交際費等から除かれ、損金の額に算入されます*03)。

なお、一人当たりの飲食費等の額が10,000円以下であるかどうかは、支出金額を参加者の人数で除し、単純に単価を求めて判定します。

基本算式

$$\frac{\text{飲食費として支出する金額}}{\text{飲食に参加した者の数}} \leqq 10,000\text{円}$$

∴ 交際費等に該当しない。

*01) 飲食費は、飲食という行為をするために必要な費用をいいます。したがって、サービス料等として飲食店等に対して直接支払うものも含まれます。

*02) いわゆる社内飲食費は、一人あたりの支出金額が10,000円以下であっても、交際費等に該当します（接待飲食費には該当しません。）。

*03) 飲食のあった年月日、飲食に参加した者の氏名等を記

学習をはじめる前に

著者からのメッセージ

本書の著者であり、WEB講座の講師でもある田中政義先生から、本書を学習する前の心構えとしてメッセージがございます。本書を最大限に有効活用するためにも、まずはこのメッセージをお読みください。

プロフィール
講師　田中政義
講師歴25年。法人税法担当。懇切丁寧な講義がわかりやすいと評判。受験生の親身になった詳しい解説で、多くの受験生を最短合格へと導く。

◆無駄のない学習教材こそ合格への近道

法人税法は、とにかくボリュームが大きい税法です。やみくもに学習したら、何年かけても終わらないでしょう。その反面、法人税法は、税法実務において不可欠な知識となってきますので、学習するのは、税法実務においても大いに役に立ちます。

ただ、税理士試験に合格するためには、なるべく学習の範囲を広げたくないところです。

皆様のご要望に応えるべく、本教材は、本試験の試験傾向から、なるべく合格に必要な学習範囲に絞ったものです。

さあ、法人税のボリュームを恐れることはありません。

早速、法人税の学習をスタートしましょう！

◆合格への土台作りはここから

基礎完成編では、基本的な学習を行っていきますが、本試験で主に出題される内容となっています。本試験に合格するためには、誰もができないところをできるようにするより、誰でもできるところをしっかりできるようにすることが大事です。

すなわち、基礎完成編を征服できた者が税理士試験を征服できるといっても過言ではありません。基礎完成編の完全マスターを目指しましょう！

ネットスクールの書籍シリーズのご案内

税理士試験合格に向けた学習

教科書・問題集　Ⅰ基礎導入編

基礎導入編は“教科書（テキスト）”と“問題集”の内容を１冊にまとめた構成となっており、『教科書編』ではインプットを、『問題集編』ではアウトプットを繰り返すことにより、効率的に学習を進めることができます。何事も最初が肝心となりますので、まずは本書で法人税法学習の土台を作りあげていきましょう。

教科書／問題集　Ⅱ基礎完成編

基礎導入編での学習が終わったら、基礎完成編に移ります。基礎導入編と同様に、税理士試験で頻繁に出題される重要論点の基礎的事項を学習していきます。

基礎完成編も基礎導入編と同様に、教科書でインプットしたことを必ず問題集（教科書と別売りとなります）を使ってアウトプットし、学習した知識を定着させましょう。

理論集

理論学習に特化したテキストで、効果的で無駄のない理論学習を行えます。

また、重要理論については音声＆デジタル版のＷダウンロードサービスを付帯し、移動中や外出先でも理論学習を行えるようにしております（別途有料サービス）ので、あわせてご利用ください。

教科書／問題集　Ⅲ応用編

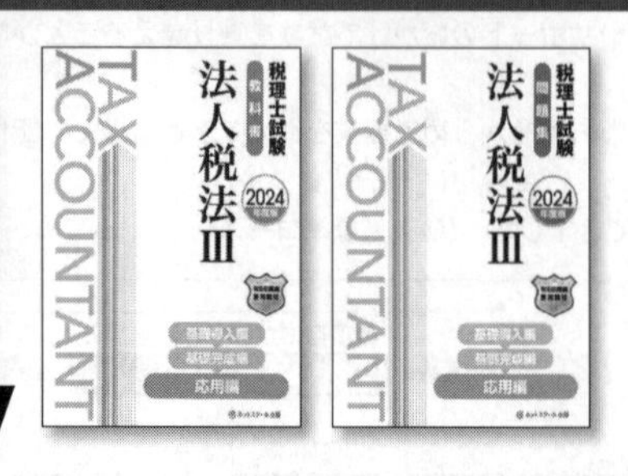

基礎完成編での学習が終わったら、応用編の学習に移ります。試験対策として重要となる応用的な内容及び特殊論点を学習していくことになりますが、基礎導入編及び基礎完成編で学習した内容を基に学習を進めていただければ、無理なく学習を進めることができますので、復習する際は、基礎導入編及び基礎完成編も併せて復習するようにしましょう。

全経　税法能力検定試験　公式テキスト（3級／2級・1級）

公益社団法人　全国経理教育協会（全経協会）では、経理担当者として身に付けておきたい法人税法・消費税法・相続税法・所得税法の実務能力を測る検定試験が実施されています。試験を受けることで、実務のスキルアップを図れるだけでなく、税理士試験の基礎学力の確認としても有効に活用することができます。税理士試験の学習と並行して、全経　税法能力検定試験の学習を進めることをお勧めします。

※検定試験の詳細は、全経協会公式ホームページをご確認ください。

https://www.zenkei.or.jp/

ラストスパート模試

教科書（テキスト）での学習が一通り終わったら、本試験形式で構成された模擬試験問題を解きましょう。本シリーズでは、ネットスクールの税理士講師の先生が作成した模擬問題を３回分収載しています。

試験問題を本体から取り外し、YouTube で配信している「試験タイマー」を流しながら解くことで、試験本番の臨場感の中で解くことができます。学習してきた力を試験本番で十分に発揮できるよう訓練をしましょう。

試験合格！

ネットスクール公式 YouTube チャンネル

試験勉強や合格後の実務に役立つ動画も随時配信中！

☑ 出題予想や本試験の講評・解説

☑ 最新の実務の動向を解説する「ネットスクール学びちゃんねる」

☑ 試験会場の雰囲気を味わえる試験タイマーなど

アカウントをお持ちの方はぜひチャンネル登録のうえ、ご覧ください。

※掲載している書影は、すべて 2024 年８月現在の最新版、教科書／問題集シリーズは 2024 年度版のものとなります。
※書籍のお求めは全国の書店・インターネット書店、またはネットスクール WEB-SHOP をご利用ください。

多数の“合格者の声”が信頼と実績の証です！

ネットスクールWEB講座 合格者の声

ネットスクールで見事！合格を勝ち取った受講生様からのお言葉を紹介いたします。

イトウ　ハルカ様（20代女性／学生）　第72回試験／消費税法合格

私は他の予備校と併用する形で受講させていただいたのですが、画面を通しての講義でも質問などに親身に対応してくれてとても勉強しやすかったです。また、常に前向きな言葉をかけてくださる所にもとても勇気をもらいました。

勉強方法については、学生で本業の学業も手を抜くことができないため、試験勉強は、毎日何時から何をするかの計画を立てて勉強しました。また、直前期は毎日総合問題を解き、問題解答のフォームやルーティーンを定着させるようにしました。直前期は複数の予備校の直前対策問題を解くようにしましたが、ネットスクールの教材は、特に予想問題が主要論点を抑えつつ初見の問題もあったため何度も活用させていただきました。

YouTubeの解答速報を拝見し、丁寧な解説と勇気をもらえるような言葉を伝えてくれるネットスクールに興味を持ち、複数の科目を受講しましたが、丁寧な解説、教材、出題予想で本当に助かりました。受講してよかったです。

Y・K様（30代男性／一般会社勤務）　第72回試験／相続税法合格

相続税法の受験は3回目となりますが過去2回不合格となった際には、計算・理論共に基本論点で解答できておりませんでした。そのため、基本論点を見直し、ネットスクールの参考書や問題集を何度も回転させて記憶の定着を図りました。

また、単なる暗記ではなく理解力も伸ばさなければ本番の試験には対応できないので、制度の概要やなぜその制度が創設されたのかといった背景を理解することも重視しておりました。ネットスクールでは講義が分かりやすく、何度も気になったところは再生できるので納得いかないところは何度も視聴して理解することを心がけておりました。

最後になりますが、試験直前になるとSNS等で他校の生徒が高得点を取った情報や理論予想などの投稿を目にすることがありますが、そのような情報に惑わされずにまずはネットスクールのカリキュラムをしっかりと消化してその中での問題は確実に解けるようにすることが非常に重要だと思いました。実際に相続税法の理論では、ネットスクールで出題されたところを完璧に理解しておりましたので、他校の理論の出題ランクは低い論点でしたがしっかりと点数を取ることが出来ました。

これからは法人税法・消費税法の合格を目指して引き続きネットスクールにお世話になろうと考えております。引き続きどうぞよろしくお願いいたします。

官報合格者も
続々輩出！

M・S様（50代男性／一般会社勤務）第71回試験／国税徴収法・官報合格

以前は独学で市販の理論集や問題集を購入して勉強していましたが、配当額の計算でどうしてこのような計算結果となるのか、いまひとつ理解できないところもあり、本試験でも配当額を間違えて計算してしまったことから、その年度は残念ながら不合格となりました。

その後、国税徴収法のテキストを探していたところ、ネットスクールの通信講座を知り、もう一度勉強しなおそうと思い立ち、受講を決めました。

実際に講義を受けてみると、これまで理解が不完全だった「なぜこうなるのか」がすっきりと理解でき、まさに目からウロコが落ちる、という体験でした。

理論は、試験に直結する重要度が高いものに加え、「これは覚えておくべき」と自分が判断したものを全部暗記し、２～３日間で一回転するやり方で精度の向上に努めました。ただ単に暗記するだけではなく、横のつながりを意識することが大切だと思いましたので、どことつながっているのかもいっしょに覚えるようにしました。

答練は、通信講座のなかの問題と過去問で練習を繰り返しました。「ラストスパート模試」は過去８年分と模擬試験４回分が収録されていましたので、これだけでも練習量としては充分だったと思います。答案の書き方自体もあまりよく知らず、以前は隙間なくビッシリと書いていましたので、適度にスペースを空ける書き方を教えてもらったことも受講してよかった、と思いました。

おかげさまで国税徴収法に合格することができました。ありがとうございました。

S・K様（40代男性） 第72回試験／法人税法・官報合格

この度、ようやく官報合格となりました。これまでにお世話になった先生方、本当に本当にありがとうございました。私は他校の受講経験がなく比較することはできませんが、一番ありがたかったのは「学び舎」です。理解力不足や勘違いで何度もくだらない質問をしましたが、すぐに丁寧に詳しく解説を頂けたことが合格に結び付いたと確信しています。

受験勉強で私が一番苦労したのは、何と言っても勉強時間の確保です。仕事との両立はやはり厳しく、平日夜はほぼ時間がとれないため、毎朝３時に起床し朝に勉強するというスタイルで、１日約3～4時間は勉強に充てていました。主な１日のスケジュールは、朝は計算メインの勉強、通勤時間は車の中で、自分が吹き込んだオリジナル理論音声を聞きながらブツブツ念仏を唱え、昼休みは理論集の暗記、ベッドに入って寝るまでの時間も理論集の暗記といった内容でした。

私の理論暗記法は、短期間で繰り返し理論集を何回転もさせるやり方です。最初は重要語句を暗記ペンでマーカーし、覚えたら次の理論という感じでどんどん進めていき、少しずつ暗記ペンでマーカーした部分を増やしていきます。３０～４０回転目になると、ほとんどマーカーした状態になり、その頃からは、理論集を見ずに暗唱し、つまれば理論集を見て確認するというやり方に徐々にシフトしていきます。この方法は職場の先輩から教えてもらったもので、前回受験した国税徴収法と今回受験した法人税法はこの方法でほぼ全部暗記しました。直前期は数日で１回転できるようになり、最終的には６０回転くらいさせたと思います。理論暗記に悩んでいる人にはお勧めです。

税理士試験はかなり長い年数を勉強に費やすことになり、それに比例して犠牲にしなければならないことも多いと思います。私も何度も諦めそうになりました。しかし、なんとか踏みとどまり、ネットスクールを信じて諦めずに継続したことで、５科目合格することができました。

税理士試験とは

試験概要

【試験科目】

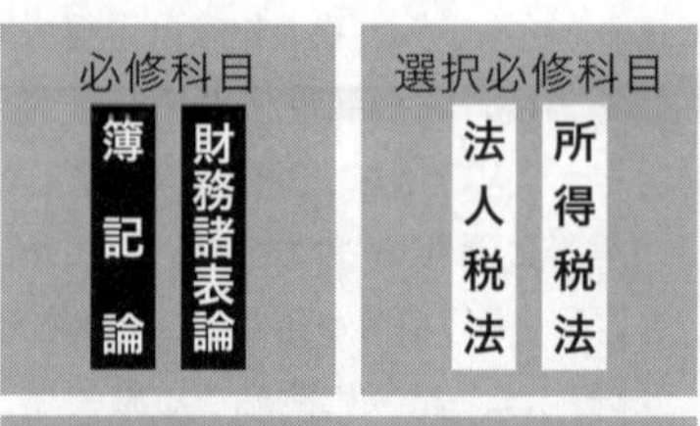

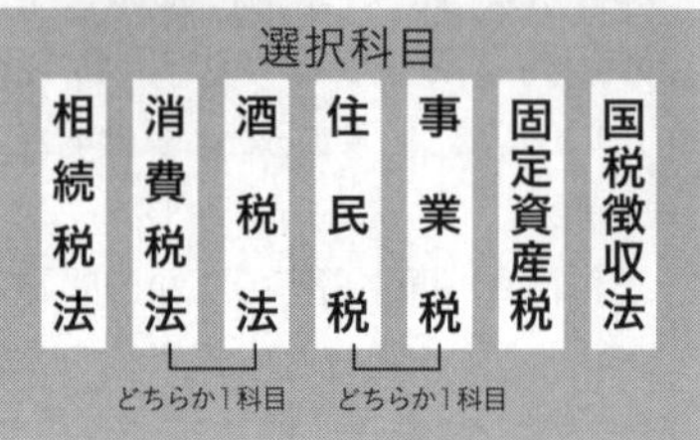

税理士試験は、会計科目２科目・税法科目９科目の全11科目あります。このうち、会計科目２科目と税法科目３科目(選択必須科目１科目以上を含む)の合計５科目に合格する必要があります。１度の受験で５科目全てに合格する必要はなく、１科目ずつ受験することもできます。なお、１度合格した科目は生涯有効となります。

【試験日】

通常、８月第１又は第２週の火曜日～木曜日に実施されます。

【合格点・合格発表】

合格基準点は各科目とも満点の60パーセントです。合格発表は11月下旬になります。

その他、税理士試験の詳細については、国税庁ホームページをご覧下さい。

https://www.nta.go.jp/index.htm

国税庁ホームページ　税の情報・手続・用紙　税理士に関する情報　税理士試験

本書シリーズ

法令等の改正情報の公開について

本書税理士シリーズについて、法令等の改正や会計基準等の変更があった場合には、改正・変更に関する情報を公開いたします。

https://www.net-school.co.jp/

読者の方へ　＞　税理士試験 / 科目　＞　改正情報

凡例（略式名称……正式名称）

法……法人税法　　令……法人税法施行令　　規……法人税法施行規則
法附則……法人税法附則
措法……租税特別措置法　　措令……租税特別措置法施行令
基通……法人税法基本通達　　個通……法人税法個別通達
措通……租税特別措置法関係通達
耐令……減価償却資産の耐用年数等に関する省令
耐通……耐用年数の適用等に関する取扱通達

引用例

令28①一イ……法人税法施行令第28条第1項第一号イ

（注）　本書は、令和6年度までの税制改正による令和6年４月１日現在施行の法令等に基づきます。
また、問題の資料中に特別な指示がある場合を除き、当期は「令和７年4月１日から令和8年3月31日」までの期間であるものとして解答してください。
なお、ミニテストについては、答案用紙はついていないことをご了承ください。

Chapter 1

減価償却（普通償却）

Section 1 減価償却費の取扱い

法人税法における減価償却も費用配分を目的としていることは企業会計と同様です。しかし、法人の内部計算である減価償却については、法人の意図的な操作が容易にできてしまうため、取得価額、耐用年数及び償却方法等を規定し、これらに基づいて計算される償却限度額の範囲内で損金算入を認める等して課税の公平を図っています。
このSectionでは、減価償却（普通償却）の取扱いを学習します。

1 減価償却資産の意義及び範囲

1．意　義（法2二十三）

法人税法上、減価償却の対象となる資産を減価償却資産といい、棚卸資産、有価証券及び繰延資産以外の資産のうち一定のもの（事業の用に供していないもの及び時の経過によりその価値の減少しないものを除きます。）で償却をすべきものをいいます。

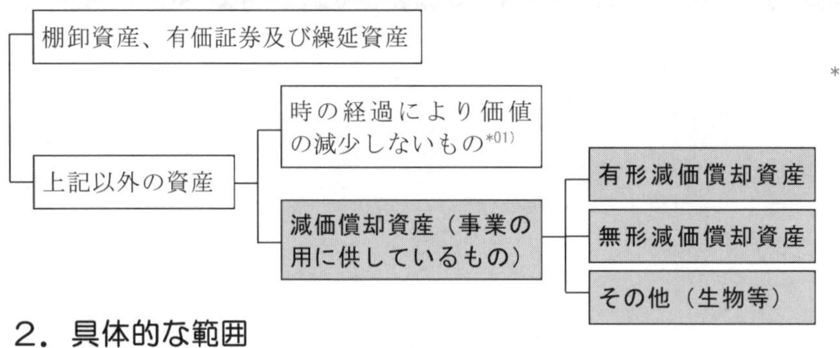

*01) 土地や古美術品等は時の経過（使用）に伴って価値が減少するものではありません。これらは、減価償却をする必要がないものです。借地権、電話加入権も同じ意味で償却の対象とはしません。

2．具体的な範囲

具体的には、次のものが該当します。

区　分	具　体　例
有形減価償却資産	①　建物　②　構築物　③　機械及び装置 ④　船舶　⑤　車両及び運搬具　⑥　工具 ⑦　器具及び備品　等
無形減価償却資産	①　鉱業権　②　特許権　③　営業権 ④　ソフトウエア　等
生　物	①　牛馬等　②　果樹等

〈法人税における減価償却の体系〉

法人税における減価償却の体系は、次のとおりです。

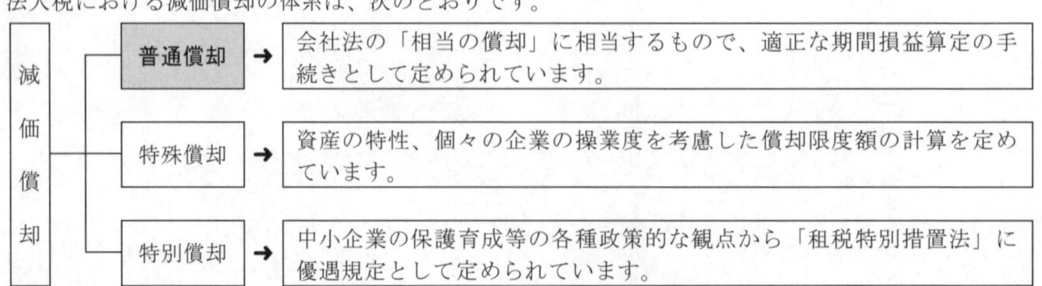

2 償却費の取扱い（法31）

各事業年度終了時において有する減価償却資産につきその償却費としてその事業年度の損金の額に算入する金額は、その事業年度においてその償却費として損金経理をした金額のうち、償却限度額に達するまでの金額とされています。

＜図解＞

⑴　**会社計上償却費の方が多い場合**

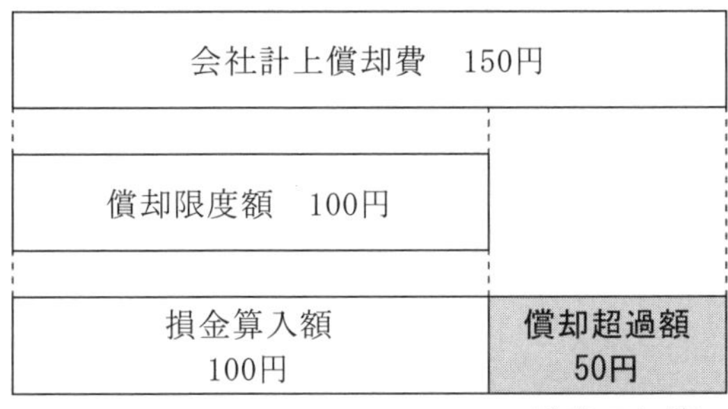

損金算入額は、償却費として損金経理をした金額（150円）のうち、償却限度額（100円）に達するまでの100円となります。

⑵　**会社計上償却費の方が少ない場合**

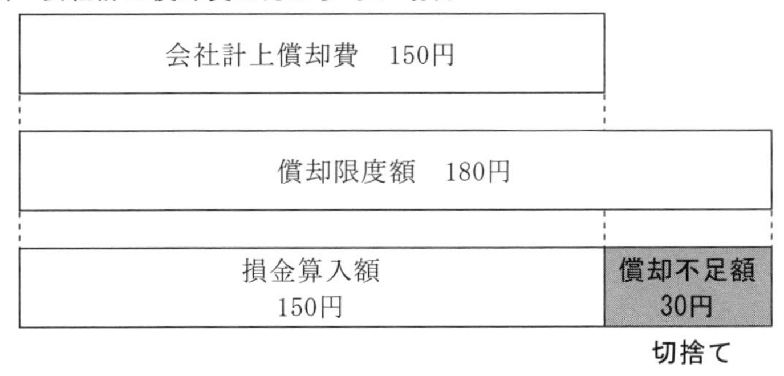

損金算入額は、償却費として損金経理をした金額（150円）のうち、償却限度額（180円）に達するまでの150円となります。償却不足額（償却限度額の余裕額）は、原則として切捨てることになります。

このように、規定上は会社計上償却費と償却限度額のいずれか少ない金額を損金の額に算入することとされていますが、別表四において加算調整が必要となるのは「償却超過額」が生じるケースです。

具体的には次のように計算します。

基本算式

⑴　**償却限度額**

⑵　**償却超過額**

会社計上償却費－償却限度額 ｛ ①　**＋の場合　償却超過額（加算留保）** ／ ②　**△の場合　償却不足額（切捨て）** ｝

次の資料により税務上の調整を示しなさい。

区　　分	会社計上償却費	償却限度額
A　建　物	5,300,000円	5,000,000円
B　車　両	1,200,000円	1,250,000円

解答　１．A建物

⑴　償却限度額

5,000,000円

⑵　償却超過額

5,300,000－5,000,000＝300,000円

２．B車両

⑴　償却限度額

1,250,000円

⑵　償却超過額

1,200,000－1,250,000＝△50,000　→　0（切捨て）

（単位：円）

区	分	金　　額	留　　保	社外流出
加算	減価償却超過額（A建物）	300,000	300,000	
減算				

解説

①　A建物は、会社計上償却費の額が償却限度額を超えているため、償却超過額が生じます。償却超過額は、別表四で加算留保の調整をします。

②　B車両は、会社計上償却費の額が償却限度額に満たないため、償却不足額が生じます。償却不足額は、切捨てられることになります（別表四の調整はありません。）。

〈留保と社外流出の区分〉

申告調整における留保項目と社外流出項目の区分は、次のように行います。

①　**留保項目**

税務調整の項目が、税務上の純資産の増減に影響を及ぼすものをいいます。税務調整の項目に対して合理的な仕訳を想定できるものが該当します。

<例>

減価償却超過額（加算留保）➜ 税務上、減価償却費を減少させ、資産を増加させる調整

➜ （資　　産）××（減価償却費）×× という仕訳を想定できる ➜ 留保項目

②　**社外流出項目**

税務調整の項目が、損益計算（所得計算）にだけ関係するものをいいます。純資産の増減に影響しない項目であるため、税務調整の項目に対して合理的な仕訳が想定できないものです。

3 償却方法の選定等

1．償却方法（令48、48の2）

減価償却資産について選定できる主な償却方法は、その取得日[*01]の区分に応じて、次のように定められています。

*01）原則として取得日により区分しますが、平成19年３月31日以前に取得し、平成19年４月１日以後に事業供用したものについては、その事業供用日に取得したものとして取り扱うという経過措置があります。

⑴ **平成19年３月31日以前に取得をされた減価償却資産**

区　　分		償 却 方 法
建物	平成10年３月31日以前取得	旧定額法又は旧定率法
	上記以外の建物	旧定額法
建物以外の有形減価償却資産		旧定額法又は旧定率法
無形減価償却資産		旧定額法

⑵ **平成19年４月１日以後に取得をされた減価償却資産**

区　　分		償 却 方 法
建物、平成28年４月１日以後取得の建物附属設備及び構築物		定額法
上記以外の有形減価償却資産	平成24年３月31日以前取得	定額法又は(250%)定率法[*02]
	平成24年４月１日以後取得	定額法又は(200%)定率法[*02]
無形減価償却資産		定額法

*02）平成19年４月１日から平成24年３月31日までに取得したものについては「250%定率法」が適用され、平成24年４月１日以後に取得したものについては「200%定率法」が適用されることになります。計算方法は同様のものですが、適用する償却率等が異なることになります。

<図解>

① **建物の償却方法**

建物の償却方法は、取得日に応じて、次の３区分により選定できる償却方法が異なります。

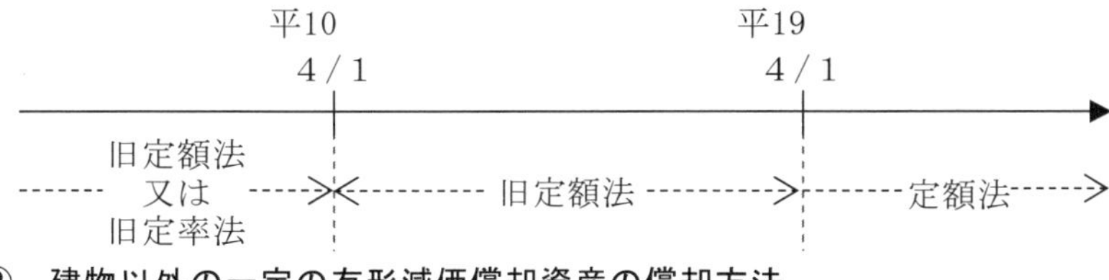

② **建物以外の一定の有形減価償却資産の償却方法**

建物以外の有形減価償却資産（平成28年４月１日以後取得の建物附属設備及び構築物を除いたもの）の償却方法は、取得日に応じて、次の３区分により選定できる償却方法が異なります。

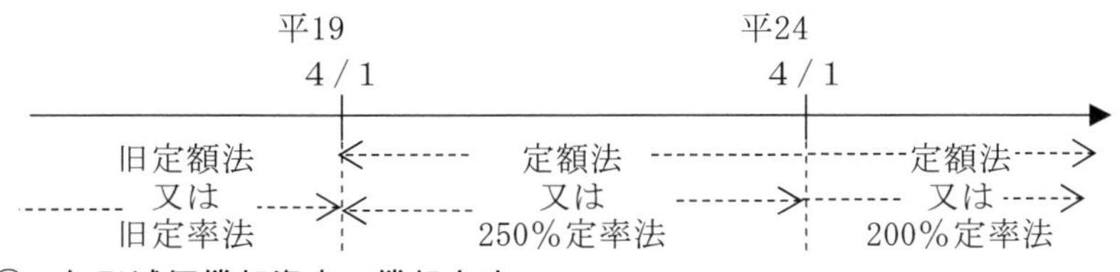

③ **無形減価償却資産の償却方法**

無形減価償却資産の償却方法は、取得日に応じて、次の２区分により償却方法が異なります。

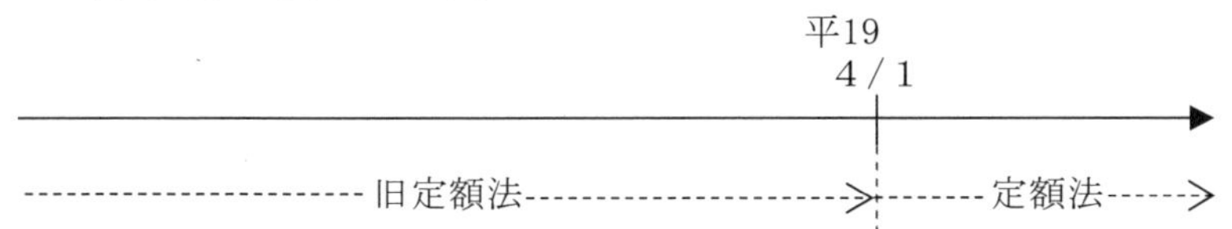

2．償却方法の選定（令51①②③）

償却方法は、法人の任意に選定することができますが、減価償却資産の種類ごとに選定し、納税地の所轄税務署長に届け出ることとされています*03)。

*03) 原則として「減価償却資産の償却方法の届出書」を設立事業年度等の確定申告書の提出期限までに提出することになります。

3．法定償却方法（令53）

償却方法を選択できる資産について、償却方法を選定しなかった場合の償却限度額の計算方法（法定償却方法）は、次のとおりです*04)。

*04) 法定償却方法は、償却方法が選択できる資産について定められているため、選択が認められない（償却方法が一つしかない）資産についてはその定められている方法によることになります。

⑴　平成19年３月31日以前に取得をされた減価償却資産

区　　分	法定償却方法
平成10年４月１日以後取得建物以外の有形減価償却資産	旧定率法

⑵　平成19年４月１日以後に取得をされた減価償却資産

区　　分	法定償却方法
建物並びに平成28年４月１日以後取得建物附属設備及び構築物以外の有形減価償却資産	定率法*05)

*05) 平成19年４月１日から平成24年３月31日までに取得したものについては「250%定率法」、平成24年４月１日以後に取得したものについては「200%定率法」とされます。

4．償却方法の変更（令52）

償却方法を変更しようとするときは、新たな償却方法を採用しようとする事業年度開始日の前日までに「変更承認申請書」を納税地の所轄税務署長に提出し、承認を受けなければなりません。

設例1－2　償却方法

次の資料により、償却方法を示しなさい。

⑴　当社は償却方法について、選定の届出を行っていない。

⑵　当社が有する減価償却資産は次のとおりである。

区　　分	取得年月日	区　　分	取得年月日
建　　物　　A	平成９年12月15日	車両及び運搬具E	平成23年３月７日
建　　物　　B	平成15年９月３日	商　標　権　F	平成26年６月10日
建　　物　　C	平成21年４月23日	建物附属設備G	平成28年３月31日
機械及び装置D	平成18年２月16日	構　築　物　H	平成28年４月１日

解答

区　　分	償却方法	区　　分	償却方
建　　物　　A	旧定率法	車両及び運搬具E	定 率 法
建　　物　　B	旧定額法	商　標　権　F	定 額 法
建　　物　　C	定 額 法	建物附属設備G	定 率 法
機械及び装置D	旧定率法	構　築　物　H	定 額 法

解説

①　当社は償却方法を選定していないため、償却方法が選定できるものについては法定償却方法によることになります。

②　建物A（平成10年３月31日以前取得のもの）は、法定償却方法である旧定率法、建物B（平成10年４月１日から平成19年３月31日までに取得したもの）は旧定額法、建物C（平成19年４月１日以後取得のもの）は定額法によることになります。

③　機械及び装置Dは、平成19年３月31日以前に取得したものであるため、法定償却方法は旧定率法となります。また、車両及び運搬具Eは、平成19年４月１日から平成24年３月31日までの間に取得したものであるため、法定償却方法は250％定率法となります。

④　商標権Fは、平成19年４月１日以後に取得した無形減価償却資産であり、定額法によることになります。

⑤　建物附属設備及び構築物は、平成28年３月31日以前取得のものは、定率法や旧定率法の償却方法が認められますが、平成28年４月１日以後取得のものは、定額法しか認められません。建物附属設備Gは、平成28年３月31日以前かつ平成24年４月１日以後取得であるため、法定償却方法は200％定率法となります。

⑥　構築物Hは、平成28年４月１日以後取得であるため、定額法によることになります。

4 償却限度額の計算

▸▸問題集問題1～4,6,7

1．償却方法（令48、48の2）

償却方法として「旧定額法」「旧定率法」「定額法」及び「定率法」等が認められています。それぞれ、次の算式により償却限度額を計算することになります*01)。

*01) 平成19年4月1日以後に取得をされた減価償却資産については、残存価額の規定の適用はなく、残存価額を考慮する償却方法を「旧定額法」「旧定率法」とし、残存価額を考慮しない償却方法を「定額法」「定率法」として規定されています。

⑴ 平成19年3月31日以前に取得をされた減価償却資産

基本算式

① 旧定額法

有形減価償却資産 ➜ 取得価額×0.9×旧定額法償却率

［(取得価額－残存価額)×旧定額法償却率］

無形減価償却資産 ➜ 取得価額×旧定額法償却率

② 旧定率法

期首帳簿価額×旧定率法償却率

（注） 取得価額と帳簿価額（⑵においても同じ取扱いとなります。）

取得価額及び帳簿価額はすべて税務上の金額です。なお、期首帳簿価額は、繰越償却超過額がある場合には次の金額となります。

期首帳簿価額＝会社計上期首帳簿価額＋繰越償却超過額

また、期首帳簿価額は、事業の用に供した事業年度（初回）は取得価額によることになります。

〈償却限度額の計算要素〉

減価償却は、本来は法人の実態に応じた見積計算によるべきですが、見積計算を認めると、法人の意図的な利益操作につながる恐れがあるため、償却限度額の計算要素を定め、課税の公平を図っています。したがって、これらの項目は、法人が任意に見積もることは認められていません。

項　目	内　容
法定耐用年数	新品を前提とした耐用年数で「減価償却資産の耐用年数等に関する省令」に定められています。
償　却　率	法定耐用年数に応じて定められています。
残存価額	使用可能期間を経過した時に見積もられる「処分可能価額」をいい、平成19年3月31日以前に取得をした減価償却資産の償却限度額の計算要素として、次のとおり規定されています。

区　分	残存価額
有形減価償却資産	取得価額×10％
無形減価償却資産	零

(2) 平成19年４月１日以後に取得をされた減価償却資産

基本算式

① 定額法

取得価額×定額法償却率

② 定率法[*02)]

(イ) 調整前償却額

期首帳簿価額×定率法償却率[*03)]

(ロ) 償却保証額

取得価額×保証率[*03)]

(ハ) 償却限度額

(イ)≧(ロ)の場合 ➜ (イ)の金額

(イ)＜(ロ)の場合 ➜ 改定取得価額×改定償却率[*03)]

*02) 定率法の償却率は、耐用年数経過時点で償却が終了するようには規定されていません。そこで、調整前償却額が償却保証額に満たなくなった場合に、償却限度額の計算を切り換えて、その最初に満たないこととなった事業年度の期首帳簿価額を「法定耐用年数－経過年数」で均等償却する償却額（「改定取得価額×改定償却率」）をその事業年度以後の償却限度額として、耐用年数で償却が終了するように調整しています。

*03) 償却限度額の計算方法は「250%定率法」と「200%定率法」で異なるところはありません。ただし、適用する償却率、保証率及び改定償却率が異なるため、選択には注意が必要です。

＜例＞ －定率法の計算－

取得価額：1,000,000円
耐用年数：10年
定率法の償却率：0.250、改定償却率：0.334、保証率：0.04448

１年目から６年目まで償却限度額相当額が損金の額に算入されたものとして、７年目以降の計算を示すと次のようになります。

（単位：円）

年数	７年目	８年目	９年目	10年目
期首簿価	177,980	133,485	88,902	44,319
調整前償却額	44,495	33,371	——	——
償却保証額	44,480	44,480	44,480	44,480
改定取得価額×改定償却率	——	44,583	44,583	44,583
償却限度額	44,495	44,583	44,583	44,318
期末簿価	133,485	88,902	44,319	1

・７年目の計算

① 調整前償却額

177,980×0.250＝44,495円

② 償却保証額

1,000,000×0.04448＝44,480円

③ 償却限度額

①≧② ∴ 44,495円

・８年目の計算

① 調整前償却額

133,485×0.250＝33,371円

② 償却保証額

1,000,000×0.04448＝44,480円

③ 償却限度額

①＜② ∴ 133,485×0.334＝44,583円

調整前償却額が償却保証額に満たないこととなる８年目以後は、改定取得価額（８年目の期首帳簿価額133,485円）に改定償却率（0.334）を乗じて計算した金額44,583円が償却限度額となります。

なお、10年目は帳簿価額を１円とするため、44,318円（期首帳簿価額44,319円－備忘価額１円）が償却限度額となります。

次の資料により、当社の当期における償却限度額を計算しなさい。

種　類	取 得 価 額	期首帳簿価額	耐用年数
建　　物	60,000,000円	24,000,000円	50年
機　　械	9,500,000円	2,300,000円	15年
車　　両	3,000,000円	1,200,000円	5年
器　　具	1,500,000円	1,000,000円	6年

（注１）　建物には前期において償却不足額が210,000円生じている。

（注２）　機械には前期から繰越された償却超過額が110,000円ある。

（注３）　償却方法として当社が選定し届け出た方法は、建物については旧定額法、機械については旧定率法、車両については定率法（250%）、器具については定額法である。

（注４）　償却率等は、次のとおりである。

耐用年数	定額法償却率	定率法（250%）			旧定額法償却率	旧定率法償却率
		償却率	改定償却率	保証率		
5	0.200	0.500	1.000	0.06249	0.200	0.369
6	0.167	0.417	0.500	0.05776	0.166	0.319
15	0.067	0.167	0.200	0.03217	0.066	0.142
50	0.020	0.050	0.053	0.01072	0.020	0.045

解答

1．建　物

60,000,000×0.9×0.020＝1,080,000円

2．機　械

(2,300,000＋110,000)×0.142＝342,220円

3．車　両

1,200,000×0.500＝600,000円≧3,000,000×0.06249＝187,470円　　∴　600,000円

4．器　具

1,500,000×0.167＝250,500円

解説

①　償却方法は選定し届け出ているため、その届け出た方法によることになります。

②　償却不足額は、切捨てられるため、償却限度額の計算には影響しません。

③　繰越償却超過額は、会社計上の期首帳簿価額（資料に与えられる期首帳簿価額は、会社計上の期首帳簿価額です。）に加えて税務上の期首帳簿価額を求めます。

④　定率法の計算では、償却保証額との比較が必要です。本問の車両については、通常の償却限度額（調整前償却額）が償却保証額（取得価額×保証率）以上であるため、通常の償却限度額が償却限度額となります。

2．償却限度額の計算単位（規19）

⑴ グルーピング

償却限度額は、原則として個々の資産ごとに計算しますが、次の３つの区分が同一である資産については、１つのグループとして、その償却限度額をまとめて計算するという規定が設けられています。この計算をグルーピングといいます。

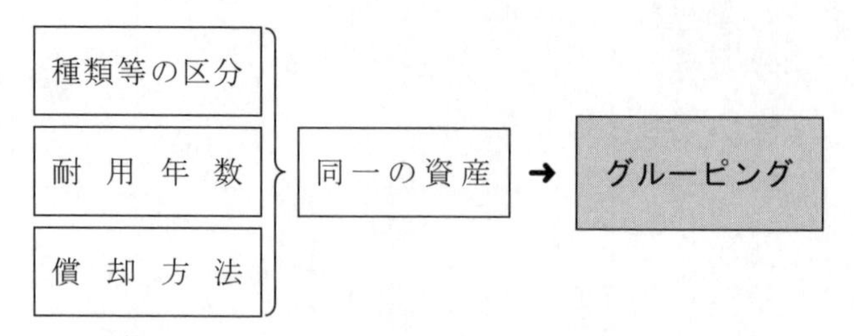

⑵ 判断基準

種類等の区分、耐用年数及び償却方法が同一であるか否かの判定は、次の判断基準により行います。

区　分	判断基準	
種類等の区分	機械装置	設備の種類が同一であるかどうか
	機械装置以外	構造・用途・細目の区分が同一であるかどうか
耐用年数	償却限度額の計算の基礎となる耐用年数が同一であるかどうか	
償却方法	旧定率法、旧定額法、250%定率法、200%定率法、定額法等の区分が同一であるかどうか*04)	

*04)「250%定率法」と「200%定率法」は、ともに「定率法」として規定されていますが、それぞれ異なる償却方法とされており、グルーピングを行うことはできません。

⑶ 具体的な計算

償却限度額をグループごとにまとめて計算するため、償却超過額の計算は、次のように行われます。

同一グループの償却超過額 ＝ 同一グループの会社計上償却費の合計額 － 同一グループの償却限度額の合計額

<例>

同一グループに属する備品Ａと備品Ｂについて、個々に償却超過額を計算した場合とグルーピングをした場合を比較してみると、次のようになります。

	会社償却費	償却限度額	償却超過(不足)額
備　品　Ａ	500,000円	350,000円	150,000円
備　品　Ｂ	300,000円	350,000円	(△50,000円)
備品Ａ・Ｂ	800,000円	700,000円	100,000円

個別に計算した場合には、償却超過額が150,000円生じます。

このように、グルーピングを行うことにより、同一グループ内の資産について生じている償却超過額と償却不足額は通算されることになります。

設例１－４ グルーピング

次の資料により、当社の当期における税務上の調整を示しなさい。

⑴　当社が当期に減価償却費として費用に計上した金額には、次のものが含まれている。

区　分	取得価額	期首帳簿価額	会社計上償却費	耐用年数
乗用車A	3,000,000円	1,100,000円	500,000円	6年
乗用車B	2,800,000円	1,700,000円	700,000円	6年

⑵　乗用車A及び乗用車Bは、細目を同じくする車両であり、いずれも平成19年４月１日から平成24年３月31日までの間に取得したものである。

⑶　当社が選定し届け出た償却方法は定率法であり、その償却率等は次のとおりである。

耐用年数	定率法		
	償却率	改定償却率	保証率
6	0.417	0.500	0.05776

解答　１．乗用車A・B

⑴　償却限度額

①　乗用車A

1,100,000×0.417＝458,700円≧3,000,000×0.05776＝173,280円　∴　458,700円

②　乗用車B

1,700,000×0.417＝708,900円≧2,800,000×0.05776＝161,728円　∴　708,900円

③　合　計

①＋②＝1,167,600円

⑵　償却超過額

(500,000＋700,000)－1,167,600＝32,400円

（単位：円）

	区　分	金　額	留　保	社外流出
加算	減価償却超過額（乗用車A・B）	32,400	32,400	
減算				

解説

①　「乗用車」という細目が同じであり、「種類等の区分」は同じです。

②　細目が同じであるため、「耐用年数」も６年と同じになります。

③　いずれも「定率法」により償却するため、償却方法も同じです。

④　①～③により、種類等の区分、耐用年数及び償却方法が同じであるため、グルーピングが必要となります。

〈耐用年数表（一部）〉

機械装置については設備の種類（細目のあるものについては細目）ごとに、機械装置以外については細目ごとに耐用年数が定められています。

別表第一　機械及び装置以外の有形減価償却資産の耐用年数表

種類	構造又は用途	細目	耐用年数
建物	鉄骨鉄筋コンクリート造又は鉄筋コンクリート造のもの	事務所用又は美術館用のもの及び左記以外のもの	五〇年
		住宅用、寄宿舎用、宿泊所用、学校用又は体育館用のもの	四七
		…	
	れんが造、石造又はブロック造のもの	事務所用又は美術館用のもの及び左記以外のもの	四一
		店舗用、住宅用、寄宿舎用、宿泊所用、学校用又は体育館用のもの	三八
		…	

別表第二　機械及び装置の耐用年数表

番号	設備の種類	細目	耐用年数
1	食料品製造業用設備		一〇年
2	飲料、たばこ又は飼料製造業用設備		一〇
3	繊維工業用設備	炭素繊維製造設備　黒鉛化炉	三
		炭素繊維製造設備　その他の設備	七
		その他の設備	七
…			

3．期中供用資産の償却限度額の特例（令59）

償却率は、一事業年度の期間中、継続して事業供用していることを前提に規定されているため、事業年度の中途において事業供用した減価償却資産については、月割計算が必要となります。

基本算式

$$\text{通常の償却限度額} \times \frac{\text{事業供用日から当期末までの月数}^{*05)}}{\text{当期の月数}}$$

（注）月数に１月未満の端数があるときは、切り上げて１月とします。

*05) 分子の月数は、「事業供用日」から当期末までの月数であり、起算日は取得日ではありません。

設例１－５　期中供用資産

次の資料により、当社の当期における償却限度額を計算しなさい。

種　類	取　得　価　額	耐用年数	取　得　年　月　日	事　業　供　用　日
建　物	142,000,000円	50年	令和７年９月30日	令和７年10月１日
機　械	9,000,000円	15年	令和７年11月10日	令和７年12月10日

（注１）当社は償却方法について選定の届出をしていない。

（注２）償却率等は次のとおりである。

耐用年数	定額法償却率	定率法		
		償却率	改定償却率	保証率
15	0.067	0.133	0.143	0.04565
50	0.020	0.040	0.042	0.01440

解答

1．建　物

$142,000,000 \times 0.020 \times \frac{6}{12} = 1,420,000$円

2．機　械

$9,000,000 \times 0.133 = 1,197,000$円 $\geqq 9,000,000 \times 0.04565 = 410,850$円

$\therefore\ 1,197,000 \times \frac{4}{12} = 399,000$円

解説

① 償却方法は、建物が定額法、機械は選定の届出をしていないため法定償却方法である定率法によることになります。

② 期中供用資産は、事業供用日から償却を始めます。月割計算の分子の起算日は取得日ではなく、事業供用日となります。

③ 定率法の計算における償却保証額と比較する通常の償却限度額は、月割計算をする前の金額になります。

5 償却可能限度額（令61）

▶▶問題集問題5

平成19年３月31日以前に取得した有形減価償却資産については、残存価額は取得価額の10％とされていますが、償却は取得価額の95％相当額までずることが認められています。このように「どこまで償却することができるかという金額」を償却可能限度額といいます。

さらに、その後も事業供用している限り、備忘価額１円まで償却することができます。

この償却可能限度額を考慮した償却限度額の計算は、具体的には次のように行います。

基本算式

⑴ 償却累計額が取得価額の95％相当額に達する事業年度

① 通常の償却限度額

② 期首帳簿価額－取得価額×５％

③ ①と②のいずれか少ない方

⑵ ⑴の事業年度の翌事業年度以後

$$（取得価額×５％－１円）×\frac{当期の月数}{60}$$

＜図解＞

⑴ 償却累計額が取得価額の95％相当額に達する事業年度

① 通常の償却限度額

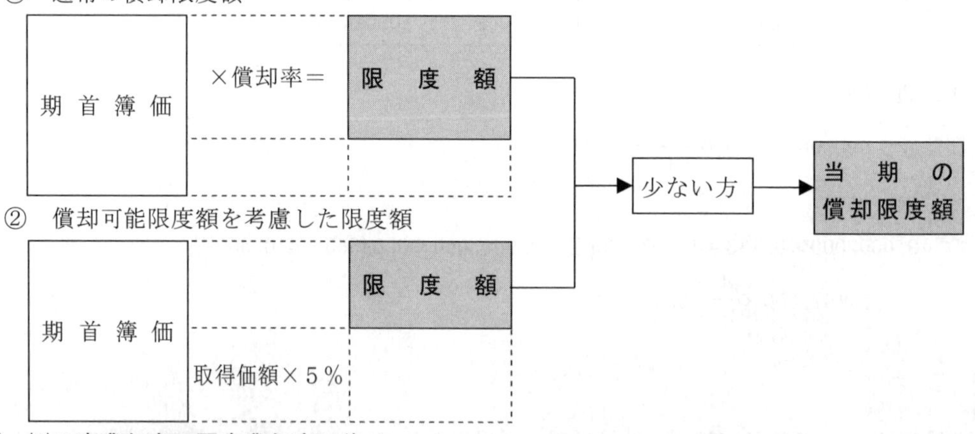

⑵ ⑴の事業年度の翌事業年度以後

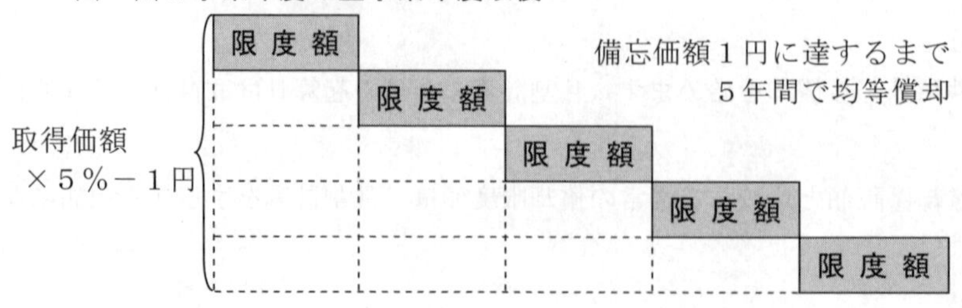

設例1－6　償却可能限度額

次の資料により、当社の当期における税務上の調整を示しなさい。

⑴　当期における減価償却の状況（いずれも平成19年３月31日以前に取得したものである。）は、次のとおりである。

区　　分	取得価額	期首帳簿価額	当期償却費	耐用年数
器具備品Ａ	5,000,000円	287,500円	60,000円	15年
器具備品Ｂ	2,000,000円	100,000円	28,000円	６年

⑵　当社は、減価償却の方法について選定の届出を行っていない。

⑶　償却率等は次のとおりである。

耐用年数	旧定額法償却率	旧定率法償却率
6	0.166	0.319
15	0.066	0.142

解答　１．器具備品Ａ

⑴　償却限度額

①　287,500×0.142＝40,825円

②　287,500－5,000,000×５％＝37,500円

③　①＞②　　∴　37,500円

⑵　償却超過額

60,000－37,500＝22,500円

２．器具備品Ｂ

⑴　償却限度額

100,000円≦2,000,000×５％＝100,000円

∴　$(2,000,000\times5\%-1)\times\frac{12}{60}$＝19,999円

⑵　償却超過額

28,000－19,999＝8,001円

（単位：円）

	区　　分	金　　額	留　　保	社外流出
加算	減価償却超過額（器具備品Ａ）	22,500	22,500	
	（器具備品Ｂ）	8,001	8,001	
減算				

解説

①　器具備品Ａは、期首帳簿価額が取得価額を１桁少なくした金額よりも小さくなっている（取得価額の10％を切っている）ため、償却可能限度額を考慮してみる必要があります。

②　器具備品Ｂは、期首帳簿価額が取得価額の５％以下になっているため、５年間の均等償却を行います。

6 減価償却資産の取得価額（令54）

1．原則的な取得価額

減価償却資産の取得価額は、償却限度額の計算の基礎となるものであるため、その取得形態に応じて規定が設けられています。

減価償却資産の取得価額は、原則として、次のそれぞれの金額とその資産を事業の用に供するために直接要した費用（事業供用費）の額の合計額となります*01)。

*01) 減価償却資産以外の固定資産の取得価額についても、原則として減価償却資産と同様に取り扱います。

取得形態	取得価額
購入した場合	購入代価＋購入費用
自己が製造等した場合	原材料費＋労務費＋経費の額
交換、贈与等により取得した場合	取得時における取得のために通常要する価額

2．付随費用の取扱い

(1) 取得価額に算入すべき費用

減価償却資産の「事業供用までにかかった費用」は、取得価額に算入しなければなりません。具体的には次のようなものがあります。

区分	具体例
購入費用	引取運賃、運送保険料、購入手数料、関税　等
事業供用費	改良費、据付費、試運転費　等

(2) 取得価額に算入しないことができる費用

次の費用は、減価償却資産の取得に関連して支出するものですが、経理処理上、取得価額に含めていない場合には、税務上も取得価額に算入しないことができます*02)。

*02)「関税以外の租税公課等」と大きく把握したうえで個々に覚えるようにしましょう。なお、関税については取得価額に含めなければならないことも確認してください。

区分	具体例
租税公課	不動産取得税、自動車税環境性能割、登録免許税　等
その他	登記費用、登録費用、借入金利子　等

なお、これらの費用を経理処理上は取得価額に含めておきながら、申告書上で減算して損金の額に算入することは認められていません。

7 償却費として損金経理をした金額

▸▸問題集問題8,9

1．繰越償却超過額（法31④）

繰越償却超過額（前期以前に生じた償却超過額）は、当期に償却費として損金経理をした金額に含まれます。

償却費として損金経理をした金額	➜	前期以前の繰越償却超過額を含む

償却費として損金経理をした金額は、基本的に法人が減価償却費として費用に計上した金額を指していますが、このように取り扱うことにより、減価償却資産について生じた償却超過額は、その後の事業年度において、償却不足額が生じた場合に別表四で減算調整を行うことで損金の額に算入することができるようになります。

<例>

	会社計上償却費	償却限度額
前　期	120円	100円
当　期	140円	150円

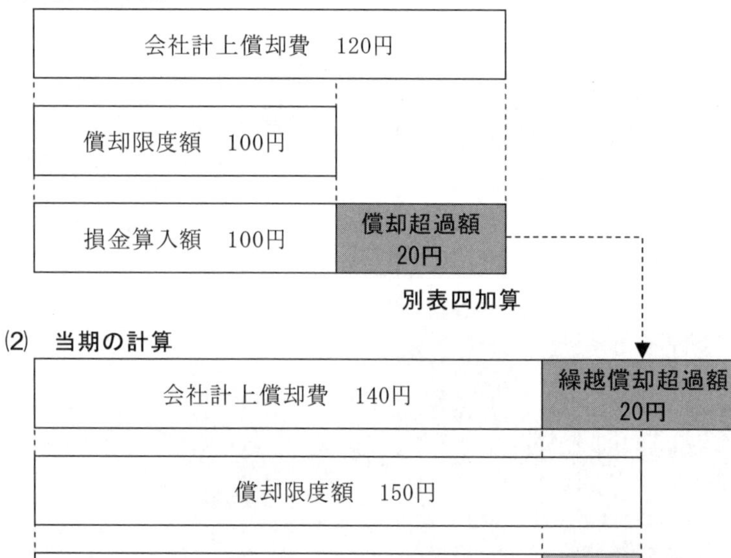

（実際の計算）

①　償却限度額

150円

②　償却超過額

140－150＝△10

10円＜20円　　∴　10円（認容）➜ **別表四で減算して損金算入**

繰越償却超過額20円については、当期の償却費として損金経理をした金額に含まれますが、まだ損金の額に算入されていないため、別表四で減算調整をして損金の額に算入します。

設例1－7　償却超過額の認容

次の資料により、当社の当期における税務上の調整を示しなさい。

種　類	取得価額	期首帳簿価額	当期償却費	耐用年数	償却方法	償却率
機　　械	9,000,000円	7,300,000円	800,000円	11年	定額法	0.091

（注）　前期以前の繰越償却超過額が62,000円ある。

解答　⑴　償却限度額

9,000,000×0.091＝819,000円

⑵　償却超過額

800,000－819,000＝△19,000

19,000円＜62,000円　　∴　19,000円（認容）

（単位：円）

区　分		金　額	留　保	社外流出
加算				
減算	減価償却超過額認容（機械）	19,000	19,000	

解説

減価償却の計算を行う場合において、減価償却超過額認容の調整を考慮する必要があるのは、次の2つの要件のいずれも満たす場合です。

①　当期の計算で償却不足額（償却限度額の余裕額）が生じていること。

②　前期以前の繰越償却超過額があること。

本問の場合、償却超過額の計算をすると償却不足額が生じており、かつ、前期以前の繰越償却超過額があるため、その償却不足額と繰越償却超過額のいずれか少ない金額を別表四で減算して損金の額に算入します。

2. 費用処理した付随費用（基通7－5－1）

「償却費として損金経理をした金額」は、基本的に法人が減価償却費として費用に計上した金額を指していますが、実務上の要請から償却費以外の勘定科目で損金経理をしたものであっても、特に課税上弊害がないと認められる次の金額は、「償却費として損金経理をした金額」に含めることが認められています。

区　分	償却費として損金経理をした金額
費用処理した付随費用*01)	取得価額に算入すべき費用のうち損金経理をした金額

*01)「取得価額に算入すべき費用のうち」ですから、取得価額に算入しないことができる費用は、対象になりません。

費用処理した付随費用がある場合の償却限度額及び償却超過額の計算では、次の点に注意が必要です。

⑴ **取得価額**

会社計上の取得価額＋費用処理した付随費用

税務上の取得価額は、費用処理した付随費用を加えた金額となります。

⑵ **償却費として損金経理をした金額**

会社計上の償却費＋費用処理した付随費用

費用処理した付随費用は、税務上は一旦取得価額に計上した上で、費用に振り替えた（償却した）と考えます。つまり、会社計上の償却費に加えて税務上は償却費として取り扱います。

＜図解＞

機械の購入代価　1,000,000円

据付費　　　　　　100,000円（損金経理）

① 機械の取得について行った経理

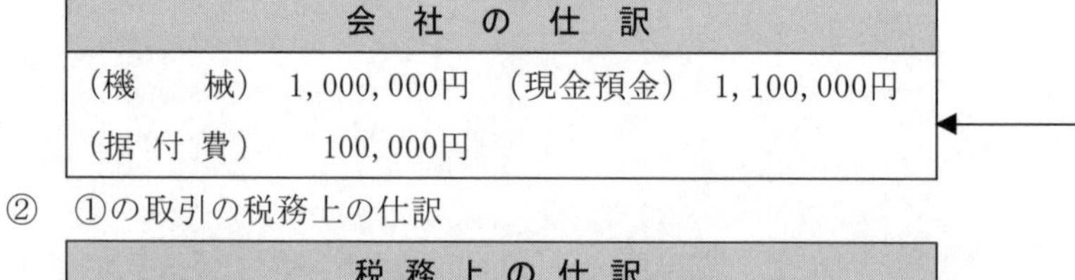

会　社　の　仕　訳			
（機　　械）	1,000,000円	（現金預金）	1,100,000円
（据 付 費）	100,000円		

② ①の取引の税務上の仕訳

税　務　上　の　仕　訳			
（機　　械）	1,100,000円	（現金預金）	1,100,000円
（減価償却費）	100,000円	（機　　械）	100,000円

「機械」が相殺されて「会社の仕訳」になっていると考えます。

⇩

税務上は、減価償却資産の簿価を減額する費用を償却費と考えます。

会社計上の取得価額　1,000,000円　｜　据付費　100,000円

償却費　100,000円

税務上の取得価額　1,100,000円

設例１－８　費用処理した付随費用

次の資料により、当社の当期における税務上の調整を示しなさい。

⑴　当社は、令和７年８月７日に、次の資産を取得し、直ちに事業の用に供している。

種　類	取 得 価 額	当 期 償 却 費	耐用年数
機 械 装 置 A	5,000,000円	800,000円	10年

⑵　当社は、機械装置Aの購入代価である5,000,000円を取得価額として計上しているが、その据付費用150,000円については雑損失として当期の費用に計上している。

⑶　機械装置の償却方法は定率法であり、耐用年数10年の場合の償却率は0.200、改定償却率は0.250、保証率は0.06552である。

解答

⑴　償却限度額

(5,000,000＋150,000)×0.200＝1,030,000円≧(5,000,000＋150,000)×0.06552＝337,428円

（5,000,000＋150,000：**税務上の取得価額**）

∴　$1,030,000\times\frac{8}{12}=686,666$円

⑵　償却超過額

(800,000＋150,000)－686,666＝263,334円

（800,000＋150,000：**税務上の償却費**）

（単位：円）

区　分		金　額	留　保	社外流出
加算	減価償却超過額（機械装置A）	263,334	263,334	
減算				

解説

据付費用は、取得価額に含めなければなりませんが、会社は雑損失として費用に計上しているため、「費用処理した付随費用」に該当します。したがって、次の点に注意が必要です。

①　据付費用を会社計上の取得価額に加える。

②　その据付費用を償却費として計上したと考えるため、会社計上の償却費に加える。

Ch 1 Ch 2 Ch 3 Ch 4 Ch 5 Ch 6 Ch 7 Ch 8 Ch 9 Ch 10 Ch 11 Ch 12 Ch 13 Ch 14 Ch 15 Ch 16 Ch 17

Section 2

少額の減価償却資産等

減価償却資産の費用配分は、減価償却によるべきですが、重要性の原則や実務上の簡便性から、減価償却資産の取得価額が一定金額よりも小さいときは、本来の減価償却の手続きによらず、①少額の減価償却資産の損金算入、②一括償却資産の損金算入、③中小企業者等の少額減価償却資産の損金算入のいずれかの規定により損金算入額を計算することが認められています。

このSectionでは、少額の減価償却資産等の取扱いを学習します。

1 少額の減価償却資産（令133）

減価償却資産（一定の資産を除く。）で、取得価額*01)が10万円未満のもの（貸付け（主要な事業として行われるものを除く。）の用に供したものを除く。）又は使用可能期間*02)が１年未満のものについて、その取得価額相当額をその事業供用日の属する事業年度において損金経理したときは、減価償却によらず、一時に損金の額に算入することが認められています。

*01) 判定の基礎となる取得価額は、税務上の取得価額であり、購入代価等に付随費用を加算した金額等で判定することとなります。

*02) 耐用年数ではなく、過去の実績に基づく平均的な使用状況や補充状況からみた使用可能期間をいいます。

(1) 対象資産

取得価額が10万円未満の減価償却資産であること

又は

使用可能期間が１年未満の減価償却資産であること

(2) 経理要件

取得価額相当額を事業供用事業年度に損金経理すること

なお、取得価額が10万円未満であるかどうかの判定は、通常一単位として取引されるその単位ごとに判定します。

＜例＞

① 機械及び装置 ➜ 一台又は一基ごと

② 工具、器具及び備品 ➜ 一個、一組又は一そろいごと

設例２－１　少額の減価償却資産

次の資料により、当社の当期における税務上の調整を示しなさい。

当社が当期において取得した器具備品のうちには次のものが含まれており、当社は取得価額相当額を当期の費用に計上している。

種　類	取　得　価　額	事業供用年月日	耐用年数
器具備品	180,000円	令和８年２月10日	６年

(注) 同一単価のものを２個取得したものである。

解答

$\frac{180,000}{2}$＝90,000円＜100,000円　∴ 適　正（調整なし）

解説

少額の減価償却資産に該当するか否かの判定は、単価で行います。

2 一括償却資産（令133の2）

▶▶問題集問題12

1．適用要件等

取得価額が20万円未満の減価償却資産（1の適用を受けるものを除きます。）を事業の用に供した場合には、その対象資産（貸付け（主要な事業として行われるものを除く。）の用に供したものを除く。）の全部又は特定の一部を一括したもの（以下「一括償却資産」といいます。）の取得価額の合計額（以下「一括償却対象額」といいます。）について、その事業年度以後の各事業年度の費用の額又は損失の額とする方法を選定することができます。

この方法を選定したときは、その一括償却資産につきその事業年度以後の損金の額に算入する金額は、損金経理をした金額のうち、損金算入限度額に達するまでの金額とされています。

(1) **対象資産**
　① 取得価額が20万円未満の減価償却資産であること
　② 少額の減価償却資産の損金算入の適用を受ける資産でないこと
(2) **選択適用**
　一括償却対象額をその事業年度以後の各事業年度の費用の額又は損失の額とする方法を選定すること
(3) **経理要件**
　一括償却資産の全部又は一部につき損金経理すること

なお、取得価額が20万円未満であるかどうかの判定は、少額の減価償却資産と同様に行います。

2．損金算入限度額

損金算入限度額は、次の算式により計算します*01)。

基本算式

$$損金算入限度額＝一括償却対象額 \times \frac{当期の月数^{*02)}}{36}$$

*01) 一括償却を選定した資産をまとめて計算することになります。したがって、個々の資産ごとの把握は求められていません。

*02) 分子の月数は、期中供用資産の場合であっても、事業供用日に関係なく当期の月数となります。減価償却のような月割計算はありません。

3．繰越損金算入限度超過額

繰越損金算入限度超過額は、当期に損金経理をした金額に含まれます。

損金経理をした金額 ➜ 前期以前の損金算入限度超過額を含む

4．譲渡又は除却等をした場合（基通7－1－13）

一括償却の適用を受けた資産については、その後「滅失」、「除却」、「譲渡」等した場合であっても一括償却を継続しなければなりません。つまり、譲渡又は除却等をした場合であっても、繰越損金算入限度超過額の認容はせずに、一括償却の計算が強制されるということです。

設例２－２　一括償却資産

次の資料により、当社（資本金３億円）の当期における税務上の調整を示しなさい。

⑴　当社が当期に取得した器具備品の内訳は次のとおりである。なお、一括償却資産の損金算入の規定の適用を受けるものとする。

種　類	取　得　価　額	減価償却費	事業供用年月日	耐用年数
器具備品Ａ	185,000円（１台）	185,000円	令和７年８月４日	５年
器具備品Ｂ	175,000円（１台）	175,000円	令和７年12月12日	５年

⑵　上記の他、器具備品Ｃを当期に売却し、売却代金80,000円を雑収入として収益に計上している。
なお、器具備品Ｃの取得価額は180,000円であり、前期に一括償却資産の損金算入の適用を受け、一括償却資産損金算入限度超過額120,000円が当期に繰り越されている。

解答　１．当期分

⑴　判　定

①　器具備品Ａ　　185,000円＜200,000円　　∴　一括償却資産に該当

②　器具備品Ｂ　　175,000円＜200,000円　　∴　一括償却資産に該当

⑵　損金算入限度額

$(185,000+175,000)\times\frac{12}{36}=120,000$円

⑶　損金算入限度超過額

$(185,000+175,000)-120,000=240,000$円

２．前期分

⑴　損金算入限度額

$180,000\times\frac{12}{36}=60,000$円

⑵　損金算入限度超過額

$0-60,000=\triangle 60,000$

60,000円＜120,000円　　∴　60,000円（認容）

（単位：円）

区	分	金　額	留　保	社外流出
加算	一括償却資産損金算入限度超過額（当期分）	240,000	240,000	
減算	一括償却資産損金算入限度超過額認容（前期分）	60,000	60,000	

解説

①　一括償却資産の適用判定は、個々の資産ごとに行いますが、損金算入限度額は、一括償却を選定した資産をまとめて（取得価額を合計して）計算することになります。

②　器具備品Ｃについては、当期に売却していますが、前期に一括償却資産の損金算入の適用を受けているため、当期においても一括償却を継続する必要があります。なお、損金算入限度超過額の計算をすると不足額が生じており、かつ、繰越損金算入限度超過額があるため、その不足額と繰越損金算入限度超過額のいずれか少ない金額を別表四で減算して損金の額に算入します。

3 中小企業者等の少額減価償却資産（措法67の5）

▸▸問題集問題10,11

中小企業者等[*01]（適用除外事業者[*02]に該当するものを除き、常時使用する従業員の数が500人以下の法人に限ります。）が、事業の用に供した減価償却資産で、その取得価額が30万円未満のもの（その取得価額が10万円未満のもの、貸付け（主要な事業として行われるものを除く。）の用に供したもの及び1又は2等の適用を受けるものを除く。以下「少額減価償却資産」という。）については、その取得価額相当額をその事業供用日の属する事業年度において損金経理をしたときは、減価償却によらず、一時に損金の額に算入することが認められています。

ただし、少額減価償却資産の取得価額の合計額が300万円を超えるときは、その取得価額の合計額のうち300万円に達するまでの少額減価償却資産の取得価額の合計額が限度とされます。

(1) 対象法人

中小企業者等（常時使用する従業員の数が500人以下の法人に限定）であること

ただし、適用除外事業者に該当するものは適用不可

(2) 対象資産

① 取得価額が10万円以上30万円未満の減価償却資産であること

② 少額の減価償却資産の取得価額の損金算入又は一括償却資産の損金算入等の適用を受ける資産でないこと

(3) 経理要件

取得価額相当額を事業供用事業年度に損金経理すること

(4) 限度額

取得価額の合計額が300万円[*03]を超える場合には300万円[*03]に達するまでの取得価額の合計額が限度

なお、取得価額が10万円以上、30万円未満であるかどうかの判定は、少額の減価償却資産と同様に行います。

*01) 青色申告書を提出する資本金の額が１億円以下の法人のうち、その発行済株式等の50％以上を大規模法人（資本金１億円超の法人等）に保有されていないもの等をいいます。

*02)「適用除外事業者」とは、当該事業年度開始の日前３年以内に終了した各事業年度の所得の金額の合計額を各事業年度の月数の合計数で除し、これに12を乗じて計算した金額が15億円を超える法人をいいます。

*03) 300万円は、年300万円となります。つまり、事業年度が半年の場合には150万円になるということです。

設例２－３　中小企業者等の少額減価償却資産

次の資料により、当社（中小企業者等に該当する。適用除外事業者に該当しない。また、従業員は100人を超えたことがない。）の当期における税務上の調整を示しなさい。

⑴　当社が当期において取得した電子計算機の内訳は次のとおりである。なお、当社は取得と同時に事業の用に供するとともに、取得価額の合計額を当期の費用に計上している。

取　得　日	耐用年数	単　価	個　数	取得価額の合計額
令和７年11月10日	４年	240,000円	10個	2,400,000円

⑵　耐用年数４年の場合の償却率等は、次のとおりである。なお、当社は減価償却資産の償却方法について、何ら選定の届出を行っていない。

耐用年数	定額法償却率	定率法		
		償却率	改　定償却率	保証率
4	0.250	0.500	1.000	0.12499

解答

240,000円＜300,000円

2,400,000円≦3,000,000×$\frac{12}{12}$＝3,000,000円　　∴　適　正（調整なし）

解説

中小企業者等の少額減価償却資産の損金算入は、単価が300,000円未満のものについて、取得価額の合計額のうち3,000,000円に達するまでの取得価額の合計額について適用されます。したがって、単価の判定と総額の判定の２つの判定が必要になります。

4 適用選択のまとめ

取得価額が30万円未満の減価償却資産の損金算入の制度には、1、2及び3の制度がありますが、適用要件を満たすいずれの制度を適用するかは、法人の選択によることになります。法人の規模に応じて、それぞれの規定の適用選択の範囲を整理すると次のようになります。

1．中小企業者等以外の場合

次の範囲で、法人にとって有利な方法を選択して適用します。

取得価額	少　額	一　括	通常償却
10万円未満	○	○	○
10万円以上 20万円未満	×	○	○
20万円以上	×	×	○

取得価額が10万円未満の場合には、いずれの規定も選択することができます。取得価額が10万円以上20万円未満の場合には、一括償却又は通常償却のいずれかを選択することができます。取得価額が20万円以上のものは通常償却を行うことになります。

2．中小企業者等の場合

次の範囲で、法人にとって有利な方法を選択して適用します。

取得価額	少　額	一　括	中小少額	通常償却
10万円未満	○	○	×	○
10万円以上 20万円未満	×	○	○	○
20万円以上 30万円未満	×	×	○	○
30万円以上	×	×	×	○

取得価額が30万円未満であっても通常償却又は一括償却（取得価額が20万円未満の場合）を選択することができます。取得価額が30万円以上のものは通常償却を行うことになります。

設例2−4 適用選択

次の資料により、当社（中小企業者等である。適用除外事業者に該当しない。また、従業員は500人を超えたことがない。）の当期における税務上の調整を示しなさい。

⑴ 当社が、当期において減価償却費として費用に計上した金額には、次のものが含まれている。

資産の種類	取得価額	減価償却費	事業供用日	耐用年数
ソフトウエア	90,000円	90,000円	令7．4．8	5年
工　　　具	150,000円	120,000円	令7．6．12	3年
器 具 備 品	3,185,000円	3,185,000円	令7．12．20	4年

（注）器具備品は、単価245,000円のものを13台取得したものである。

⑵ 当社が選定し、届け出た償却方法は定額法であり、その償却率は次のとおりである。

耐用年数	3年	4年	5年
償却率	0.334	0.250	0.200

解答 1．ソフトウエア

90,000円＜100,000円　∴ 適　正

2．工　具

⑴ 判　定

150,000円＜200,000円　∴ 一括償却資産に該当

⑵ 償却方法の判定

$150,000\times0.334\times\frac{10}{12}=41,750$円＜$150,000\times\frac{12}{36}=50,000$円　∴ 一括償却有利

⑶ 損金算入限度額

50,000円

⑷ 損金算入限度超過額

120,000−50,000＝70,000円

3．器具備品

⑴ 中小企業者等の少額減価償却資産

① 単価判定

245,000円＜300,000円

② 総額判定

(ｲ) 3,185,000円＞$3,000,000\times\frac{12}{12}=3,000,000$円

(ﾛ) $\frac{3,000,000}{245,000}=12.2\cdots$ → 12台

245,000×12台＝2,940,000円≦3,000,000円　∴ 2,940,000円（損金算入）

⑵ 通常償却

① 償却限度額

$245,000\times0.250\times\frac{4}{12}=20,416$円

② 償却超過額

245,000−20,416＝224,584円

(単位：円)

区分		金額	留保	社外流出
加算	一括償却資産損金算入限度超過額	70,000	70,000	
	減価償却超過額（器具備品）	224,584	224,584	
減算				

解説

① ソフトウエアは、取得価額が10万円未満であり、取得価額相当額を損金経理しているため、費用に計上した金額が全額損金の額に算入されます。

② 工具は、取得価額が10万円以上30万円未満ですが、取得価額相当額の全額を損金経理していないため、中小企業者等の少額減価償却資産の損金算入の適用を受けることはできません。したがって、通常償却と一括償却のいずれか有利な方法を採用することになります。

③ 器具備品については、取得価額が20万円以上30万円未満であり取得価額相当額の全額を損金経理しているため、中小企業者の少額減価償却資産の損金算入の適用を受けることができますが、300万円の適用限度額を超えているため、その超える部分については通常償却を行うことになります。

Section 3

受贈益

法人が資産の贈与又は低額譲渡を受けた場合には、原則として受贈益が発生し、法人税の課税を受けることになります。しかし、特定の広告宣伝用資産の贈与等を受けた場合の受贈益については、受贈益を認識することが実態に合わない場合もあるため、一定の場合には受贈益を認識しないという取扱いが設けられています。

このSectionでは、受贈益の取扱いを学習します。

1 受贈益の額

▶▶問題集問題13,14

1．原　則

受贈益の額は、原則として贈与又は低額譲渡を受けた資産に付すべき取得価額（時価）から法人が支出した金額を控除した金額となります。

基本算式

受贈益の額＝取得資産の取得時の時価－当社支出額

<図解>

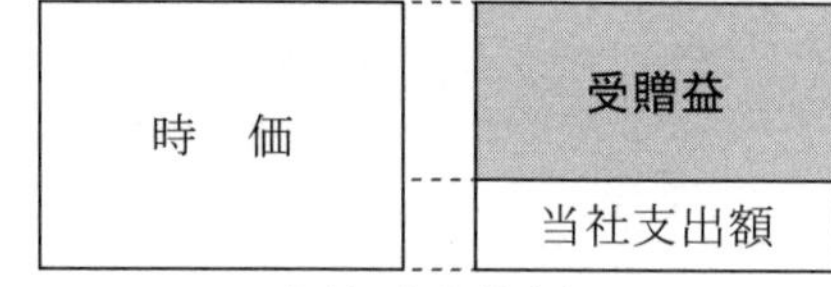

2．広告宣伝用資産に係る受贈益

(1) 取扱い

広告宣伝用資産の贈与等を受けた場合には、その贈与等を受けた資産の種類によって受贈益を認識するか、しないかが分かれることになります。

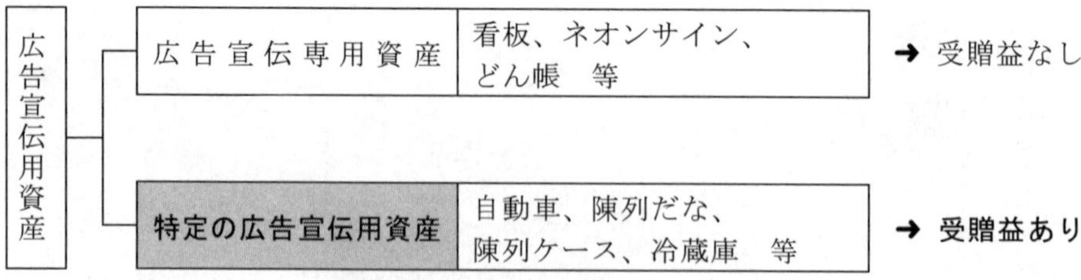

広告宣伝専用資産は、贈与者の製品等の広告宣伝以外の用途には使用できないことから、受贈者側で受贈益は生じません。

また、特定の広告宣伝用資産は、贈与者の製品等の広告宣伝以外の用途にも使用でき、受贈者側でも便益を受けるため、受贈益を認識します。

(2) 特定の広告宣伝用資産

① 判　定

特定の広告宣伝用資産の贈与等を受けた場合には、原則として受贈益を認識しますが、受贈益の額が30万円以下である場合には、受贈益を認識しません。

受贈益の額 ─┬─ 30万円以下 ── 受贈益なし
　　　　　　└─ **30万円超** ── **受贈益あり**

（注）同一の取引先から２以上の資産の贈与等があった場合には、その合計額で判定します。

② 受贈益の額

特定の広告宣伝用資産に係る受贈益の額は、次のように計算します。

基本算式

$$\text{受贈益の額}=\text{贈与者の取得価額}\times\frac{2}{3}-\text{当社支出額}$$

設例３－１　　受贈益の額

次の資料により、当社の当期における受贈益の額を計算しなさい。

当社は、当期の６月10日に仕入先Ａ社からＡ社の製品名が塗装された貨物自動車１台を800,000円で取得し、直ちに事業の用に供している。

この貨物自動車は、Ａ社が1,800,000円で取得したものである。

解答　$1,800,000\times\frac{2}{3}-800,000=400,000\text{円}>300,000\text{円}$　∴　400,000円

解説

Ａ社から低額譲渡を受けた貨物自動車は、Ａ社の製品名が塗装されていることから、特定の広告宣伝用資産に該当します。したがって、贈与者の取得価額の３分の２から当社支出額を控除した金額が受贈益の額となります。なお、受贈益の額が30万円を超えるため受贈益を認識しなければなりません。

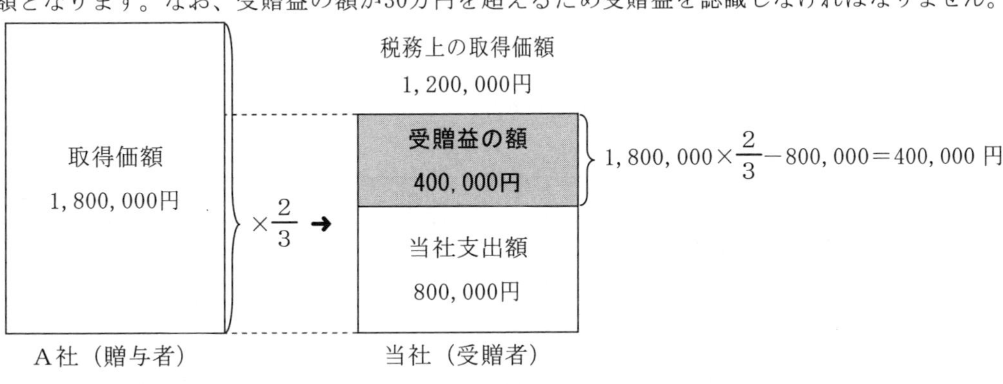

3．減価償却との関係

⑴ 取得価額

受贈益の額がある場合の減価償却資産の取得価額は、次の金額となります。

基本算式

取得価額＝当社支出額＋受贈益の額

⑵ 償却費として損金経理をした金額（基通７－５－１）

無償又は低額で取得した減価償却資産については、次の金額が償却費として損金経理をした金額に含まれます。

原価外処理した受贈益の額	➜	償却費として損金経理をした金額に含む

受贈益の額は、取得価額に計上すべきですが、法人が取得価額に計上していない（簿外としてしまっている）場合には、償却費として損金経理をした金額として取り扱います。

設例３－２　　減価償却との関係

次の資料により、当社の当期における税務上の調整を示しなさい。

⑴ 当社は、令和７年10月16日に取引先Ａ社から貨物自動車（耐用年数５年）１台を500,000円で取得し、直ちに事業の用に供している。この貨物自動車にはＡ社の製品名が塗装されており、Ａ社が1,650,000円で取得したものである。

⑵ 当社は、この取引について当社が支出した500,000円を取得価額として計上するとともに、80,000円を減価償却費として当期の費用に計上している。

⑶ 当社は、償却方法として定率法を選定し届け出ている。なお、耐用年数５年の場合の定率法償却率は0.400、改定償却率は0.500、保証率は0.10800である。

解答

⑴ 受贈益の額

$1,650,000\times\frac{2}{3}-500,000=600,000$円$>300,000$円　　∴　600,000円

⑵ 償却限度額

$(500,000+600,000)\times0.400=440,000$円$\geqq(500,000+600,000)\times0.10800=118,800$円

∴　$440,000\times\frac{6}{12}=220,000$円

⑶ 償却超過額

$(80,000+600,000)-220,000=460,000$円

（単位：円）

区分		金額	留保	社外流出
加算	減価償却超過額（貨物自動車）	460,000	460,000	
減算				

解説

当社は、受贈益の額を認識していませんが、税務上は、受贈益の額は会社計上の取得価額に加えるとともに、償却費として損金経理をした金額として取り扱います。

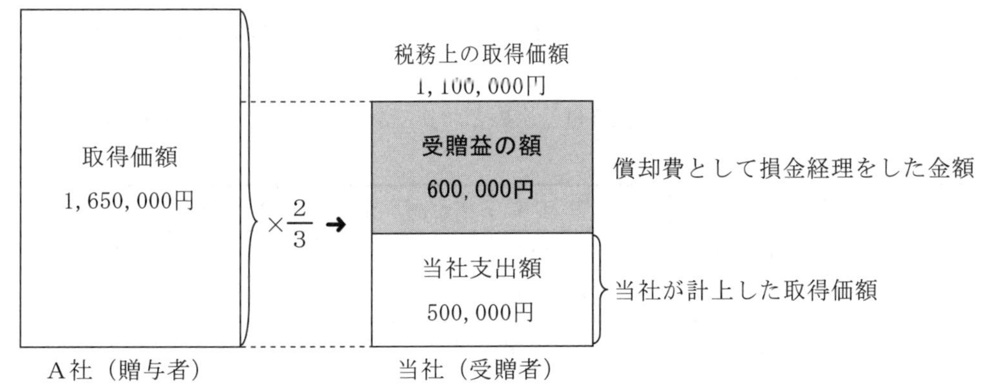

次の資料により、当社の当期における税務上の調整を示しなさい。

⑴　当社は、青色申告書を提出する期末資本金の額が１億円の内国法人（適用除外事業者に該当しない。また、常時使用する従業員の数は、500人以下である。）であり、株主は全て個人である。なお、当期において資本金の額に増減は生じていない。

⑵　当社の当期における減価償却の状況等は、次のとおりである。なお、下記以外の減価償却資産については、税務上調整すべき金額はない。

種　類	取得価額	当期償却費	法定耐用年数	事業供用日
器具備品	250,000円	250,000円	８年	令和７年４月24日
車両運搬具	2,500,000円	833,333円	５年	令和７年６月１日

（注１）　器具備品を１台購入した。なお、当期において、この他に取得価額が300,000円未満の減価償却資産は取得していない。

（注２）　車両運搬具は取引先Ａ社から購入したものであるが、Ａ社の取得価額は4,500,000円のものである。当社は、その車両運搬具の取得のために支出した金額2,500,000円を取得価額として計上している。なお、この車両運搬具にはＡ社の社名が塗装されている。

（注３）　当社が減価償却資産について選定している償却方法は定率法であり、平成24年４月１日以後に取得をされた減価償却資産の定率法の償却率等は次のとおりである。

耐用年数	定率法		
	償却率	改定償却率	保証率
5	0.400	0.500	0.10800
8	0.250	0.334	0.07909

答案用紙

１．器具備品

⑴

⑵

２．車両運搬具

⑴　受贈益の判定

⑵　減価償却

①　償却限度額

②　償却超過額

(単位：円)

区分		金額	留保	社外流出
加算				
減算				

解答

1．器具備品

⑴　250,000円＜300,000円❶

⑵　250,000円≦3,000,000×$\frac{12}{12}$＝3,000,000円　　∴　適　正（調整なし）❶

2．車両運搬具

⑴　受贈益の判定

4,500,000×$\frac{2}{3}$－2,500,000＝500,000円＞300,000円❶　　∴　500,000円❶

⑵　減価償却

①　償却限度額

(2,500,000＋500,000)×0.400＝1,200,000円❶≧(2,500,000＋500,000)×0.10800＝324,000円❶

∴　1,200,000×$\frac{10}{12}$＝1,000,000円❶

②　償却超過額

(833,333＋500,000)－1,000,000＝333,333円❶

(単位：円)

区分		金額	留保	社外流出
加算	減価償却超過額（車両運搬具）	❶333,333	❶333,333	
減算				

解説

①　当社は、器具備品の事業供用日における資本金の額が1億円以下であり、かつ、法人株主が存在しないため、中小企業者等に該当します。また、常時使用する従業員の数は、500人以下です。したがって、中小企業者等の少額減価償却資産の特例の適用があります。

②　当社が取得した車両運搬具には、A社の社名が塗装されているため、広告宣伝用資産に該当します。受贈益の判定の際には、車両運搬具の取得時の時価に$\frac{2}{3}$を乗じるのを忘れないようにして下さい。

Chapter 2

繰延資産等

Section 1

繰延資産

法人税法においても、企業会計と同様に、法人が支出する費用でその支出の効果が将来に及ぶものは、一時の損金とはせずに、繰延資産としてその支出の効果の及ぶ期間にわたって期間配分すべきこととされています。しかし、繰延資産の償却も減価償却と同様に法人の内部計算であるため、繰延資産の範囲や償却費の損金算入について規定を設け、課税の公平を図っています。

このSectionでは、繰延資産の取扱いを学習します。

1　繰延資産の範囲（法2二十四、令14）

1．繰延資産の意義

法人が支出する費用のうち支出の効果が支出日以後１年以上に及ぶもので一定のものをいいます。ただし、資産の取得に要した金額とされるべき費用及び前払費用*01)は除きます。

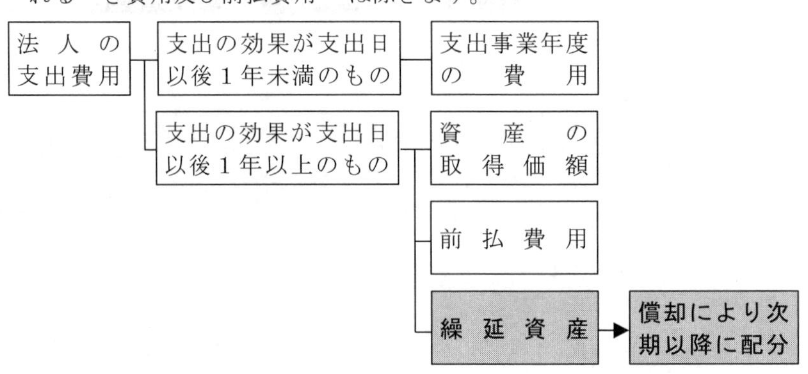

*01) 一定の契約に基づき継続的に役務の提供を受けるために支出する費用のうち、その事業年度終了日においてまだ提供を受けていない役務に対応するものをいいます。

2．繰延資産の範囲

法人税法上の繰延資産には、企業会計上の繰延資産の他に税法固有のものも規定されています。

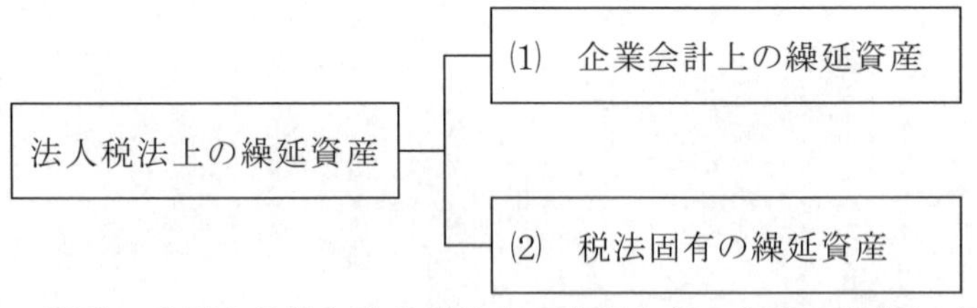

課税の公平を目的とする税法上の立場から、支出の効果に応じた厳密な期間損益計算を行うために、企業会計と比較して繰延資産の範囲を広くとらえています。

⑴ 企業会計上の繰延資産

次の５項目に限定されています。

区　分	内　容
① 創　立　費	発起人に支払う報酬、設立登記のために支出する登録免許税その他法人の設立のために支出する費用
② 開　業　費	法人の設立後事業を開始するまでの間に開業準備のために特別に支出する費用
③ 開　発　費	新技術若しくは新経営組織の採用、資源の開発又は市場の開拓のために特別に支出する費用
④ 株式交付費	株券等の印刷費、資本金の増加の登記についての登録免許税その他自己の株式（出資を含みます。）の交付のために支出する費用
⑤ 社債等発行費	社債券等の印刷費その他債券（新株予約権を含みます。）の発行のために支出する費用

⑵ 税法固有の繰延資産

税法固有の繰延資産には、次のものがあります。

区　分
① 自己が便益を受ける公共的施設又は共同的施設の設置又は改良のために支出する費用
② 資産を賃借等するために支出する権利金、立ちのき料その他の費用
③ 役務の提供を受けるために支出する権利金その他の費用
④ 広告宣伝用資産を贈与したことにより生ずる費用
⑤ 上記の他、自己が便益を受けるために支出する費用

2 償却費の取扱い（法32）

▸▸問題集問題１

１．損金算入

各事業年度終了時の繰延資産につきその償却費としてその事業年度の損金の額に算入する金額は、その事業年度においてその償却費として損金経理をした金額のうち、償却限度額に達するまでの金額とされています。

２．償却費として損金経理をした金額

繰越償却超過額（前期以前に生じた償却超過額）は、当期に償却費として損金経理をした金額に含まれます。

償却費として損金経理をした金額	➜	前期以前の繰越償却超過額を含む

基本算式

(1)　償却限度額

(2)　償却超過額

会社計上償却費－償却限度額

＝　＋の場合　償却超過額（加算留保）

＝　△の場合　償却不足額 } いずれか少ない方（減算留保）
繰越償却超過額

3．償却限度額の計算（令64）

繰延資産の償却限度額は、次の区分に応じそれぞれの方法により計算します。

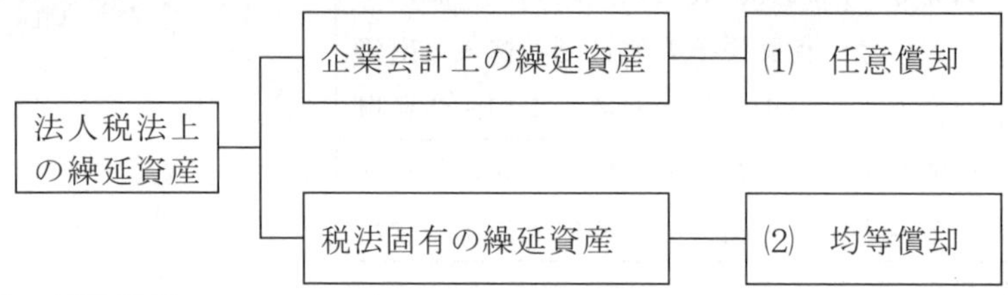

(1)　**任意償却**

企業会計上の繰延資産については、企業会計において早期に償却することが要求されているため、法人税法においては任意に償却することを認めています。

基本算式

償却限度額＝その繰延資産の額－既償却額（損金算入額）

繰延資産の額のうち、まだ損金の額に算入されていない金額を償却限度額としています。

設例１－１　　任意償却の繰延資産

次の資料により、当社の当期における償却限度額を示しなさい。

令和６年10月３日に支出した開業費1,000,000円については、前期において300,000円を償却費として費用に計上し、前期の損金の額に算入されている。

解答　1,000,000－300,000＝700,000円

解説

開業費は、任意償却の繰延資産に該当します。任意償却の場合の償却限度額は、繰延資産の額から既に損金の額に算入された金額を控除して求めます。

(2) 均等償却

税法固有の繰延資産については、支出の効果の及ぶ期間に渡って、月割りで均等償却を行います。

基本算式

$$償却限度額＝繰延資産の額\times\frac{当期の月数※}{支出の効果の及ぶ期間の月数}$$

※　支出事業年度は、支出日から当期末までの月数

（注）月数に１月未満の端数があるときは、切り上げて１月とします。

設例１－２　均等償却の繰延資産

次の資料により、当社の当期における税務上の調整を示しなさい。

(1)　当社は令和７年６月10日に公共施設負担金1,500,000円を支出し、繰延資産として資産に計上するとともに、償却費として150,000円を当期の費用に計上している。この公共施設負担金は、当社の工場に通ずる市道の舗装費用を一部負担したものであり、Ａ市に対して支出したものである。

(2)　(1)の公共施設負担金の償却期間は10年である。

解答

(1)　償却期間

10年

(2)　償却限度額

$$1,500,000\times\frac{10}{10\times12}=125,000円$$

(3)　償却超過額

150,000－125,000＝25,000円

（単位：円）

区　　分		金　　額	留　　保	社外流出
加算	繰延資産償却超過額（公共施設負担金）	25,000	25,000	
減算				

解説

公共施設負担金は、均等償却の繰延資産に該当します。均等償却は、償却期間に渡って月割りで償却を行うことになります。

3 繰延資産の額と償却期間

▸▸問題集問題2,4,5

1．概　要

(1) 繰延資産の額

原則として繰延資産に係る支出額によります。

(2) 償却期間

繰延資産の区分に応じて、原則として次のように計算します。

基本算式

① 固定資産を利用するための支出

耐用年数×$\frac{7}{10}$（又は$\frac{4}{10}$）[*01)]

② 上記以外

５年、10年等

*01) 償却期間の計算の結果生じた１年未満の端数は切捨てます。

2．公共的施設負担金

公共的施設負担金に係る繰延資産の額及び償却期間は、次のとおりです。

区　分		繰延資産の額	償却期間
負担者専用		支出額	耐用年数×$\frac{7}{10}$
その他			耐用年数×$\frac{4}{10}$
道路用地又は舗装道路の提供	負担者専用	提供直前の帳簿価額[*02)]	15年×$\frac{7}{10}$
	その他		15年×$\frac{4}{10}$

*02) 固定資産を公共的施設として提供した場合の繰延資産の額は、原則として、その固定資産の時価によりますが、提供により譲渡損益を認識しないようにするため、提供直前の帳簿価額を引き継ぐ処理を認めたものです。

3．共同的施設負担金

共同的施設負担金に係る繰延資産の額及び償却期間は、次のとおりです。

区　分	繰延資産の額	償却期間
負担者・構成員の共同の用 （共同展示場、共同宿泊所等）	支出額	耐用年数×$\frac{7}{10}$
協会等の本来の用 （協会等の会館建設負担金）		耐用年数×$\frac{7}{10}$、10年 ｝短い年数
負担者と一般公衆の共同の用 （アーケード、日よけ、すずらん灯等）		５年、耐用年数 ｝短い年数

設例1－3　公共的施設負担金・共同的施設負担金の償却期間

次の資料により、繰延資産の償却期間を示しなさい。

⑴　当社は、当社の社屋に通ずる市道の舗装費用の一部を負担し、令和７年10月25日に負担金としてＡ市に対して1,500,000円を支出している。

なお、この市道は、完成後は一般の市民も使用することになるものであり、舗装道路の耐用年数は15年である。

⑵　当社の所属する協会の会館（建物であり法定耐用年数は45年のものである。）の建設のため、負担金2,000,000円を支出している。

なお、この協会の会館は、その協会の本来の用に供されるものである。

⑶　当社は、Ｂ商店街のアーケード設置のため、負担金を支出している。

なお、このアーケードの法定耐用年数は15年である。

解答

⑴　舗装費用負担金

$15 \times \frac{4}{10} = 6$ 年

⑵　会館建設負担金

$45 \times \frac{7}{10} = 31.5$ → 31年＞10年　　∴　10年

⑶　アーケード設置費用負担金

５年＜15年　　∴　５年

解説

①　舗装費用負担金は、一般の市民も使用することになるものであるため、耐用年数の10分の４が償却期間となります。

②　会館建設負担金は、耐用年数の10分の７を償却期間とするのが原則ですが、協会等の本来の用に供される場合には、10年を最長の償却期間とすることができます。したがって、10年との比較を行っていずれか少ない年数により償却することができます。

③　アーケード設置費用負担金は、５年と耐用年数のいずれか少ない年数で償却することができます。

4．借家権利金

借家権利金に係る繰延資産の額及び償却期間は、次のとおりです。

区分	繰延資産の額	償却期間
⑴　新築で権利金が建設費の大部分に相当	支出額[*03]	耐用年数×$\frac{7}{10}$
⑵　借家権として転売可能		見積残存耐用年数×$\frac{7}{10}$
⑶　上記以外		５年 （賃借期間が５年未満で契約更新時に再び権利金を支払う場合にはその賃借期間）

*03）建物の賃借に際して支払った仲介手数料の額は、通常少額であるため、繰延資産とする必要はなく、支出事業年度の損金の額に算入されます。

設例１－４　借家権利金の償却期間

次の資料により、繰延資産の償却期間を示しなさい。

⑴　当社は、当期において建物Ａ（耐用年数は41年である。）を賃借し、権利金として10,000,000円を支払っている。なお、建物Ａは新築のものであり、権利金の額は建設費の大部分に相当し、かつ、建物Ａの存続期間中賃借できるものである。

⑵　当社は、当期において建物Ｂ（耐用年数は24年である。）を賃借し、権利金及び立退料として6,000,000円を支払っている。なお、建物Ｂは中古のものであり、賃借後の見積残存耐用年数は20年（賃借期間は３年であるが、更新時に再び権利金を支払う必要はないものである。）である。また、借家権として転売できないものである。

解答

⑴　借家権利金（建物Ａ）

$41\times\frac{7}{10}=28.7$ → 28年

⑵　借家権利金（建物Ｂ）

中古、転売不可　　∴　５年

解説

①　建物Ａに係る借家権利金は、新築であり、権利金の額が建設費の大部分に相当するため、耐用年数の10分の７が償却期間となります。

②　建物Ｂに係る借家権利金は、中古であり、借家権として転売できないものであるため、５年が償却期間となります。

5．電子計算機等の賃借に伴う付随費用

電子計算機等の賃借に伴う付随費用[*04]に係る繰延資産の額及び償却期間は、次のとおりです。

*04) いわゆるオペレーティングリースに係る付随費用です。

区　　分	繰延資産の額	償　却　期　間
電子計算機等の賃借に伴う付随費用 (引取運賃、据付費、関税、運送保険料等)	支　出　額	耐用年数×$\frac{7}{10}$ (賃借期間を超えるときは賃借期間)

6．役務提供を受けるための権利金等

役務提供を受けるための権利金等に係る繰延資産の額及び償却期間は、次のとおりです。

区　　分	繰延資産の額	償　却　期　間
役務提供を受けるための権利金等 (ノーハウの頭金等)	支　出　額	5年 (有効期間が5年未満で契約更新時に再び権利金等を支払う場合にはその有効期間)

7．広告宣伝用資産の贈与費用

広告宣伝用資産の贈与費用に係る繰延資産の額及び償却期間は、次のとおりです。

区　　分	繰延資産の額	償　却　期　間
広告宣伝用資産の贈与費用 (看板、ネオンサイン、陳列だな、自動車等)	贈与資産の取得価額[*05]	耐用年数×$\frac{7}{10}$、5年 } 短い年数

*05) 低額譲渡をした場合には、譲渡資産の取得価額から譲渡価額を控除した金額となります。

8．その他の繰延資産

区　　分	繰延資産の額	償　却　期　間
同業者団体の加入金[*06]	支　出　額	5年
出版権の設定の対価		存続期間 (存続期間の定めがない場合には3年)
公共下水道受益者負担金[*07]		6年

*06) 譲渡性又は出資性を有するものは、繰延資産とはされず、償却することはできません。

*07) 地方公共団体が都市計画事業等として公共下水道を設置する場合に、その設置により著しく利益を受ける土地所有者が都市計画法等に基づき負担する負担金をいいます。

4 償却の開始時期等

▶▶問題集問題３

１．償却の開始時期（基通８－３－５）

繰延資産の償却は、原則として支出日から開始しますが、固定資産を利用するための繰延資産であり、かつ、支出時においてその固定資産の建設等に着手されていないものについては、その建設等に着手した時から償却を開始することになります。

＜図解＞

① **原則**：支出日から償却を開始する場合

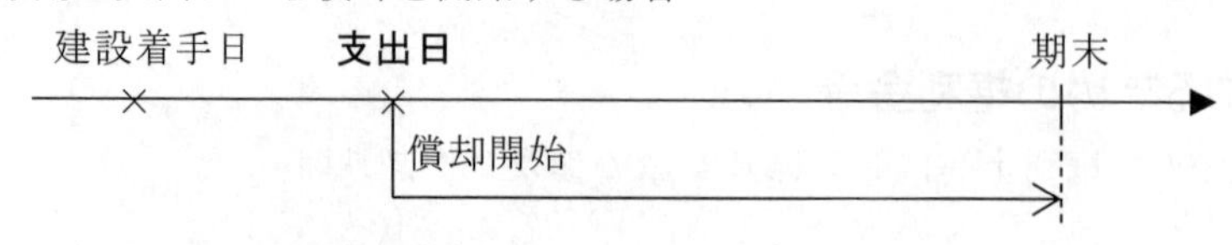

② **特例**：着手日から償却を開始する場合

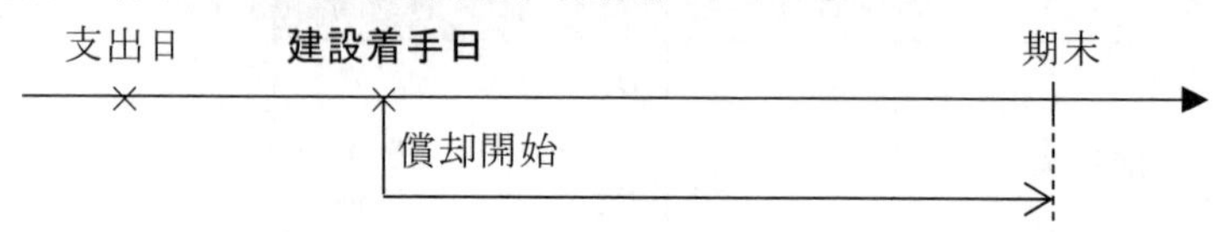

①と②の取扱いをまとめると、支出日と建設着手日の**いずれか遅い日**から償却を開始することになります。

２．対象資産が滅失等した場合

繰延資産とされた費用の支出の対象となった固定資産の滅失又は契約の解約等があった場合には、その滅失又は解約等があった事業年度においてその繰延資産の未償却残額を損金の額に算入します。

次の資料により、当社の当期における税務上の調整を示しなさい。

⑴　当社は、当社の所属するＸ協会の会館建設費用の負担金として令和７年４月10日に3,000,000円を支出し、当期の費用に計上している。

この負担金はＸ協会の本来の用に供される会館の建設費用に充てるために支出したものである。なお、会館の建設は令和７年５月20日に着手されており、建物の耐用年数は50年である。

⑵　当社は、電子計算機（法定耐用年数５年）を賃借（賃借期間４年）していたが、令和７年９月30日にその契約を解約し、電子計算機をリース会社に返還している。この賃借開始時には、引取運賃及び据付費を支払い費用に計上していたため、繰延資産償却超過額70,000円が当期に繰り越されている。

解答　１．会館建設負担金

⑴　償却期間

$50\times\frac{7}{10}=35$年＞10年　　∴　10年

⑵　償却限度額

$3,000,000\times\frac{11}{10\times12}=275,000$円

⑶　償却超過額

3,000,000－275,000＝2,725,000円

２．リース付随費用

解約　　∴　70,000円（認容）

（単位：円）

区　分		金　額	留　保	社外流出
加算	繰延資産償却超過額 （会館建設負担金）	2,725,000	2,725,000	
減算	繰延資産償却超過額認容 （リース付随費用）	70,000	70,000	

解説

①　固定資産を利用するための繰延資産については、その支出日と建設着手日のいずれか遅い日から償却を開始します。本問では、支出日が令和７年４月10日であり、建設着手日は令和７年５月20日であることから、令和７年５月20日から償却を開始することになります。

②　繰延資産とされた費用の支出の対象となった固定資産に係る契約の解約があった場合には、その解約があった事業年度においてその繰延資産の未償却残額を損金の額に算入します。本問では、繰り越されてきている償却超過額が未償却残額となるため、別表四で減算調整することにより償却超過額を損金の額に算入します。

5 少額の繰延資産等

少額の繰延資産及び簡易な施設の負担金に係る支出額は、損金経理を要件として、償却によらず、その支出額の全額を支出日の属する事業年度の損金の額に算入することができます。

区　　分	取　　扱　　い
1.少額の繰延資産	その全額を支出事業年度の損金の額に算入する。
2.簡易な施設の負担金	

1. 少額の繰延資産（令134）

均等償却を行う繰延資産となる費用を支出する場合において、その支出金額が20万円未満のものにつき、その支出日の属する事業年度において損金経理をしたときは、その金額は損金の額に算入されます。

⑴ **対象資産**

均等償却を行う繰延資産で支出額が20万円未満のものであること

⑵ **経理要件**

支出事業年度に損金経理すること

なお、支出額が20万円未満であるかどうかの判定は、次の区分に応じ、それぞれの金額により判定します。

＜例＞

① 公共的施設負担金等

➜ 一の設置計画又は改良計画につき支出する金額

② 資産を賃借するための権利金等、役務の提供を受けるための権利金等

➜ 契約ごとに支出する金額

③ 広告宣伝用資産の贈与費用

➜ 支出の対象となる資産の1個又は1組ごとに支出する金額

2. 簡易な施設の負担金（基通8－1－13）

簡易な施設で主として一般公衆の便益に供されるもののために充てられる負担金は、その支出日の属する事業年度の損金の額に算入されます*01)。

区　　分	具体例
簡易な施設の負担金	簡易舗装 街灯 がんぎ　等

*01) 簡易な施設の負担金に係る支出額が、20万円未満であるかどうかは問われません。

設例1－6 少額の繰延資産

次の資料により、当社の当期における税務上の調整を示しなさい。

⑴　当社は、令和７年８月７日に、得意先に対して当社の製品を広告宣伝するための資産１個を贈与している。この贈与による支出額180,000円は、広告宣伝用資産の贈与費用として繰延資産に該当するものである。当社は、全額広告宣伝費として当期の費用に計上している。

⑵　当社は、令和７年12月14日に、商店街の行う街路の簡易舗装の費用の一部負担金として250,000円を支出し、当期の費用に計上している。

なお、この街路は主として一般公衆の便益に供されるものである。

解答

⑴　広告宣伝用資産の贈与費用

180,000円＜200,000円　　∴　適　正（調整なし）

⑵　簡易舗装負担金

簡易な施設の負担金　　∴　適　正（調整なし）

解説

①　広告宣伝用資産の贈与費用は、均等償却を行う繰延資産に該当します。ただし、支出額が200,000円未満であり、損金経理を行っている場合には、償却をしないで、その全額を当期の損金の額に算入することができます。

②　簡易舗装負担金は、簡易な施設の負担金に該当するため、支出額が20万円未満であるかどうかを問わず、損金経理を要件に、その全額を当期の損金の額に算入することができます。

6 分割払いの繰延資産

▸▸問題集問題6

繰延資産に該当する費用を分割して支払う場合には、支出総額が確定しているときであっても、原則としてその総額を未払金に計上して償却の対象とすることは認められません。したがって、各事業年度において支出した金額を繰延資産として、それぞれ支出事業年度から償却することとになります。

ただし、分割期間が短期間（３年以内）である場合には、特例として、未払分を含めて総額を基礎に償却することが認められています。

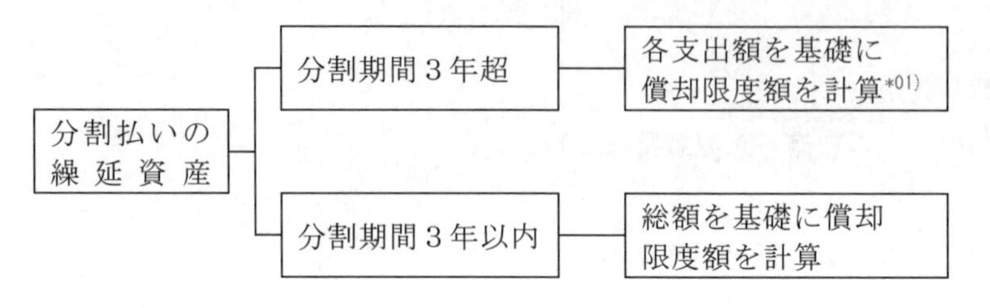

*01) 償却限度額は、各支出額を基礎に行いますが、少額の繰延資産（20万円未満）の判定は、各支出額ではなく、支出総額で行います。

＜例＞

支出総額　2,400（償却期間　10年）

（ケース１）

５年間分割払い（毎年10月に480ずつ５回均等払い）

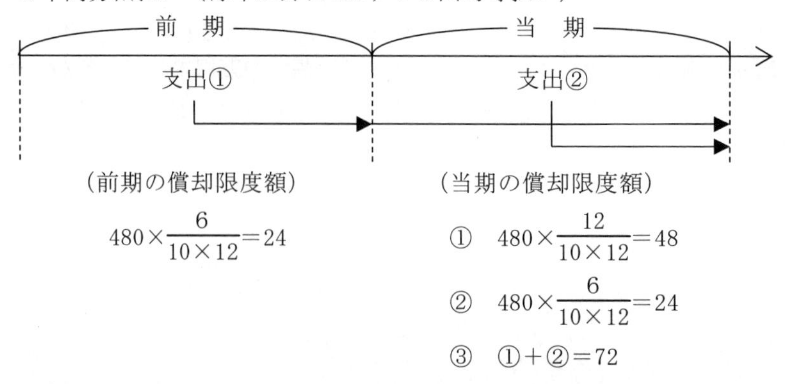

（前期の償却限度額）

$480 \times \frac{6}{10 \times 12} = 24$

（当期の償却限度額）

①　$480 \times \frac{12}{10 \times 12} = 48$

②　$480 \times \frac{6}{10 \times 12} = 24$

③　①＋②＝72

分割期間が３年を超えるため、**各支出額**を基礎に償却限度額を計算します。

（ケース２）

２年間分割払い（毎年10月に1,200ずつ２回均等払い）

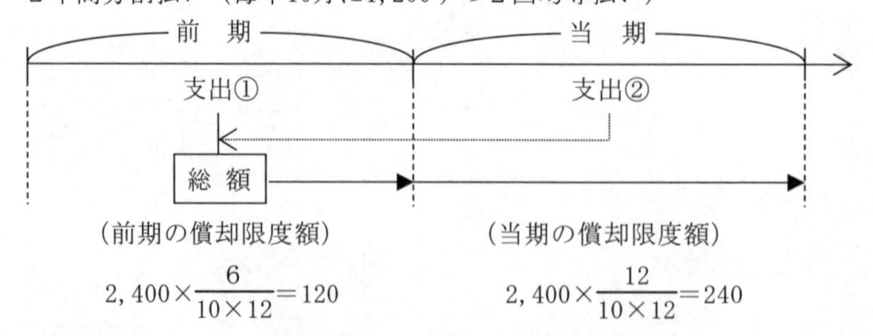

（前期の償却限度額）

$2,400 \times \frac{6}{10 \times 12} = 120$

（当期の償却限度額）

$2,400 \times \frac{12}{10 \times 12} = 240$

分割期間が３年以下であるため、**総額**を基礎に償却限度額を計算します。

設例1－7　分割払いの繰延資産

次の資料により、当社の当期における税務上の調整を示しなさい。

⑴　当社は、令和7年6月30日に、当社の所属する同業者団体の本来の用に供するために取得する会館（耐用年数50年）の建設費用に充てるための負担金300,000円を支出し、当期の費用に計上している。この会館の建設負担金は、総額で1,500,000円であるが、令和7年6月30日から毎年6月30日に年1回均等額を分割して支払うことになっている。

⑵　当社は、令和8年2月1日に、当社の工場前の道路（一般公衆も利用、耐用年数15年）の舗装費用に充てるための負担金180,000円をA市に対して支出している。この市道舗装負担金は、総額で360,000円（令和8年2月1日及び令和9年2月1日に均等額を分割で支払う。）であり、360,000円を繰延資産に計上するとともに、償却費として120,000円を当期の費用に計上している。

解答

1．会館建設負担金

⑴　償却期間

$50 \times \frac{7}{10} = 35$年＞10年　∴　10年

⑵　償却限度額

$300,000 \times \frac{10}{10 \times 12} = 25,000$円

⑶　償却超過額

300,000－25,000＝275,000円

2．市道舗装負担金

⑴　償却期間

$15 \times \frac{4}{10} = 6$年

⑵　償却限度額

$360,000 \times \frac{2}{6 \times 12} = 10,000$円

⑶　償却超過額

120,000－10,000＝110,000円

（単位：円）

区	分	金額	留保	社外流出
加算	繰延資産償却超過額			
	（会館建設負担金）	275,000	275,000	
	（市道舗装負担金）	110,000	110,000	
減算				

解説

①　会館建設負担金は、分割期間が3年を超えているため、支出総額を基礎に償却限度額を計算することはできません。したがって、当期に支出した300,000円を基礎に償却限度額を計算します。

②　市道舗装負担金は、分割期間が3年以内であるため、支出総額を基礎に償却限度額を計算することができます。なお、少額の繰延資産（20万円未満）の判定は、当期支出額の180,000円ではなく、支出総額である360,000円により行うため、少額の繰延資産には該当しません。

Section 2

金銭債務の償還差損益

企業会計では、法人が社債の発行をした場合に、発行価額と額面金額との差額（社債発行差金）があるときは、償却原価法を適用することになっています。法人税法でも、社債発行差金は負債から控除（差益の場合には負債に加算）し、収入額と債務額との差額を毎期益金又は損金の額に算入することになります。

このSectionでは、金銭債務の償還差損益の取扱いを学習します。

1 金銭債務の償還差損益（令136の2）

▸▸問題集問題7,8

1．概　要

法人が社債の発行等により金銭債務に係る債務者となった場合において、その金銭債務に係る収入額がその債務額を超え、又はその収入額がその債務額に満たないときは、その債務者となった日の属する事業年度から償還事業年度までの各事業年度の所得の金額の計算上、一定の算式により期間配分した金額を、益金の額又は損金の額に算入します*01)。

*01) 償還差損益（社債発行差金）は繰延資産ではないため、経理要件はありません。また、償還差損について、その金額が20万円未満であっても少額の繰延資産とはなりません。

＜図解＞

① 償還差益（収入額＞債務額）の場合

差額のうち、益金の額に算入された金額を、社債の帳簿価額から減算していくことになります。

② 償還差損（収入額＜債務額）の場合

差額のうち、損金の額に算入された金額を、社債の帳簿価額に加算していくことになります。

2. 益金又は損金算入額

(1) 償還事業年度の前事業年度までの各事業年度

次の算式により計算した金額を、益金の額又は損金の額に算入します。

基本算式

① **償還差益** ➜ 益金算入

$$(収入額－債務額)\times\frac{その事業年度の月数※}{債務者となった日から償還日までの期間の月数}$$

② **償還差損** ➜ 損金算入

$$(債務額－収入額)\times\frac{その事業年度の月数※}{債務者となった日から償還日までの期間の月数}$$

※ 債務者となった事業年度は、債務者となった日から期末までの月数

(注) 月数に１月未満の端数があるときは、切上げて１月とします。

(2) 償還事業年度

次の算式により計算した金額を、益金の額又は損金の額に算入します。

基本算式

① **償還差益** ➜ 益金算入

(収入額－債務額)－既に益金の額に算入された金額

② **償還差損** ➜ 損金算入

(債務額－収入額)－既に損金の額に算入された金額

設例２－１　金銭債務の償還差損益

次の資料により、当社の当期における税務上の調整を示しなさい。

当社は令和７年５月１日に利付債（額面金額は50,000,000円であり、償還期限は５年のものである。）を48,800,000円で発行し、その発行価額を帳簿価額として付している。

当社はこの社債に係る利息1,500,000円及びその発行に要した費用1,000,000円を当期の費用に計上しているが、上記以外に当該利付債に係る経理は行っていない。

解答　１．社債等発行費

任意償却の繰延資産　　∴　適　正

２．償還差損

⑴　損金算入額

$$(50,000,000-48,800,000)\times\frac{11}{5\times12}=220,000\text{円}$$

⑵　計上もれ

220,000－０＝220,000円

（単位：円）

区　分		金　額	留　保	社外流出
加算				
減算	償還差損計上もれ	220,000	220,000	

解説

①　社債の発行に要した費用は、社債等発行費として任意償却の繰延資産に該当します。したがって、税務調整は必要ありません。

②　社債の額面金額と発行価額との差額は、償還期限までの期間に渡って期間配分する必要があります。なお、税務調整の項目は、損益に着目して「償還差損計上もれ」としていますが、負債に着目して「社債計上もれ」としても正解です。

Try it　　繰延資産

次の資料により、当社の当期における税務上の調整を示しなさい。

(1)　当社は、令和７年９月５日に、広告宣伝のため、得意先に対し当社社名入りの陳列棚（耐用年数８年）を300,000円で譲渡している。当社は、譲渡した陳列棚の取得価額と譲渡対価の額との差額を、広告宣伝費として当期の費用に計上している。

なお、譲渡した陳列棚の当社における取得価額は450,000円である。

(2)　当社は、当社の敷地前の道路の舗装費用に充てるための負担金80,000円をＡ市に対して支出し、当期の費用に計上している。当該負担金は総額で400,000円であり、令和７年12月１日から毎年12月１日に年１回均等額を分割払いすることとなっている。

なお、この道路は一般公衆の用にも供されるものであり、耐用年数は15年である。

答案用紙

１．広告宣伝費

２．舗装費用負担金

(1)　償却期間

(2)　償却限度額

(3)　償却超過額

（単位：円）

区　　分		金　　額	留　　保	社外流出
加算				
減算				

解答

1．広告宣伝費

450,000－300,000＝150,000円❶＜200,000円❶　∴　適　正（調整なし）❶

2．舗装費用負担金

⑴　償却期間

$15年 \times \frac{4}{10} = 6年$❶

⑵　償却限度額

$80,000 \times \frac{4}{6 \times 12} = 4,444円$❶

⑶　償却超過額

80,000－4,444＝75,556円❶

（単位：円）

区　　分		金　　額	留　　保	社外流出
加算	繰延資産償却超過額 （舗 装 費 用 負 担 金）	❷75,556	❷75,556	
減算				

解説

①　広告宣伝用資産の低額譲渡に該当します。譲渡資産の取得価額から譲渡価額を控除した金額が200,000円未満であり、当期の費用に計上していることから少額の繰延資産に該当するため、調整は不要となります。

②　道路の舗装費用に充てるための負担金は公共施設負担金に該当します。一般公衆の用に供されるものであるため、耐用年数に4/10を乗じた期間にわたり償却を行います。

また、分割期間が3年を超える（400,000円÷80,000円＝5年）ため、各支出額を基礎に償却限度額を計算します。なお、少額の減価償却資産の判定は、各支出額ではなく支出総額で行います。

Chapter 3

租税公課

Section 1
租税公課

法人が納付する租税公課の額は、原則として期末までに債務が確定している限り、費用として損金の額に算入されます。しかし、一定の租税公課については租税政策上の理由から損金の額に算入しないこととする取扱いが設けられています。

このSectionでは、租税公課の取扱いを学習します。

1 損金不算入とされる租税公課（法38①②、55④⑤）

内国法人が納付する次の租税公課等の額は、各事業年度の損金の額に算入されません。

損金不算入とされる租税		損金不算入とされる理由
法人税の本税	中間申告分法人税	これらの租税は、法人の所得に対して課されるもの（所得から負担すべきもの）であり、所得計算の途中で控除する性格のものではないため。
	確定申告分法人税	
地方法人税[*01)]の本税	中間申告分地方法人税	
	確定申告分地方法人税	
住民税の本税	中間申告分住民税	
	確定申告分住民税	
国税の附帯税	延滞税 過少申告加算税 無申告加算税 不納付加算税 重加算税 印紙税の過怠税	これら租税公課等は、秩序違反に対する行政上の制裁として課されるものであり、これらを損金算入するとした場合には、そのペナルティ的効果が薄れてしまうため。
地方税の附帯金	延滞金（納期限延長に係るものを除きます。） 過少申告加算金 不申告加算金 重加算金	
罰金・科料・過料[*02)]		

*01) 地方に再配分するために、課される国税です。

*02) 「科料」は刑法に定める刑罰で、罰金よりも軽い刑罰をいいます。「過料」は行政上の義務を履行させる目的で課されるもので、行政罰と呼ばれています。いずれも「かりょう」と読みますが、これらを区別するために、前者を「とがりょう」、後者を「あやまちりょう」と発音します。

＜附帯税と附帯金＞

附帯税（国税）や附帯金（地方税）は、次の場合に課されます。

① 延滞税又は延滞金：法定納期限までに納付しなかった場合

② 過少申告加算税又は過少申告加算金：過少申告について更正又は修正申告があった場合

③ 無申告加算税又は不申告加算金：期限後申告又は決定があった場合

④ 不納付加算税：源泉徴収等による国税（例：所得税）を法定納期限内に完納しない場合

⑤ 重加算税又は重加算金：②又は④が課されるべき場合において、仮装隠ぺいの事実がある場合

2 損金算入される租税公課（法38①、55④）

内国法人が納付する次の租税公課等の額は、損金の額に算入されます。

損金算入される租税公課	損金算入される理由等
法人税又は地方法人税の利子税 納期限延長に伴う納期限延長に係る延滞金	災害等により、申告期限が延長された場合に課されるものであり、利息としての性格を有しているため。
社会保険又は労働保険に係る追徴金及び延滞金	損金不算入とされる附帯税等として列挙されていないため。
事業税	事業税等は、公共施設利用税としての性格（費用としての性格）を有しているため。
その他の租税公課	印紙税、固定資産税、自動車税　等

3 租税公課の損金算入時期

1．概　要（基通9－5－1）

内国法人が納付する租税公課等の額は、次の区分に応じそれぞれに定める事業年度の損金の額に算入されます。

区　分	損金算入時期
申告納税方式*01)	申告書の提出された日の属する事業年度
賦課課税方式*02)	賦課決定のあった日の属する事業年度
特別徴収方式*03)	申告の日の属する事業年度
利子税及び延滞金	納付の日の属する事業年度
更正又は決定に係る税額	更正又は決定のあった日の属する事業年度

*01) 事業税、消費税、事業所税等があります。

*02) 固定資産税、不動産取得税、自動車税等があります。

*03) ゴルフ場利用税、軽油引取税等があります。

2．事業税の損金算入時期

前期確定申告分及び当期中間申告分の事業税の額は、当期中に申告書を提出することとなるため、当期の損金の額に算入されます。しかし、当期確定申告分の事業税は、申告書の提出が翌期となるため、当期の損金の額に算入することはできません。

<図解>

事業税（申告納税方式）の損金算入時期は次のとおりです。

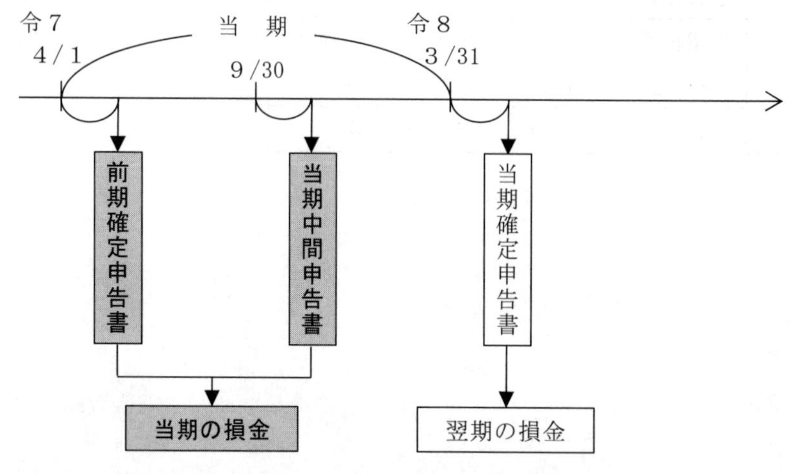

なお、当期の損金の額に算入される事業税（前期確定及び当期中間分）について、未払等であるため何ら経理をしていない場合には、別表四で「未払事業税認定損」（減算留保）の調整を行って認識します。

会　社　経　理	税　務　調　整
（租税公課）××（未払金）××	調整なし（適　正）
未　処　理	未払事業税認定損（減算留保）

3. 申告期限未到来の事業所税

申告期限未到来の事業所税[*04]は、原則として、未払計上は認められませんが、製造原価に算入している場合には、その製造原価に算入した部分については、未払計上した事業年度の損金の額に算入することができます。

区　分	税　務　調　整
製造原価算入分	調整なし（適　正）
上記以外の部分	未払事業所税否認（加算留保）

*04) 事業所税は、一定規模以上の事業を行っている法人や個人に対して課される地方税です。都市環境の整備や改善に充てるため、地方税法で定められた都市だけで課税されます。

設例１－１　租税公課の損金算入時期

次の資料により、当社の当期における税務上の調整を示しなさい。

⑴　当期中間申告分の事業税9,000,000円については、当期末現在未払いであるため、何ら経理を行っていない。

⑵　当期の事業に係る事業所税3,000,000円は、申告期限未到来のものであるが、未払金として経理している。なお、当該事業所税のうち1,700,000円は、租税公課勘定に計上されており、残額の1,300,000円については、製造原価に算入されている。

解答

（単位：円）

区　分		金　額	留　保	社外流出
加算	未払事業所税否認	1,700,000	1,700,000	
減算	未払事業税認定損	9,000,000	9,000,000	

解説

①　当期中間申告分の事業税は、当期に申告書を提出し、債務が確定しているため、別表四で減算調整を行って認識しなければなりません。

②　未払事業所税のうち、製造原価に算入されている1,300,000円については、税務調整の必要はありませんが、租税公課勘定に計上し製造原価に算入されていない部分については、当期の損金の額に算入することはできないため、別表四で加算調整が必要です。

4 経理処理と別表四上の調整

▸▸問題集問題1～8

1．損金経理の場合

損金不算入となる租税を損金経理している場合には、損金不算入として別表四で加算調整します。

⑴ 経理処理

損金経理	
(租税公課) ×××	(現金預金) ×××

⑵ 税務調整

区　分	税　目　等	税務調整
損金不算入のもの	法人税（本税）	損金経理法人税（加算）
	地方法人税（本税）	損金経理地方法人税（加算）
	住民税（本税）	損金経理住民税（加算）
	印紙過怠税	損金経理過怠税（加算）
	罰金・科料・過料	損金経理罰科金等（加算）
	その他の附帯税等	損金経理附帯税等（加算）
損金算入のもの	利子税、事業税等、固定資産税　等	調整なし

設例1－2　損金経理の場合

次の資料により、当社の当期における税務上の調整を示しなさい。

当社が当期中に納付した次の租税については、租税公課として当期の費用に計上されている。

⑴	当期中間申告分法人税	34,100,000円
⑵	当期中間申告分住民税	3,700,000円
⑶	当期中間申告分事業税	24,300,000円
⑷	固定資産税	9,200,000円
⑸	印紙税（過怠税30,000円を含む。）	300,000円
⑹	商品運搬中の交通反則金	18,000円

解答

（単位：円）

区　分		金　額	留　保	社外流出
加算	損金経理法人税	34,100,000	34,100,000	
	損金経理住民税	3,700,000	3,700,000	
	損金経理過怠税	30,000		30,000
	損金経理罰科金等	18,000		18,000
減算				

解説

事業税及び印紙税（過怠税を除く。）は損金の額に算入されるため、税務調整を行う必要はありません。

2. 仮払経理の場合

「仮払金」は、その性質上内容が不明確であるため、洗い替えをする意味で、仮払経理をした租税の全額を一旦減算調整します。減算調整をすることにより損金経理をした場合と同じ状況になるため、あらためて、減算調整をした金額のうち、損金不算入となる租税について、別表四で加算調整をすることになります。

⑴ 仮払経理をした事業年度

① 経理処理

仮払経理
（仮 払 金）××× （現金預金）×××

② 税務調整

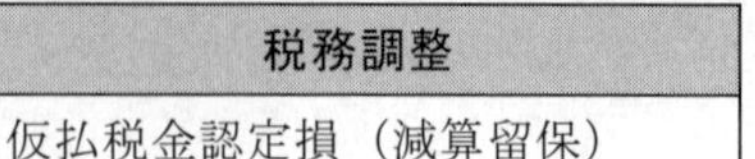

税務調整
仮払税金認定損（減算留保）

➜ まず、仮払経理をした全額を減算調整

➜ 次に、損金経理の場合の調整

⑵ 消却した事業年度

① 経理処理

消却経理
（租税公課）××× （仮 払 金）×××

② 税務調整

税務調整
仮払税金消却否認（加算留保）

➜ 消却経理をした全額を加算調整

設例1－3 仮払経理の場合

次の資料により、当社の当期における税務上の調整を示しなさい。

⑴ 当社が当期中に納付した次の租税については、仮払金勘定に計上されている。

①	当期中間申告分法人税	34,100,000円
②	当期中間申告分地方法人税	3,512,300円
③	当期中間申告分住民税	3,546,400円
④	当期中間申告分事業税	24,300,000円

⑵ 当社が前期において仮払金勘定に計上した次の租税については、当期において消却し、租税公課勘定に計上されている。

①	前期中間申告分法人税	27,200,000円
②	前期中間申告分地方法人税	2,801,600円
③	前期中間申告分住民税	2,828,800円
④	前期中間申告分事業税	19,400,000円

解答 1．仮払税金認定損

34,100,000＋3,512,300＋3,546,400＋24,300,000＝65,458,700円

2．仮払税金消却否認

27,200,000＋2,801,600＋2,828,800＋19,400,000＝52,230,400円

（単位：円）

区　分		金　額	留　保	社外流出
加算	損金経理法人税	34,100,000	34,100,000	
	損金経理地方法人税	3,512,300	3,512,300	
	損金経理住民税	3,546,400	3,546,400	
	仮払税金消却否認	52,230,400	52,230,400	
減算	仮払税金認定損	65,458,700	65,458,700	

解説

① 当期中間申告分の法人税等について、仮払経理を行っているため、次の税務調整が必要です。

(イ) 仮払経理をした法人税、地方法人税、住民税及び事業税等の合計額を減算調整します。

(ロ) (イ)の金額のうち、損金不算入となる法人税、地方法人税及び住民税について、加算調整をします。結果として事業税等部分が損金の額に算入されます。

＜図解＞

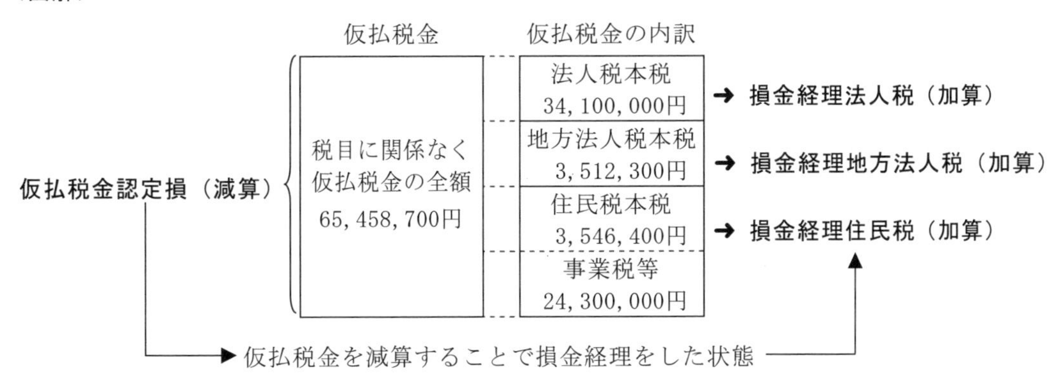

② 前期中間申告分の法人税、地方法人税、住民税及び事業税等について、前期に仮払経理を行い、当期においては、その仮払金を消却し租税公課として費用に計上しています。つまり、前期に①と同様に減算調整が行われ、税務上は費用としての認識が済んでいるにもかかわらず、再び費用に計上したということになります。（単位：円）

区　分	仕　訳	
前　期	（仮 払 金）52,230,400	（現金預金）52,230,400
当　期	（租税公課）52,230,400	（仮 払 金）52,230,400

→ 仮払税金認定損（減算）

再び費用に計上してしまっている

仮払税金消却否認（加算）

したがって、この費用への振り替えは認められないため、費用へ振り替えた金額の全額を否認して加算調整することになります。

3．納税充当金

当期確定申告分の法人税、地方法人税、住民税、事業税等の見積り額を、納税充当金[*01)]として費用に計上した場合には、債務未確定費用の計上となるため、当期の損金の額に算入することはできません。この納税充当金繰入額は、翌期において、申告書を提出することにより債務が確定します。

*01) 企業会計上の未払法人税等に当たるものです。

(1) 経理処理

納税充当金			
繰　入	（納税充当金繰入）×××	（納　税　充　当　金）×××	➜ 見積により計上
戻　入	（納　税　充　当　金）×××	（現　金　預　金）×××	➜ 納付に充当

(2) 税務調整

区　分	金　額	税務調整
当期確定分の繰入額	全　額	損金経理納税充当金（加算留保）
前期確定分の戻入額	法人税(本税)、地方法人税(本税)、住民税(本税)、以外の金額	納税充当金支出事業税等（減算留保）

＜図解＞

納税充当金は、債務確定主義により処理するため、その流れは、次のとおりになります。

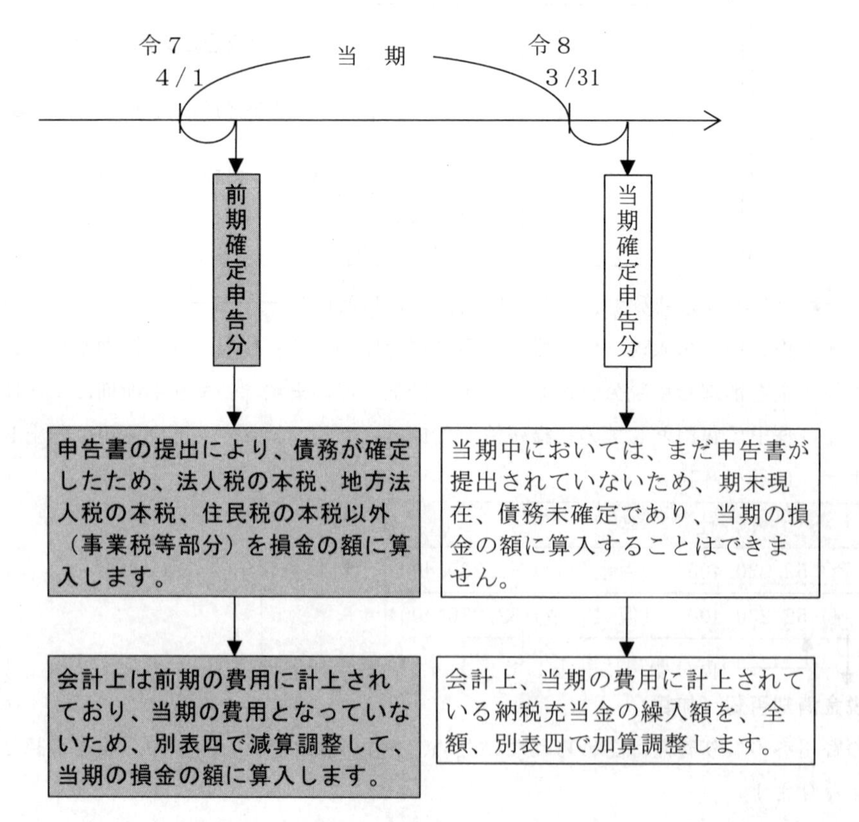

設例１－４　納税充当金

次の資料により、当社の当期における税務上の調整を示しなさい。

⑴　当期確定申告分の法人税、地方法人税、住民税及び事業税の見込額の合計額33,000,000円については、納税充当金として当期の費用に計上している。

⑵　当期中に納付した前期確定申告分の法人税18,000,000円、地方法人税1,854,000円、住民税1,872,000円及び事業税6,200,000円については、前期に費用に計上した納税充当金27,926,000円を取り崩す経理を行っている。

⑶　上記の税額はいずれも本税である。

解答

（単位：円）

区　　分		金　　額	留　　保	社外流出
加算	損金経理納税充当金	33,000,000	33,000,000	
減算	納税充当金支出事業税等	6,200,000	6,200,000	

解説

①　当期確定申告分の法人税、地方法人税、住民税及び事業税について繰り入れた納税充当金の額は、期末現在、債務未確定の費用計上に当たるため、当期の損金の額に算入することはできません。

②　前期の確定申告分の法人税、地方法人税、住民税及び事業税については、当期に申告書が提出され債務が確定しているが、そのうち法人税本税、地方法人税及び住民税本税以外の金額を別表四で減算します。

27,926,000（納税充当金取崩額） － 18,000,000（法人税本税） － 1,854,000（地方法人税本税） － 1,872,000（住民税本税） ＝ 6,200,000円（別表四減算）

＜図解＞

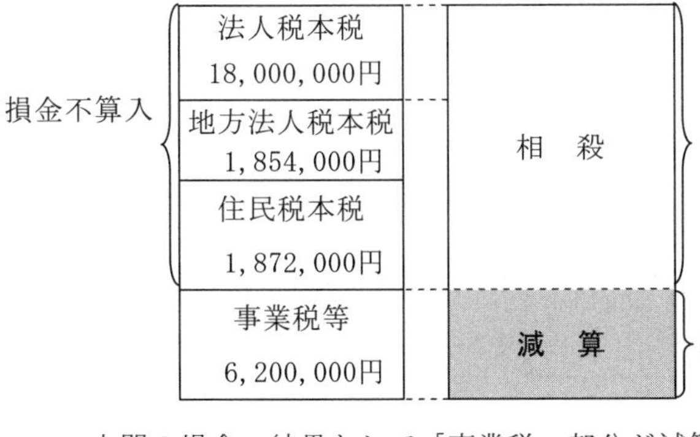

減算調整をしても、直ちに加算調整が必要となるため相殺すると考えます。

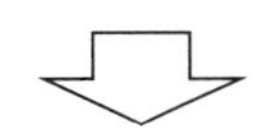

納税充当金支出事業税等　6,200,000円（減算留保）

本問の場合、結果として「事業税」部分が減算され損金の額に算入されることになります。

4. 納税充当金の引当不足額

前期に繰り入れた納税充当金の額が、納付税額に不足する場合において、その引当不足額を、納付時に費用に計上したときは、次のように取扱います。

⑴ 経理処理

納税充当金	
（納税充当金）××× （租税公課）××× → 引当不足分の納付	（現金預金）×××

⑵ 税務調整

区分	金額	税務調整
納税充当金の取崩しによる納付	法人税（本税）、地方法人税（本税）、住民税（本税）、以外の金額	納税充当金支出事業税等（減算留保）
不足税額の納付	費用に計上した金額	税目に応じて 損金経理法人税（加算留保） 損金経理住民税（加算留保） 等

設例1－5 納税充当金の引当不足額

次の資料により、当社の当期における税務上の調整を示しなさい。

⑴ 前期確定申告分の法人税、地方法人税、住民税及び事業税については、前期に費用に計上した納税充当金27,000,000円（うち事業税5,800,000円）を取り崩して納付に充てるとともに、引当不足額である法人税1,000,000円、住民税300,000円及び事業税400,000円については損金経理により納付している。

⑵ 上記の税額はいずれも本税である。

解答

（単位：円）

区分		金額	留保	社外流出
加算	損金経理法人税	1,000,000	1,000,000	
	損金経理住民税	300,000	300,000	
減算	納税充当金支出事業税等	5,800,000	5,800,000	

解説

① 納税充当金を取り崩して納付した金額のうち、法人税、地方法人税及び住民税以外の金額を減算します。本問では、納税充当金のうち5,800,000円が事業税（法人税、地方法人税及び住民税以外）であることから、当該金額を減算調整することになります。

② 引当不足額を損金経理により納付していますが、それぞれの税目に応じて税務調整を行います。本問では、法人税、地方法人税及び住民税は損金不算入となるため加算調整が必要です（事業税は損金の額に算入されます。）。

5．納税充当金の過大引当額

前期に繰り入れた納税充当金の額が、納付税額より過大である場合において、その過大引当額を、取り崩して収益に計上したときは、次のように取扱います。

⑴　経理処理

納税充当金	
（納税充当金）××× 	（現金預金）××× （納税充当金戻入）×××

→ 過大引当分の取崩し

⑵　税務調整

区　分	金　額	税務調整
納税充当金の取崩しによる納付	法人税（本税）、地方法人税（本税）、住民税（本税）以外の金額	納税充当金支出事業税等（減算留保）
過大引当分の取崩し	収益に計上した金額	

設例1－6　　納税充当金の過大引当額

次の資料により、当社の当期における税務上の調整を示しなさい。

⑴　前期に費用に計上した納税充当金の額は27,000,000円であるが、前期確定申告分の法人税18,000,000円、地方法人税1,854,000円、住民税1,872,000円及び事業税5,074,000円の納付に充てている。なお、納付に充てた納税充当金の残額についても、取り崩して収益に計上している。

⑵　上記の税額はいずれも本税である。

解答　納税充当金支出事業税等

27,000,000－18,000,000－1,854,000－1,872,000＝5,274,000円

（単位：円）

区　分		金　額	留　保	社外流出
加算				
減算	納税充当金支出事業税等	5,274,000	5,274,000	

解説

①　納税充当金のうち、26,800,000円（＝18,000,000＋1,854,000＋1,872,000＋5,074,000）は、法人税等の納付に充てているため、法人税、地方法人税及び住民税以外の金額（事業税部分）を減算調整することになります。

②　納税充当金の残額200,000円（＝27,000,000－26,800,000）については、取り崩して収益に計上されています。つまり、前期に加算され課税を受け、当期に収益に計上し再び課税を受けると二度課税される結果となるため、減算調整が必要となり、納税充当金支出事業税等に含めて調整します。

6. 法人税等調整額

企業会計上、税効果会計を採用すると損益計算書には「法人税、住民税及び事業税」に対して加算又は控除する項目として「法人税等調整額」が計上されることになります。この「法人税等調整額」は、法人税法においては、収益の額や原価・費用・損失の額に該当しないことから、益金の額又は損金の額には算入されません。

したがって、次の税務調整が必要になります。

区　　分	税務調整
法人税、住民税及び事業税に加算	法人税等調整額（加算留保）
法人税、住民税及び事業税から減算	法人税等調整額（減算留保）

設例1－7　法人税等調整額

次の資料により、当社の当期における税務上の調整を示しなさい。

⑴　当社の当期における損益計算書は、次のように記載されている。

損益計算書

⋮

税引前当期純利益		1,800,000円
法人税、住民税及び事業税	840,000円	
法人税等調整額	△ 120,000円	720,000円
当期純利益		1,080,000円

⑵　当社は当期に係る法人税、地方法人税、住民税及び事業税の見積額の合計額840,000円を未払法人税等として当期の費用に計上している。なお、法人税等調整額は、繰延税金資産260,000円と繰延税金負債140,000円との差額を計上している。

解答

（単位：円）

区　　分		金　　額	留　　保	社外流出
加算	損金経理納税充当金	840,000	840,000	
減算	法人税等調整額	120,000	120,000	

解説

本問では、法人税等調整額は法人税、住民税及び事業税から減算されています。つまり、当期純利益に含まれてしまっていることから、別表四で減算調整を行うことになります。

Try it 租税公課

次の資料により、当社の当期における税務上の調整を示しなさい。

(1) 当社が当期中に納付した次の租税については、仮払金勘定に計上されている。

①	当期中間申告分法人税	30,000,000円
②	当期中間申告分地方法人税	3,090,000円
③	当期中間申告分住民税	3,120,000円
④	当期中間申告分事業税	10,000,000円

(2) 当社が当期において租税公課として費用に計上した金額には次のものが含まれている。

①	固定資産税	1,500,000円
②	製品運搬中の交通反則金	40,000円
③	申告期限未到来の事業所税（製造原価に算入されていない。）	600,000円

(3) 当社は、当期確定分の法人税（地方法人税を含む。）、住民税及び事業税の見込額の合計額50,000,000円を、納税充当金として当期の費用に計上している。

答案用紙

仮払税金認定損

（単位：円）

区　分		金　額	留　保	社外流出
加算				
減算				

解 答

仮払税金認定損

30,000,000＋3,090,000＋3,120,000＋10,000,000＝46,210,000円

（単位：円）

区　分		金　額	留　保	社外流出
加算	損金経理法人税	30,000,000	❶30,000,000	
	損金経理地方法人税	3,090,000	❶3,090,000	
	損金経理住民税	3,120,000	❶3,120,000	
	損金経理罰科金等	❶40,000		❶40,000
	未払事業所税否認	❶600,000	❶600,000	
	損金経理納税充当金	50,000,000	❶50,000,000	
減算	仮払税金認定損	❶46,210,000	❶46,210,000	

解説

① 中間申告分の租税を仮払金として経理している場合には、一旦「仮払税金認定損」として減算調整を行い、その後損金不算入となるものを加算調整していきます。

② 申告期限が未到来の事業所税のうち、製造原価に算入されていないものは当期の損金の額に算入することができないため、加算調整が必要となります。

Chapter 4

受取配当等の益金不算入

Section 1 配当等の額の範囲

法人が受け取る配当金は、企業会計では受取配当金として収益に計上されます。
しかし、法人税法では、法人間の二重課税を排除するため等の理由から、申告上の手続きを行うことにより、益金不算入とする取扱いが設けられています。
このSectionでは益金不算入の対象となる配当等の額の範囲を学習します。

1 制度の趣旨

株式会社等の法人が、配当金を支払うときの財源は、すでに法人税が課税された後の課税済所得ということになります[*01]。

さらに、その配当金を受け取った法人に、再び法人税を課税[*02]してしまうと、同一の財源に対して2度、法人税が課税される「二重課税」となってしまいます。

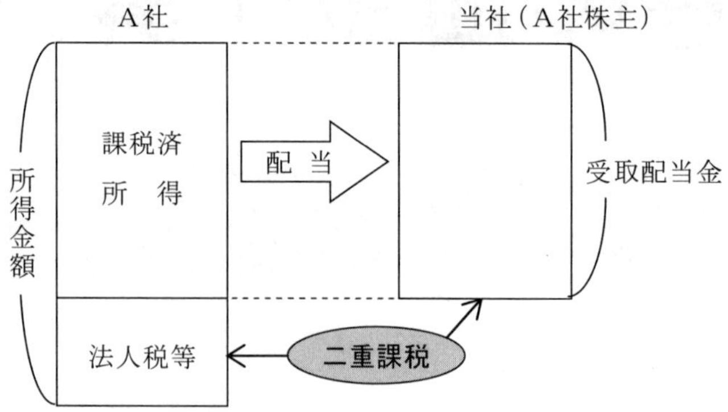

*01) 配当金の支払いは、資本等取引に該当しますから、支払配当金を損金の額に算入することはできません。

*02) 受取配当金は、企業会計上の収益ですから、原則として益金の額に算入されます。

すなわち、この規定は、内国法人から支払いを受ける配当等の額[*03]を益金の額に算入しないことにより**法人間の二重課税を排除**し、課税の公平を図ろうとするものです。

*03) 配当等の額には、配当金の他、特定株式投資信託の収益分配金（後述）等が含まれます。

Memorandum Sheet

2 益金不算入額の計算（法23①）

受取配当等の益金不算入額は、内国法人が受ける配当等の額の区分に応じて、次の金額の合計額となります。

配当等の額の区分	益金不算入額
完全子法人株式等に係るもの	配当等の額の全額
関連法人株式等に係るもの	配当等の額－負債利子の額*01)
その他株式等に係るもの	配当等の額×50%
非支配目的株式等に係るもの	配当等の額×20%

*01) 関連法人株式等のみその元本に係る負債利子の額を計算することになります。

基本算式

⑴ 配当等の額

① 完全子法人株式等

② 関連法人株式等

③ その他株式等

④ 非支配目的株式等

⑵ 控除負債利子の額

⑶ 益金不算入額

⑴①＋（⑴②－⑵）＋⑴③×50%＋⑴④×20%

受取配当等の益金不算入額（減算※社外流出）

<負債利子を控除する理由>

配当等の額の支払いを受ける前提として、株式等を保有している必要があります。

仮に株式等の取得資金を借入金でまかなった場合を想定すると、支払利息が生じますが、この支払利息は配当等を得るためにかかったコストであり、配当等の額に対応する費用といえます。

〈投　資〉
株　式　×××／現　金　×××　←---　〈調　達〉現　金　×××／借入金　×××

〈収　益〉
現　金　××／受取配当金　××　⟷　〈費　用〉支払利息　××／現　金　××

対応

受取配当等の益金不算入の規定は、二重課税を排除する目的で設けられているものですから、配当等の額を受け取った法人において、課税されるべき「利益」部分（二重課税が生じる部分）を計算し、益金不算入とする必要があります*02)。

このような考え方に基づいて、配当等の額から負債利子の額を控除して益金不算入額を計算するという取扱いが設けられています。

*02) 仮に負債利子の額を控除しないで、配当等の額そのものを益金不算入としてしまうと、その配当等の額の元本である株式等の取得に充てた借入金に係る支払利子が、他の収益（例えば売上高）と相殺され課税所得を引き下げる結果となってしまいます。

設例１－１　益金不算入額の計算

次の資料により、当社の当期における受取配当等の益金不算入額を求めなさい。

⑴　当社の当期に係る配当等の額は2,300,000円であるが、その内訳は完全子法人株式等に係る配当等の額が500,000円、関連法人株式等に係る配当等の額が1,000,000円、その他株式等に係る配当等の額が800,000円である。

⑵　配当等の額から控除する負債利子の額は40,000円と計算されている。

解答

⑴　配当等の額

①　完全子法人株式等

500,000円

②　関連法人株式等

1,000,000円

③　その他株式等

800,000円

⑵　控除負債利子の額

40,000円

⑶　益金不算入額

500,000＋(1,000,000－40,000)＋800,000×50％＝1,860,000円

（単位：円）

区　分		金　額	留　保	社外流出
加算				
減算	受取配当等の益金不算入額	1,860,000		※　1,860,000

解説

ここでは、配当等の額の区分を中心に、完全子法人株式等に係るもの、関連法人株式等に係るもの及びその他株式等に区分し、その区分に応じて益金不算入額の計算が異なることを確認してください。

3 株式等の区分

益金不算入額の計算は、配当等の額の元本である株式又は出資の区分に応じて定められているため、その株式等の区分を行うことから始める必要があります。それぞれの株式等を区分する際の判断基準の概要は次のとおりです。なお、その内国法人と完全支配関係[*01]がある他の内国法人がある場合は、当該他の内国法人の所有分を合計して判定します。

株式等の区分	判　断　基　準
1．完全子法人株式等	配当等の計算期間中[*02]継続して完全支配関係があった他の内国法人の株式、出資
2．関連法人株式等	配当等の計算期間中[*02]継続して1／3超を保有していた他の内国法人の株式、出資
3．その他株式等	他の区分のいずれにも該当しない株式、出資
4．非支配目的株式等	基準日現在の保有割合が5％以下の株式等[*03]

*01) 完全支配関係の説明は、次の完全子法人株式等のところにあります。

*02) 前回の配当基準日の翌日から今回の配当基準日までの期間をいいます。なお、配当「基準日」とは、「その日に株式等を保有していた者に配当を支払います」という基準となる日をいいます。なお、関連法人株式等については、配当等の基準日以前6月以上継続保有していれば、計算期間中継続保有とされます。

*03) 受益権からは配当等の額が生じないとされていますが、特定株式投資信託の収益分配金だけは非支配目的株式等に係るものとして配当等の額となります。

1．完全子法人株式等

(1)　意　義（法23⑤）

完全子法人株式等とは、配当等の額の計算期間を通じて内国法人との間に完全支配関係があった他の内国法人の株式又は出資として一定のものをいいます。

(2)　完全支配関係（法2十二の七の六、令4の2②）

完全支配関係には、当事者間の完全支配関係と法人相互の完全支配関係の2つがあります。

①　当事者間の完全支配関係

一の者[*04]が法人の発行済株式等の**全部**を直接又は間接に保有する関係として一定の関係をいいます。

*04) 一の者は、法人のみではなく、個人も含まれます。なお、個人の場合には、特定の1人とその特殊関係個人（親族等）も含まれます。

(ｲ)　直接完全支配関係

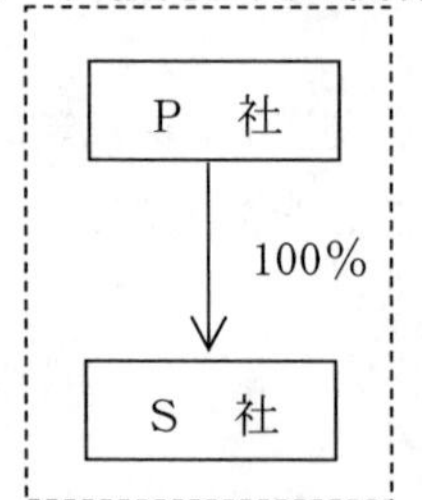

P社とS社は直接完全支配関係があり、当事者間の完全支配関係があることになります。

(ﾛ)　みなし直接完全支配関係

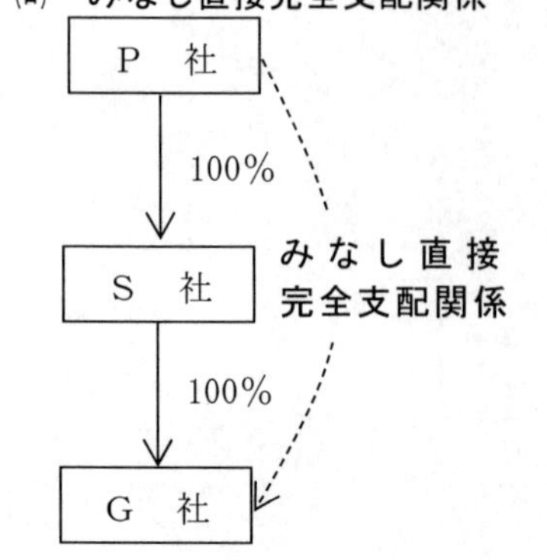

P社とG社はみなし直接完全支配関係があり、当事者間の完全支配関係があることになります[*05]。

*05) P社とS社は(ｲ)の関係（直接完全支配関係）にあり、当然完全支配関係があります。ここでは、完全支配関係のある法人を通じて、発行済株式等の全部を間接的に保有している場合でも、直接完全支配関係があるものとみなされることを示しています。

② 法人相互の完全支配関係

一の者との間に当事者間の完全支配関係がある法人相互の関係をいいます。

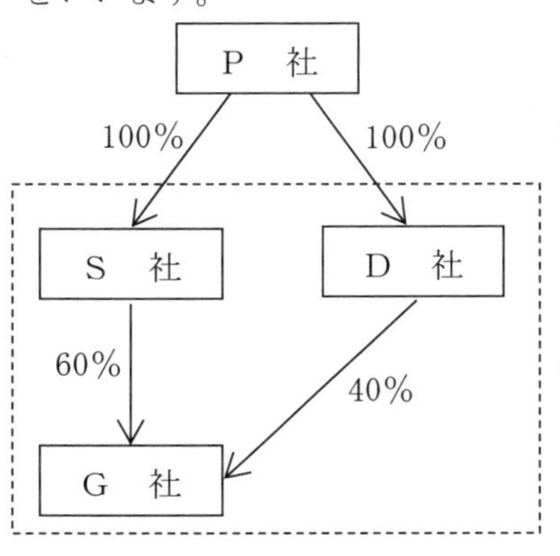

P社との間に当事者間の完全支配関係があるS社とD社とG社*06)は、一の者との間に当事者間の完全支配関係がある法人相互の関係にあります。

*06) P社との関係では、S社とD社は直接完全支配関係がありますが、その完全支配関係があるS社とD社で発行済株式等の全部を保有しているG社との間にも「みなし直接完全支配関係」があることになります。

⑶ 計算期間との関係

完全子法人株式等の判定は、まず完全支配関係の有無を確認し、さらに計算期間中の継続保有という要件を満たしているかどうかを確認する必要があります。

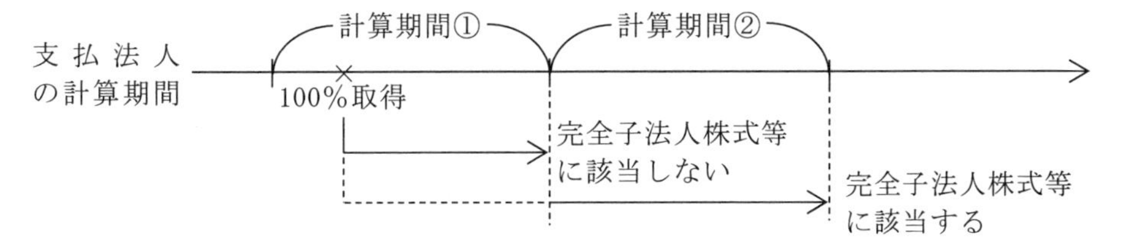

上記の図解中、計算期間①に係る配当等の支払いを受けた場合には、その元本を計算期間①を通じて継続して保有していないことから、完全子法人株式等に係る配当等には該当しないことになります*07)。

一方、計算期間②に係る配当等の支払いを受けた場合には、計算期間②を通じて継続して保有していることから、完全子法人株式等に係る配当等に該当します。

*07) 例外的に配当等の支払法人が新たに設立された法人で、設立日から計算期間の末日まで継続して保有していた場合には、完全子法人株式等に該当するものとして取り扱うことになります。
なお、完全子法人株式等に該当しない場合でも、基準日以前6月以上保有しているときは、関連法人株式等に該当します。「取得日」には注意しましょう。

2．関連法人株式等

⑴　**意　義**（法23④、令22①）

内国法人が他の内国法人の発行済株式等の１／３超の株式又は出資を、配当等の額の計算期間引き続き有している場合等（基準日以前６月以上引き続き有していれば計算期間中有しているとされます。）における当該他の内国法人の株式又は出資（完全子法人株式等を除く。）をいいます*08)。

*08) 発行済株式等の「１／３超」の範囲には「100%」も含まれているわけですが、関連法人株式等の範囲から除かれているのは「完全子法人株式等」に該当するものだからです。すなわち、「100%」保有している場合であっても計算期間中継続して「100%」保有していない場合等には関連法人株式等に該当する場合もあるということです。

⑵　**基準日との関係**

関連法人株式等の判定は、まず保有割合（１／３超）を確認し、さらに基準日以前６月以上の継続保有という要件を満たしているかどうかを確認する必要があります。

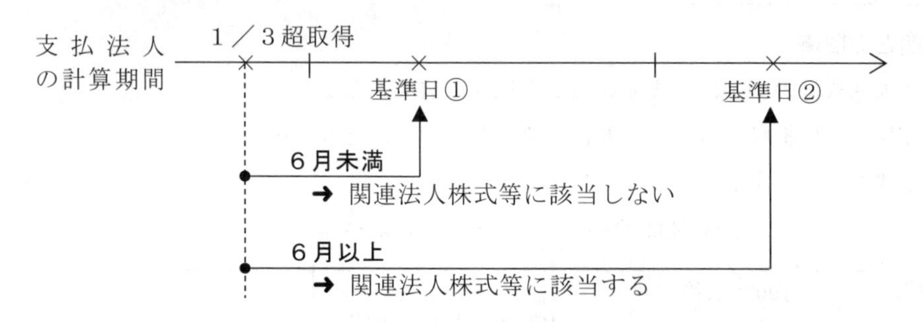

上記の時期に取得した株式等について、基準日①に係る配当等を受けた場合には、基準日①以前６月以上継続して保有していないため、関連法人株式等に係る配当等には該当しません*09)。

一方、基準日②に係る配当等を受けた場合には、基準日②以前６月以上継続して保有しているため、関連法人株式等に係る配当等に該当します。

*09) その場合は、保有割合が５%超か否かでその他株式等又は非支配目的株式等に係る配当等となり、配当等の額の50%相当額又は20%相当額が益金不算入となります。なお、例外的に配当等の支払法人が新たに設立された法人で、設立日から基準日まで継続して保有していた場合には、関連法人株式等に該当するものとして取り扱うことになります。

3．非支配目的株式等

基準日現在の保有割合が５%以下の株式、出資又は特定株式投資信託の受益権をいいます。

例　　示
基準日現在の保有割合が５%以下の株式・出資 （問題文中に特に保有割合が与えられていないものを含みます。）
特定株式投資信託の受益権

4．その他株式等

完全子法人株式等、関連法人株式等及び非支配目的株式等のいずれにも該当しない株式等をいいます。

例　　示
基準日現在の保有割合が５%超かつ１／３以下の株式・出資 保有割合が１／３超であっても、継続して基準日以前６月保有していない場合など

設例１－２　株式等の区分

次の資料により、当社の当期における受取配当等の益金不算入額を求めなさい。

⑴　当社は次の剰余金の配当の支払いを受け、源泉徴収税額を控除した金額を当期の収益に計上している。

区　分	配当の計算期間	配当等の額
Ａ社株式	令６.10.１～令７.９.30	1,400,000円
Ｂ社株式	令７.１.１～令７.12.31	300,000円
Ｃ社株式	令６.12.１～令７.11.30	80,000円

（注１）Ａ社株式の発行法人であるＡ社は、当社の子会社である。当社は、平成30年９月１日にＡ社の発行済株式の全部を取得し、当期末まで継続して保有している。

（注２）Ｂ社株式の発行法人であるＢ社は、当社の子会社である。当社は、令和７年５月１日にＢ社の発行済株式の30％を取得し、当期末まで継続して保有している。また、Ａ社もＢ社株式を20％数年前から所有している。

（注３）Ｃ社の発行済株式の、数年前に10％を取得したものである。

⑵　上記の株式は全て内国法人が発行するものである。なお、当期において控除する負債利子の額は、12,000円である。

解答　⑴　配当等の額

①　完全子法人株式等　　1,400,000円

②　関連法人株式等　　300,000円

③　その他株式等　　80,000円

⑵　控除負債利子の額　12,000円

⑶　益金不算入額

1,400,000＋(300,000－12,000)＋80,000×50％＝1,728,000円

（単位：円）

区　　分		金　　額	留　　保	社外流出
加算				
減算	受取配当等の益金不算入額	1,728,000		※　1,728,000

解説

①　株式の異動状況を確認し、取得時期及び保有期間により株式等の区分を行いましょう。おおむね、保有割合が100％、１／３超100％未満、１／３以下、５％以下により区分し、保有割合以外の要件を満たすか否か確認するようにしましょう。

②　Ａ社株式は発行済株式の全部を配当の計算期間（令６.10.１～令７.９.30）中継続して保有しているため完全子法人株式等に該当します。

③　Ｂ社株式は発行済株式の30％を配当の計算期間の基準日（令和７年12月31日）以前６月以上継続して保有しており、当社と完全支配関係があるＡ社も数年前から20％所有しているため関連法人株式等に該当します。

④　Ｃ社株式については基準日現在の保有割合が10％のため、その他株式等に区分することになります。

4 配当等の額の範囲

▸▸問題集問題1,2

1．株式・出資

⑴ 対象となる配当等（法23①一）

内国法人（公益法人等及び人格のない社団等を除きます*01)。）から支払いを受ける次のものの全額*02)が配当等の額に含まれます。

含まれるもの	内　容
剰余金の配当 出資分量分配金*03)	株式会社及び協同組合等からの利益の分配
利益の配当	持分会社（合名会社、合資会社及び合同会社をいいます。）からの利益の分配
剰余金の分配	相互保険会社からの利益の分配
名義株配当金	当社が取得資金を拠出する等、役員等の名義をもって所有している株式に係る配当等

*01) 公益法人等又は人格のない社団等については、配当をすることを予定しないものであるため、配当等から除かれています。

*02) 源泉所得税額等控除前の金額です。

*03) 協同組合等から出資持分に応じて分配を受けるものです。出資に係るものとして剰余金の配当に含まれます。

⑵ 対象とならない配当等

内国法人間で法人税の二重課税が生じるものが益金不算入の対象となるため、次のものは配当等の額に含まれません。

含まれないもの	含まれない理由
外国法人からの配当金	内国法人間における二重課税は生じないため*04)。
契約者配当金*05)	支払法人側で損金算入が認められており、二重課税は生じないため。
事業分量分配金*06)	（同上）
名義書換失念株配当金	株主としての地位に基づき正当に取得したものではないため。
預貯金等の利子	出資関係がなく、課税済所得の分配ではないため。

*04) 国際間の二重課税の問題が生じますが、「外国税額控除」等の規定が別途に設けられています。

*05) 積立保険で積立保険料部分の運用利回りが予定利率を超えた場合に、保険会社から保険契約者に支払われる配当金をいいます。

*06) 協同組合等の組合員が利用高等に応じて分配を受けるものであり、支払法人側において売上割戻しと同様の性格を有するものです。

<名義株配当金と名義書換失念株配当金>

「名義株配当金」と「名義書換失念株配当金」は、名称がよく似ていますが、その内容や取扱いは全く異なるものです。名称に惑わされないように、その内容をおさえておきましょう。

☆名義株配当金➜益金不算入の対象

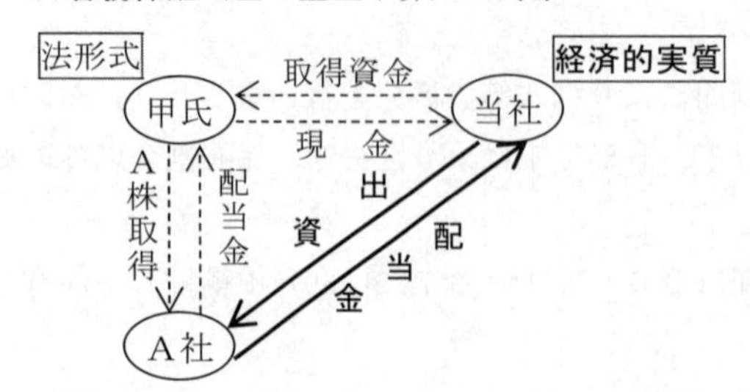

名義株配当金は、名義人である甲氏（役員等）に帰属するものではなく、実質的に当社が所有している株式に係るものとして、受取配当等の益金不算入等の適用をすることになります。

☆名義書換失念株配当金➜益金不算入の対象外

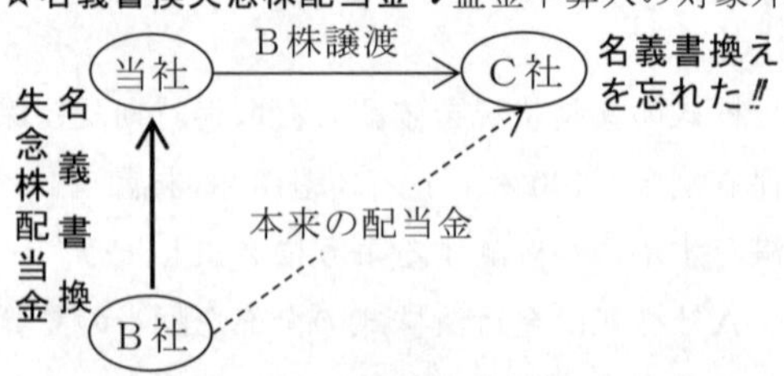

名義書換失念株配当金は、既にC社に譲渡したB株について、譲受人であるC社が名義書換えを失念したため、誤って当社に入金された配当金をいいます。C社から求償された場合には返還すべきもので、求償されない場合には、C社からの単なる受贈益に過ぎないものです。

設例１－３　配当等の額の範囲（株式・出資）

内国法人が支払いを受けた次の⑴から⑽までに掲げるものを、受取配当等の益金不算入の対象となる配当等及び対象とならない配当等に区分しなさい。

⑴　内国法人から受けた剰余金の配当

⑵　外国法人から受けた剰余金の配当

⑶　内国法人から受けた利益の配当

⑷　協同組合から受けた出資分量分配金

⑸　協同組合から受けた事業分量分配金

⑹　国債の利子

⑺　銀行預金の利子

⑻　郵便貯金の利子

⑼　Ｘ氏名義で所有している株式（株式の取得資金は当社から拠出されている。）に係る剰余金の配当

⑽　保険会社からの契約者配当金

解答

対象となる配当等	⑴、⑶、⑷、⑼
対象とならない配当等	⑵、⑸、⑹、⑺、⑻、⑽

解説

①　⑴と⑵の比較で、外国法人から支払いを受けたものは対象とならない点を確認してください。

②　⑶は持分会社からの配当です。出題頻度は高くありませんが違和感を持たないように確認してください。

③　⑷と⑸の比較で、剰余金の配当のうち出資に係るもの（出資分量分配金）は対象となりますが、そうでないもの（事業分量分配金）は対象とならないことを確認してください。

④　⑹から⑻までは、いずれも利子であり、配当等の範囲に含まれません。

⑤　⑼は名義株配当金です。名義はＸ氏（個人）のものですが「株式の取得資金は当社から拠出されている。」という問題文から名義株であることを読み取ります。

⑥　⑽の契約者配当金は、保険会社の損金の額に算入されるため、配当等の範囲に含まれません。

2. 証券投資信託

(1) 証券投資信託の仕組みと配当等の額

証券投資信託とは、投資家から集めた資金をファンド[*07]として1つにまとめ、証券市場で運用を行い、その運用益を投資家に分配する仕組みをいいます。

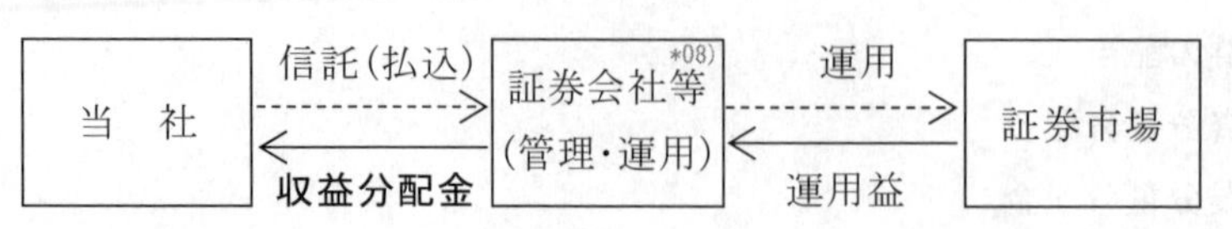

証券投資信託に係る収益分配金の内訳は、その運用先により株式等の譲渡益、公社債の利子、剰余金の配当など様々なものが考えられます。

(2) 配当等の額

① 基本的な考え方

証券投資信託のうち特定株式投資信託[*09]は、その運用益が、すべて配当等の額からなるため、収益分配金の額が配当等の額とされます。

② 対象となる配当等の額（措法67の6）

内国法人から支払いを受ける次の金額が配当等の額に含まれます。

区　　分	配当等の額
特定株式投資信託 (外国株価指数連動型[*11]のものを除く。)	収益分配金[*10]の全額

*07) 投資資金をいいます。

*08) 証券投資信託は証券会社等が募集・販売し、投資信託委託会社が運用計画を立て、信託銀行に売買の実行を指図します。信託銀行ではその運用指図に基づき売買を実行し管理する仕組みとなっています。

*09) 特定株式投資信託とは、信託財産を特定の株価指数（日経300等）採用銘柄の株式のみで運用することを目的とする一定の証券投資信託をいいます。特定株式投資信託の収益分配金については、全て株式に運用されていることから、配当等の額とされます。

*10) 源泉所得税額等控除前の金額です。

*11) 外国株価指数連動型特定株式投資信託は、その株価指数採用銘柄が外国株式であるものをいいます。

設例1－4 配当等の額の範囲（証券投資信託）

内国法人が支払いを受ける次の⑴から⑸までに掲げる収益分配金について、受取配当等の益金不算入額の対象となるものとならないものに区分しなさい。

⑴ 信託財産を主として内国法人が発行する株式に運用する証券投資信託の収益分配金

⑵ 信託財産の50%超75%以下を外国証券に運用する証券投資信託の収益分配金

⑶ 信託財産の75%を超えて外国証券に運用する証券投資信託の収益分配金

⑷ 特定株式投資信託（外国株価指数連動型のものではない。）の収益分配金

⑸ 外国株価指数連動型特定株式投資信託の収益分配金

解答

対象となる収益分配金	⑷
対象とならない収益分配金	⑴、⑵、⑶、⑸

5 配当等の収益の計上時期

剰余金の配当等については、次の区分に応じそれぞれの日の属する事業年度の収益とされます。

区　分	計上時期の原則	計上時期の特例
剰余金の配当	**配当効力発生日***01)	入金日*02)
投資信託の収益の分配（信託開始から終了までの間の収益の分配）	計算期間の末日	

*01) 問題文には、配当基準日や株主総会の配当決議日等の日付も与えられますが、配当の効力を生ずる日が当期中にあるものが、当期に認識すべき配当ということになります。

*02) 次の要件を満たす場合に限り、適用することができます。
①通常要する期間内に支払いを受けるものであること。
②継続して適用すること。

設例1－5　配当等の収益の計上時期（原則）

次の資料により、当社の当期における収益の認識に関する税務調整を示しなさい。

区　分	配当等の計算期間	配当等の額	配当効力発生日
A　株　式	令6．1．1～令6．12．31	600,000円	令7．3．24

（注1）　令和6年12月期に係る配当等の額600,000円は、令和7年4月2日に入金されたため、当期の収益に計上したものである。なお、前期の確定した決算においては、収益に計上されていない（前期の申告に際し適正に税務調整されている。）。

（注2）　令和7年12月期に係る配当等の額は次のとおりであり、当期末現在、未収であるため当期の確定した決算においては、収益に計上されていない。

区　分	配当等の計算期間	配当等の額	配当効力発生日
A　株　式	令7．1．1～令7．12．31	700,000円	令8．3．26

解答

（単位：円）

区　分		金　額	留　保	社外流出
加算	未収配当計上もれ	700,000	700,000	
減算	未収配当計上もれ認容	600,000	600,000	

解説

① 令和６年12月期に係る配当等

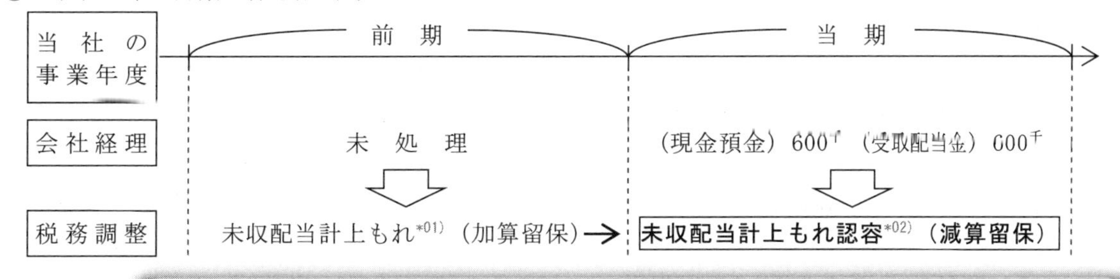

*01) 配当効力発生日が前期に属しているため、税務上は前期の配当として取り扱います。前期に会社の経理は未処理となっているため別表四で加算して、収益を認識します。
なお、別表四で認識した配当は、前期の受取配当等の益金不算入の対象とされます。

*02) この配当は、税務上は前期の収益であり、当期に会社の経理により収益計上してしまうと、前期の税務調整（未収配当計上もれ）と当期の経理との間で二重に収益が計上されることになってしまいます。そこで、別表四で減算調整を行って二重計上とならないように調整しています。
なお、税務上は当期の配当ではないため、当期の受取配当等の益金不算入の対象とすることはできません。

② 令和７年12月期に係る配当等

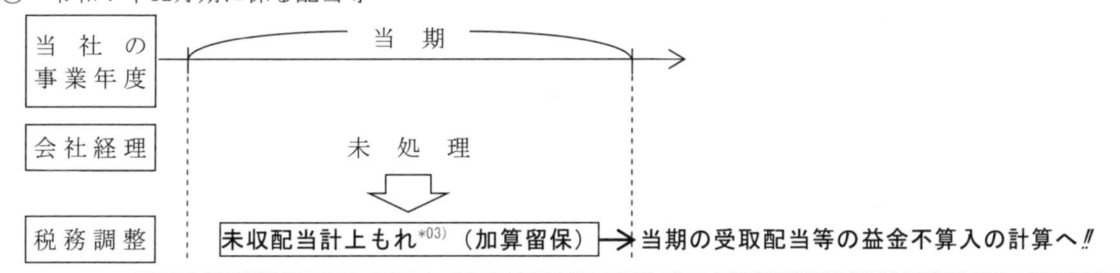

*03) 配当効力発生日が当期に属しているため、税務上は当期の配当として取り扱います。会社の経理が未処理となっているため別表四で加算して、収益を認識します。
なお、別表四で認識した配当は、当期の受取配当等の益金不算入の対象とします。

Section 2

短期所有株式等

配当金の支払に係る基準日以前１月以内に取得し、配当金だけをもらって同日後２月以内に譲渡した株式等を短期所有株式等といいます。短期所有株式等に係る配当等の額は、課税回避につながるため益金不算入の適用がありません。

このSectionでは、短期所有株式等の取扱いを学習します。

1　短期所有株式等（法23②）

▸▸問題集問題3,4

1．概　要

受取配当等の益金不算入の規定は、短期所有株式等に係る配当等の額については適用しないこととされています。具体的には、益金不算入の対象となる配当等の額から短期所有株式等に係る配当等の額を控除することになります。

基本算式

⑴　短期所有株式等に係る配当等の額

⑵　配当等の額

　　配当等の額－⑴

⑶　控除負債利子の額

⑷　益金不算入額

2．短期所有株式等とは

短期所有株式等とは、配当等の額の支払いに係る基準日（収益分配金については、その計算期間の末日）以前１月以内に取得し、かつ、その株式等又はその株式等と銘柄を同じくする株式等をその基準日後２月以内に譲渡した場合のその譲渡した株式等をいいます[*01]。

＜図解＞

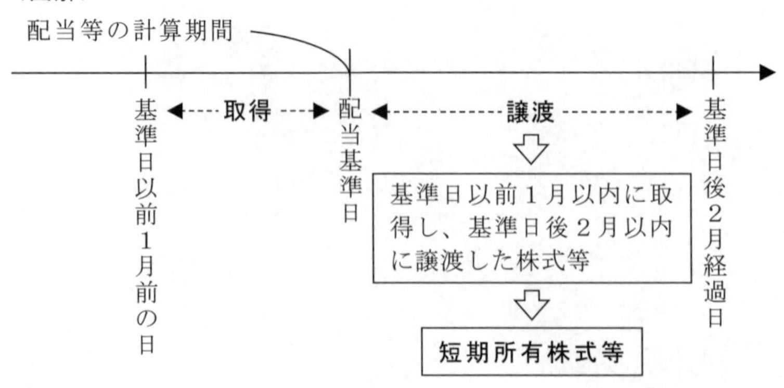

*01) 配当の支払いを受ける権利が確定する直前に株式等を取得し、その権利が確定した直後にその株式を譲渡する取引を繰り返すと、受取配当金は益金不算入とされる一方で有価証券の譲渡損が損金の額に算入されるため、意図的に課税所得を減少させることが可能になってしまいます。

設例２－１　短期所有株式等の適用除外

次の資料により、当社の当期における受取配当等の益金不算入額を計算しなさい。

⑴　当社が所有するＡ株式（その他株式等に該当する。）について、当期において支払いを受けた配当等の額は500,000円である。当社は配当等の額から源泉徴収税額を控除した金額を収益に計上している。

⑵　Ａ株式に係る配当等の額のうち、短期所有株式等に係る配当等の額は43,000円である。

解答

⑴　短期所有株式等に係る配当等の額

43,000円

⑵　配当等の額

500,000－43,000＝457,000円

⑶　益金不算入額

457,000×50％＝228,500円（減算※社外流出）

2 計算方法（令20）

1．短期所有株式等の数

短期所有株式等の数は、次の算式により計算します。

基本算式（短期所有株式等の数）

$$P = E \times \frac{C \times \frac{B}{A+B}}{C+D}$$

P：短期所有株式等の数

A：基準日以前１月前の日の所有株式等の数

B：基準日以前１月以内の取得株式等の数

C：基準日の所有株式等の数

D：基準日後２月以内の取得株式等の数

E：基準日後２月以内の譲渡株式等の数

<短期所有株式等の数の計算要素>

基本算式における各計算要素は次のとおりです。各計算要素を上記の基本算式にあてはめ、基準日後２月以内の譲渡株式等の数（E）のうち基準日以前１月以内の取得株式等の数（B）からなる部分の株式等の数を求めます。

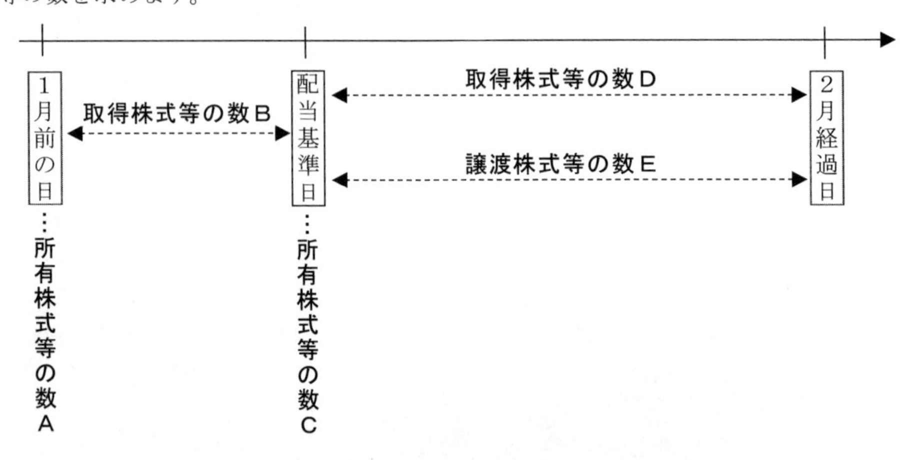

なお、ＥのうちＢからなる部分の金額を求める計算であるため、ＢとＥのうちいずれかがない場合又はＢとＥの両方がない場合には、短期所有株式等はないことになります。

2．短期所有株式等に係る配当等の額

短期所有株式等に係る配当等の額は、次の算式により計算します。

基本算式（短期所有株式等に係る配当等の額）

H＝配当等の額×$\frac{P}{C}$ ⇨ 配当等の額から控除する。

H：短期所有株式等に係る配当等の額

P：短期所有株式等の数

C：基準日の所有株式等の数

配当等は、基準日現在の所有株式等の数に応じて支払われるため、配当等の額をその基準日現在の所有株式等の数（C）で除し、それに短期所有株式等の数（P）を乗じて短期所有株式等に係る配当等の額を求めています。

設例２－２　　短期所有株式等に係る配当等の額

次の資料により、当社の当期における受取配当等の益金不算入の対象となる配当等の額を計算しなさい。

⑴　当期において取得したＢ社株式（配当支払基準日：令和７年６月30日）に係る剰余金の配当の額は1,000,000円であり、当期の収益に計上している。

⑵　Ｂ社株式の取得時から当期末までの異動状況は次のとおりである。

令和７年５月31日現在株式数	45,000株
令和７年６月15日取得株式数	15,000株
令和７年６月25日譲渡株式数	30,000株
令和７年７月10日取得株式数	20,000株
令和７年８月20日譲渡株式数	10,000株
令和７年９月５日譲渡株式数	5,000株

解答　⑴　短期所有株式等に係る配当等の額

$$10,000\times\frac{30,000\times\frac{15,000}{45,000+15,000}}{30,000+20,000}=1,500\text{株}\qquad 1,000,000\times\frac{1,500}{30,000}=50,000\text{円}$$

⑵　配当等の額

1,000,000－50,000＝950,000円

解説

本問における各計算要素は次のとおりです。

Ａ：基準日以前１月前の日の所有株式等の数 …令和７年５月31日現在株式数45,000株

Ｂ：基準日以前１月以内の取得株式等の数 …令和７年６月15日取得株式数15,000株

Ｃ：基準日の所有株式等の数 …令和７年６月30日所有株式数30,000株（＝45,000＋15,000－30,000）

Ｄ：基準日後２月以内の取得株式等の数 …令和７年７月10日取得株式数20,000株

Ｅ：基準日後２月以内の譲渡株式等の数 …令和７年８月20日譲渡株式数10,000株

Section 3

控除負債利子

受取配当金の元本である株式の取得に充てた借入金に係る負債利子は、配当金を得るための費用と考えられます。二重課税が生じるのはあくまで利益部分であることから、利益ベースで益金不算入額を計算するためには、負債利子を控除することが必要です。このSectionでは、控除負債利子の計算を学習します。

1 控除負債利子の計算方法

控除負債利子の額は、次のうちいずれか少ない金額とされています。

次の金額のうちいずれか少ない金額
- 関連法人株式等に係る配当等の額×４％
- その事業年度の支払負債利子×10％

基本算式

⑴ 短期所有株式等に係る配当等

⑵ 配当等の額

① 完全子法人株式等

② 関連法人株式等

③ その他株式等

④ 非支配目的株式等

⑶ 控除負債利子の額

① 当期支払負債利子

② 控除負債利子の額

イ 配当等の額基準額

関連法人株式等に係る配当等の額×４％

ロ 支払負債利子基準額

その事業年度の支払負債利子×10％

ハ イとロのうちいずれか少ない金額

⑷ 益金不算入額 ➜ 受取配当等の益金不算入額 （減算※社外流出）

2 当期支払負債利子の範囲（令19）

控除負債利子の計算の対象となる支払負債利子には、借入金利子等のほか、経済的な性質が利子に準ずるものが含まれます。未払金に計上した利子も含まれますが、前払利子で当期の損金の額に算入されないものは除かれます。

＜支払負債利子の範囲＞

支払利子に含まれるもの	支払利子に含まれないもの
(1) 借入金利子（長期・短期）	(1) 利子税、延滞金
(2) 手形割引料（手形売却損）	(2) 取得価額に含めた割賦利子
(3) 社債利子	(3) 売上割引料
(4) 金銭債務（社債等）の償還差損（損金算入額）	
(5) 買掛金を手形で支払った場合の当社が負担した割引料	
(6) 従業員預り金、営業保証金、敷金の利子	
(7) 取得価額に含めていない割賦利子	
(8) 取得価額に算入した利子 *01)	

*01) 取得価額に算入した利子は、償却費等として損金の額に算入されます。しかし、その償却費等に含まれる利子を毎期把握することは難しいため、利子を支払った年度で支払利子とします。

3 関連法人株式等に係る配当等の額が複数ある場合

関連法人株式等に係る配当等の額が複数あり、支払負債利子基準額が配当等の額基準額以下である場合の控除負債利子の計算は、次のとおりです。

基本算式（関連法人株式等に係る配当等の額がＡとＢがある場合）

(3) 控除負債利子の額

① 当期支払負債利子

② 控除負債利子の額

イ 配当等の額基準額

関連法人株式等に係る配当等の額の合計額×４％

ロ 支払負債利子基準額

その事業年度の支払負債利子×10%

ハ イ≧ロ

∴ a ロ×$\frac{A}{A+B}$（Ａの配当等の額から控除）

b ロ×$\frac{B}{A+B}$（Ｂの配当等の額から控除）

設例３－１　控除負債利子

次の資料により、控除負債利子の額を求めなさい。

⑴　当期において支払利息として費用に計上した金額の内訳は次のとおりである。

①　借入金利子　27,000円

②　手形割引料　4,940円

③　売上割引料　1,000,000円

⑵　当社は次の剰余金の配当の支払いを受け、源泉徴収税額を控除した金額を当期の収益に計上している。

区　分	利子・配当等の別	計算期間	元本の取得時期	収入金額
A　株　式	剰余金配当	令６．７．１～令７．６．30	令６．９．１	800,000円
B　株　式	剰余金配当	令６．11．１～令７．10．31	（注２）	500,000円
C特定株式投資信託	収益分配金	令７．４．１～令７．９．30	令７．６．10	200,000円

（注１）　A株式は、内国法人A社が発行する株式である。なお、保有割合は40％である。

（注２）　B株式は前期に発行済株式等の10％を取得したが、当社の完全親会社が数年前から50％保有している。

解答　控除負債利子の額

①　当期支払負債利子　27,000＋4,940＝31,940円

②　控除負債利子の額

イ　配当等の額基準額

(800,000＋500,000)×４％＝52,000円

ロ　支払負債利子基準額

31,940×10％＝3,194円

ハ　イ≧ロ

∴　a　$ロ \times \frac{800,000}{800,000+500,000}$（A株式の配当等の額から控除）＝1,965円

b　$ロ \times \frac{500,000}{800,000+500,000}$（B株式の配当等の額から控除）＝1,228円

解説

①　売上割引料は、当期支払負債利子に含まれません。

②　完全親会社とは100％親会社のことであるため、当社とは完全支配関係があります。したがって、B株式は、完全親会社の持分も合計して、関連法人株式等の判定を行います。

③　関連法人株式等に係る配当等の額が複数あり、支払負債利子基準額が配当等の額基準額以下である場合に、本問解答の計算となります。

Memorandum Sheet

Try it

控除負債利子の計算

次の資料により、当社の当期における受取配当等の益金不算入額に係る税務上の調整を示しなさい。

⑴ 当社は次の剰余金の配当の支払いを受け、源泉徴収税額を控除した金額を当期の収益に計上している。

区　　分	利子・配当等の別	計　算　期　間	元本の取得時期	収入金額
A　株　式	剰余金配当	令６．７．１～令７．６．30	令６．９．１	800,000円
B　株　式	剰余金配当	令６.11.１～令７.10.31	（注２）	500,000円
C特定株式投資信託	収益分配金	令７．４．１～令７．９．30	令７．６．10	200,000円

（注１） A株式は、内国法人A社が発行する株式である。なお、保有割合は40%である。

（注２） B株式は前期に発行済株式等の10%を取得したが、当期の10月30日に保有割合を50%としている。

⑵ 当期において損金の額に算入された負債利子の額は16,000,000円である。

答案用紙

(1) 配当等の額

① 関連法人株式等

② その他株式等

③ 非支配目的株式等

(2) 控除負債利子の額

① 当期支払負債利子

② 控除負債利子の額

イ 配当等の額基準額

ロ 支払負債利子基準額

ハ

(3) 益金不算入額

(単位：円)

区分		金額	留保	社外流出
加算				
減算				

解答

⑴　配当等の額

①　関連法人株式等　　800,000円❶

②　その他株式等　500,000円❶

③　非支配目的株式等　　200,000円❶

⑵　控除負債利子の額

①　当期支払負債利子

16,000,000円❶

②　控除負債利子の額

イ　配当等の額基準額

800,000×４％＝32,000円❶

ロ　支払負債利子基準額

16,000,000×10％＝1,600,000円❶

ハ　イ＜ロ　　∴　32,000円❶

⑶　益金不算入額

(800,000－32,000)＋500,000×50％＋200,000×20％＝1,058,000円

（単位：円）

区　分		金　額	留　保	社外流出
加算				
減算	受取配当等の益金不算入額	1,058,000		※　❸1,058,000

解説

控除負債利子の額は、配当等の額基準額と支払負債利子基準額のいずれか少ない金額となります。

Chapter 5

所得税額控除

Section 1 所得税額の控除

利子や配当金を受け取る場合には、その利子等に対して所得税が源泉徴収されます。この源泉徴収により差し引かれた所得税は、法人税と同じ国税であるため、法人税を前払いしたものと考えて、法人税額から控除することが認められています。
このSectionでは利子・配当等について源泉徴収された所得税の取扱いを学習します。

1 概　要

法人が利子や配当金の支払いを受ける場合には、その利子等から差し引かれる方法により所得税が源泉徴収されます。この利子や配当金は、収益の額に該当するため、原則として益金の額に算入され、法人税が課税されます。すると、同じ国税である所得税と法人税の間で二重課税が生じてしまいます。

所得税額控除は、この所得税と法人税の二重課税を排除するために設けられている制度です。

<図解>

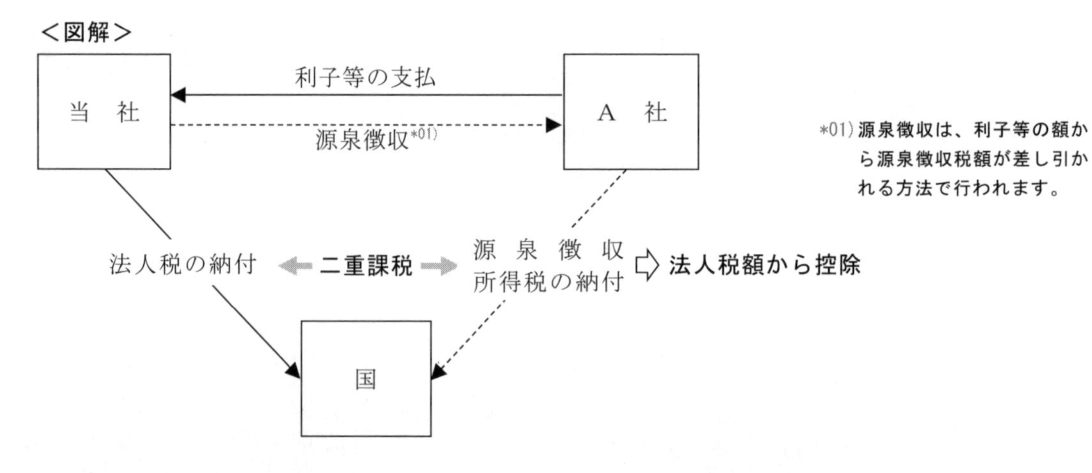

*01) 源泉徴収は、利子等の額から源泉徴収税額が差し引かれる方法で行われます。

2 税額計算上の取扱い（法68）

内国法人が支払いを受ける利子及び配当等について、源泉徴収された所得税の額は、一定の方法により当期の法人税額から控除し、控除しきれない金額は還付されます。

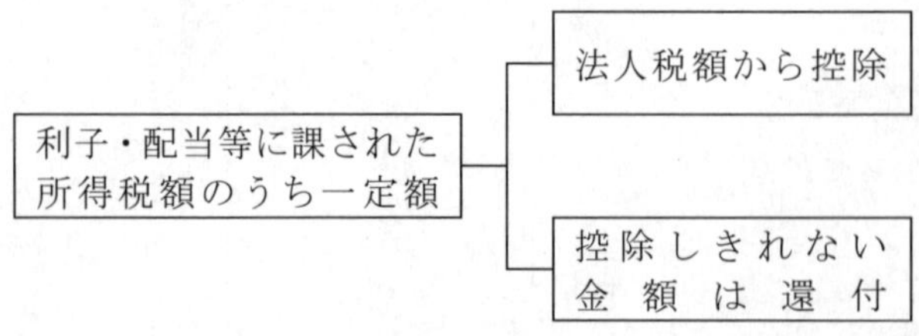

3 所得計算上の取扱い（法40）

内国法人が、所得税額の控除又は還付の適用を受ける場合には、控除又は還付される金額は、損金不算入とされます[*01]。

＜別表四と別表一の関係＞

所得税額控除の適用を受ける場合の所得計算と税額計算の関係は次のとおりとなります。

（別表四）

内容		金額
当期純利益		
加算		
減算		
仮計		
法人税額控除所得税額		×××
合計・差引計・総計		
所得金額		

同一金額を転記[*02] →

（別表一）

内容	金額
所得金額	
法人税額	
差引法人税額	
法人税額計	
控除所得税額	×××
差引所得に対する法人税額	
中間申告分の法人税額	
差引確定法人税額	

所得税額控除の適用を受ける場合には、その控除を受ける金額を別表四で損金不算入とし、所得計算と税額計算の間の二重控除を防止しています。

*01）源泉徴収された所得税額について、所得税額の控除又は還付の適用を受けない場合には、その源泉徴収された所得税の額は損金の額に算入されることになります。

*02）平成25年以降の源泉徴収税額のうちには、源泉徴収所得税額の2.1％相当額の復興特別所得税額（東日本大震災からの復興財源に充てるため、臨時的に設けられている租税です。）が含まれています。この復興特別所得税額は、所得税額の控除の適用上、所得税額とみなされることから、所得税額と同様に取扱うことになります。

Section 2 控除税額の計算

源泉徴収された所得税の額は、必ずしもその全額が控除されるわけではありません。元本の種類によっては、その元本の所有期間により按分して控除税額を求めるものがあります。なお、所有期間により按分する方法には「個別法」と「簡便法」の２種類があります。

このSectionでは控除税額の計算を学習します。

1 控除対象となる所得税額の範囲

税額控除の対象となる所得税額は、利子・配当等につき源泉徴収された所得税額ですが、源泉徴収の対象となる利子・配当等には次のようなものがあります。なお、所有割合３分の１超の株式等及び完全子法人株式等に係るものは、源泉徴収されません。

源泉徴収の対象となる利子・配当等		源泉徴収所得税率*01)
下記以外の証券投資信託の収益分配金	公　募*02)	15.315%
	その他	15.315%
剰余金の配当、利益の配当、剰余金の分配（出資に係るもの）、みなし配当、特定株式投資信託の収益分配金	上場等*03)	15.315%
	その他*04)	20.42%
公社債の利子、公社債投資信託の収益分配金		15.315%
預貯金の利子		15.315%

これらのうち、その元本に譲渡性のあるもの*05)（みなし配当を除く。）のうち、一定のものの控除税額の計算については、その元本の所有期間に応じた「所有期間按分」が必要です*06)。

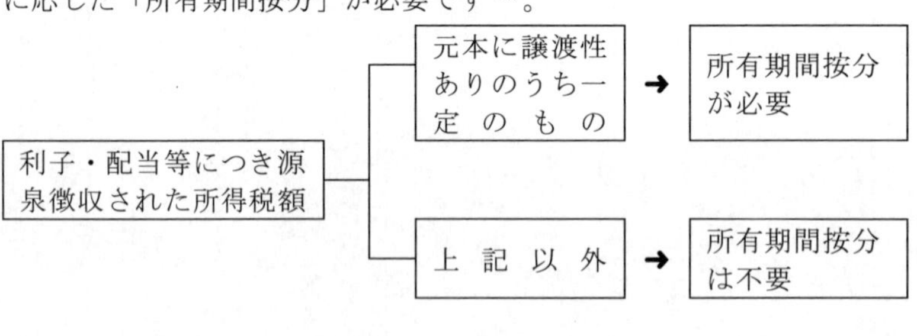

*01) 所得税率と復興特別所得税率との合計税率です。

*02) 不特定多数の者に対して、新たに発行される有価証券の取得の申込を勧誘することをいいます。

*03) 証券取引所に上場されているものや店頭売買登録銘柄の有価証券をいいます。

*04) 所有割合３分の１超の株式等及び完全子法人株式等に係るものは、令和５年10月１日以後に支払を受けるものについては、源泉徴収されなくなりました。

*05) 表は預貯金の利子以外のものが該当します。

*06) 復興特別所得税額（所得税額の2.1%）も、所得税額とみなし、所得税額と復興特別所得税額を合算して計算します。

2 個別法と簡便法（令140の2）

▶▶問題集問題1,2,3

株式出資及び受益権*01)に係る所得税額について、元本の所有期間に対応する金額を計算する場合の計算方法には、次の２つの方法があります。なお、株式出資、受益権の区分ごとにいずれかの方法を選択することができます。

計算方法	概　　要
1．個別法	元本の所有期間に対応する部分を実際に所有していた月数で按分して計算する方法
2．簡便法	計算期間中に取得した元本はすべて計算期間の期央に取得したものとして計算する方法

*01) 公社債投資信託以外の証券投資信託の受益証券が該当します。なお、公社債投資信託に係るものについては、租税回避が図れるものでないため、按分計算不要の区分となります。公社債の利子に係るものも同様です。

1．個別法

元本の所有期間が異なるものごとに、実際の所有期間に応じて次の算式で計算します*02)。

*02) 実際の所有期間に応じた計算となるため、「取得日」がポイントとなります。

基本算式

$$\text{配当等に対する所得税の額} \times \frac{\text{その元本を所有している期間の月数}}{\text{配当等の計算の基礎となった期間の月数}} \left(\text{小数点以下3位未満切上}\right)$$

（注）１月未満の端数は、１月に切り上げます。

源泉徴収された所得税額を、配当等の計算の基礎となった期間の月数（配当等の計算期間の月数）のうちにその元本を所有している期間の月数（取得日から配当等の計算期間の末日までの月数）の占める割合で按分しています。なお、月数については「１月未満切上」、割合については「小数点以下３位未満切上」の端数処理がありますので注意が必要です。

〈配当等の計算期間の月数〉

配当等の計算期間月数は、次の区分に応じ、それぞれの期間をいいます。

区　分	配当等の計算期間
配　当　金	前回の配当等に係る基準日の翌日から今回の配当等に係る基準日までの期間
収益分配金	信託の計算期間

設例２－１　控除税額の計算（個別法①）

次の資料により、法人税額から控除される所得税額を個別法により計算しなさい。

当社は、Ａ株式会社が発行するＡ社株式を当期において取得し、剰余金の配当の支払いを受けている。なお、配当計算期間等の資料は次のとおりである。

配当計算期間：令和７年１月１日から令和７年12月31日

元本の取得日：令和７年５月10日

源泉徴収所得税額：10,000円

解答　$10,000\times\frac{8}{12}(0.667)=6,670$円

解説

個別法の計算では、実際の所有期間を基礎に計算します。Ａ社株式の所有期間は、取得日の令和７年５月10日から配当計算期間の末日である令和７年12月31日までの８月間（１月未満は切り上げて１月とします。）です。当社の当期を基準に按分するのではなく、Ａ社の配当計算期間を基準に按分します。

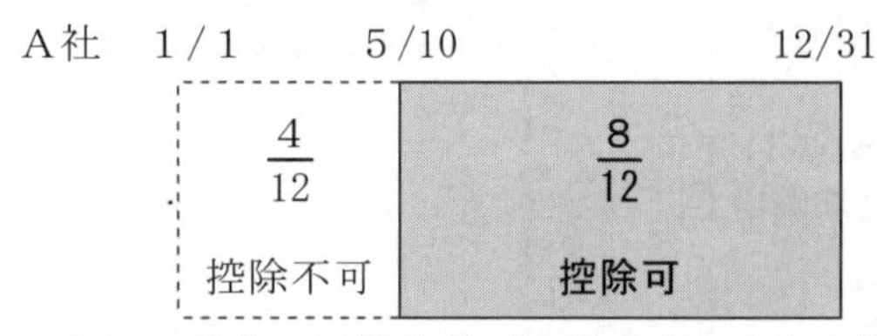

なお、按分の端数処理（小数点以下３位未満切上）を忘れないように注意してください。

設例２－２　控除税額の計算（個別法②）

次の資料により、法人税額から控除される所得税額を個別法により計算しなさい。

当社は、当期においてＢ社から剰余金の配当の支払いを受けている。当社は、Ｂ社株式を令和６年10月に10,000株を取得し保有しており、令和７年５月10日に5,000株を追加取得している。なお、配当計算期間等の資料は次のとおりである。

配当計算期間：令和７年１月１日から令和７年12月31日

源泉徴収所得税額：30,000円

解答　$30,000\times\frac{10,000}{15,000}+30,000\times\frac{5,000}{15,000}\times\frac{8}{12}(0.667)=26,670$円

解説

個別法の計算では、取得時期が複数ある場合には、源泉徴収税額を元本数で按分して、それぞれの元本について実際の所有期間を基礎に計算することになります。

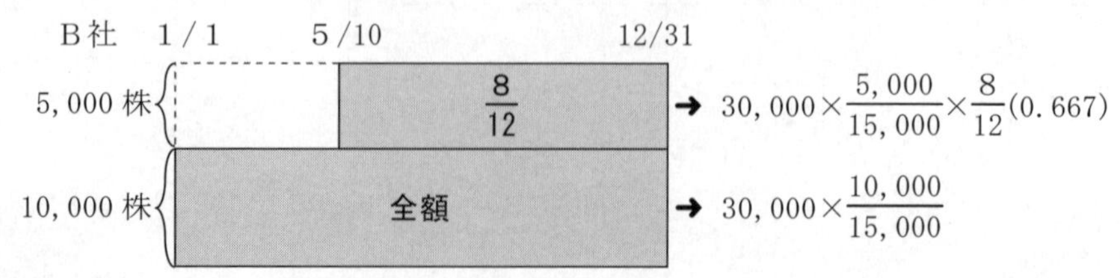

2．簡便法

配当等の計算期間中に増加した元本は、すべて配当等の計算期間の期央に取得したものと仮定して計算する方法で、配当等の計算期間が１年以下のものについては、銘柄ごとに次の算式で計算します。

基本算式

$$\text{配当等に対する所得税の額} \times \frac{\text{配当計算期間開始時の所有元本数A} + (\text{B} - \text{A}) \times \frac{1}{2}}{\text{配当計算期間終了時の所有元本数B}} \left(\begin{array}{c}\text{小数点以下}\\ \text{3位未満切上}\end{array}\right)$$

個別法では、同じ銘柄の元本でも取得日が異なれば、所有期間が異なるため、それぞれ区分して計算しなければなりません。そのため、日々売買を繰り返す法人では、個別法の計算は非常に煩雑なものとなってしまいます。そこで、実際の取得日とは関係させずに計算する簡便法が認められています*03)。

なお、上記の算式中の「B」が「A」に満たない場合（分数部分の割合が１を超える場合）には、「利子配当等に対する所得税の額」に乗ずる割合は「1」となります。

*03) 配当等の計算期間中に取得した元本はすべて配当等の計算期間の期央に取得したものとして計算するため、元本の取得日は計算に関係なく、配当等の計算期間の開始時と終了時の元本数がポイントになります。

設例２－３　控除税額の計算（簡便法①）

次の資料により、法人税額から控除される所得税額を簡便法により計算しなさい。

当社は、Ｃ株式会社が発行するＣ社株式を当期において10,000株取得し、剰余金の配当の支払いを受けている。なお、配当計算期間等の資料は次のとおりである。

配当計算期間：令和７年１月１日から令和７年12月31日

元本の取得日：令和７年８月20日

源泉徴収所得税額：150,000円

解答

$$150{,}000 \times \frac{0 + (10{,}000 - 0) \times \frac{1}{2}}{10{,}000} (0.500) = 75{,}000\text{円}$$

解説

簡便法の計算では、実際の取得日は関係させません。Ｃ社株式の所有期間は、取得日の令和７年８月20日から配当計算期間の末日である令和７年12月31日までの５月間（１月未満は切り上げて１月とします。）となりますが、配当計算期間中に増加した元本は配当計算期間の期央で取得したものとして計算します。

Ｃ社　1/1　8/20　12/31

1/2 控除不可	1/2 控除可

なお、按分の端数処理（小数点以下３位未満切上）があります。

設例２－４　　控除税額の計算（簡便法②）

次の資料により、法人税額から控除される所得税額を簡便法により計算しなさい。

当社は、当期においてＤ社から剰余金の配当の支払いを受けている。当社は、Ｄ社株式を令和６年10月に10,000株を取得し保有しており、令和７年８月20日に5,000株を追加取得している。なお、配当計算期間等の資料は、次のとおりである。

配当計算期間：令和７年１月１日から令和７年12月31日

源泉徴収所得税額：150,000円

解答

$$150,000 \times \frac{10,000 + (15,000 - 10,000) \times \frac{1}{2}}{15,000}(0.834) = 125,100\text{円}$$

解説

簡便法の計算では、取得時期が複数ある場合であっても、実際の取得日は関係させません。配当計算期間中に増加した元本は、配当計算期間の終了時と開始時の元本数の差として求め、その増加した元本は期央で取得したものとして計算します。

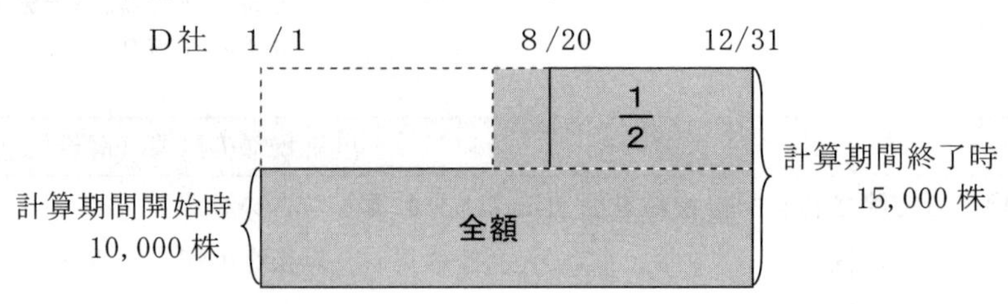

3．個別法と簡便法の選択

個別法と簡便法は、配当等の元本を、株式出資、受益権の２つのグループに区分し、区分ごとに統一して適用しなければなりません。

(1) 統一適用の範囲

株式出資、受益権のそれぞれの区分内は個別法又は簡便法を統一して適用しなければなりません。

<table>
<tr><th>具体例</th><th>取扱い</th></tr>
<tr><td>(1) 株式出資……個別法
(2) 受益権………簡便法
→ 選択可</td><td>グループごとに統一して適用します。</td></tr>
<tr><td>(1) 株式出資
① A株式………簡便法
② B株式………個別法
→ 選択不可</td><td>グループ内は統一適用のため、銘柄ごとには選択できません。</td></tr>
</table>

(2) 有利判定

個別法又は簡便法の選択は、法人にとって有利になる方法を選択することができます。

個別法と簡便法のうち有利な方 ➜ 控除税額の多い方

基本算式

(1) 株式出資
　① 個別法
　② 簡便法
　③ ①と②の多い方
(2) 受益権
　① 個別法
　② 簡便法
　③ ①と②の多い方
(3) その他
　所有期間按分は不要で全額控除
(4) 合　計
　(1)＋(2)
　　➜ 法人税額控除所得税額（別表四仮計下・加算社外流出）
　　➜ 控除所得税額（別表一法人税額計の下・控除）

設例２－５　個別法と簡便法の選択

次の資料により、当社の当期における法人税額から控除される所得税額に係る税務上の調整を示しなさい。

当社の当期における受取配当等の状況は次のとおりであり、差引手取額を雑収入に計上している。

銘　柄　等	配当等の計算期間	配当等の額	源泉徴収税額	差引手取額
A　社　株　式 (剰余金の配当)	令和６年７月１日～ 令和７年６月30日	900,000円	137,835円 (内　2,835円)	762,165円
B証券投資信託 (収益分配金)	令和６年９月１日～ 令和７年８月31日	300,000円	45,945円 (内　945円)	254,055円
C　　銀　　行 (預金利子)	―	42,000円	6,432円 (内　132円)	35,568円

(注１) A社株式は、令和６年６月30日現在10,000株を保有していたが、令和６年10月３日に9,000株、令和７年３月15日に11,000株をそれぞれ追加取得し、当期末現在30,000株を保有している。

(注２) B証券投資信託は、1,000口を令和７年５月８日に取得したものである。

(注３) 源泉徴収税額欄の（　）書きは、復興特別所得税額である。

解答

⑴　株式出資

①　個別法

$$137,835\times\frac{10,000}{30,000}+137,835\times\frac{9,000}{30,000}\times\frac{9}{12}(0.750)+137,835\times\frac{11,000}{30,000}\times\frac{4}{12}(0.334)$$

＝93,837円

②　簡便法

$$137,835\times\frac{10,000+(30,000-10,000)\times\frac{1}{2}}{30,000}(0.667)=91,935円$$

③　①＞②　　∴　93,837円

⑵　受益権（$\frac{4}{12}<\frac{1}{2}$　∴　簡便法有利）

$$45,945\times\frac{0+(1,000-0)\times\frac{1}{2}}{1,000}(0.500)=22,972円$$

⑶　その他

6,432円

⑷　合　計

⑴＋⑵＋⑶＝123,241円（別表四加算・別表一控除）

(単位：円)

区　分		金　額	留　保	社外流出
加算				
減算				
仮　計				
法人税額控除所得税額		123,241		123,241

解説

① 元本を、株式出資・受益権・その他に区分します。A社株式は株式出資、B証券投資信託は受益権、C銀行預金はその他に区分します。なお、個別法と簡便法は、当該区分ごとに有利な方法を選択できます。

② 株式出資（A社株式）の配当等の計算期間と増加した元本に係る所有期間との関係は、次のとおりです。

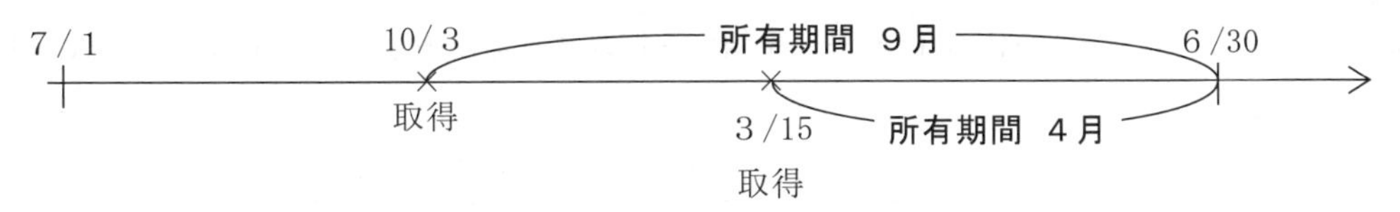

配当等の計算期間中に増加した元本に係る所有期間が2分の1（6月）より長いものと短いものの両方があるため、個別法と簡便法のそれぞれを計算し、控除税額の多い方を選択します。

③ 受益権（B証券投資信託）の配当等の計算期間と増加した元本に係る所有期間との関係は、次のとおりです。

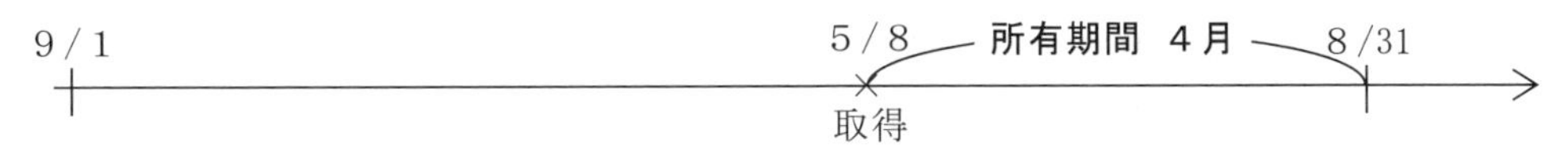

配当等の計算期間中に増加した元本に係る所有期間が2分の1（6月）より短いもののみであり、明らかに簡便法が有利となるため、簡便法を選択します。

④ 復興特別所得税額については、所得税額と合算したままで計算します。

3 その他の留意点

▸▸問題集問題4,5,6

1．未収配当等に対する所得税額控除（基通16－2－2）

所得税額控除は、原則として源泉徴収された事業年度（配当等の支払を受けた事業年度）で適用するため、未収配当等に係る源泉徴収税額については適用できません。ただし、配当等の効力発生により既に支払が確定した剰余金の配当等につき、確定した決算において未収金（収益）として計上した場合には、その経理した事業年度に適用することが認められています。

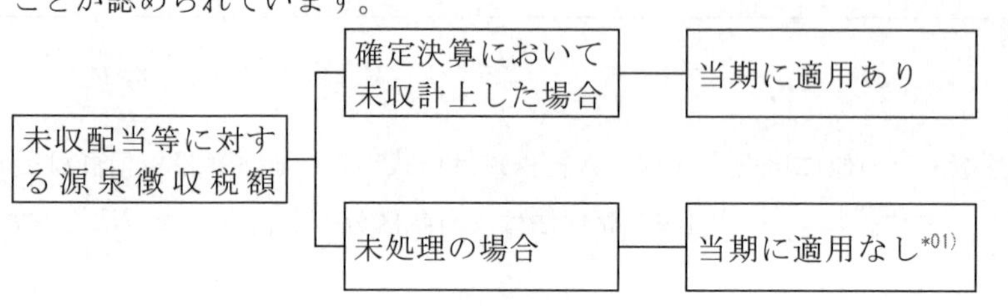

*01）原則どおり、源泉徴収された事業年度（配当等の支払を受けた事業年度）に適用します。

設例2－6　未収配当等に対する所得税額控除

次の資料により、当社の当期における法人税額から控除される所得税額及び未収配当に係る税務上の調整を示しなさい。

当社が、当期において支払いを受けた配当等の額は次のとおりである。

区　分	配当等の計算期間	配当等の額	源泉徴収税額	配当効力発生日
A　株　式	令６．１．１～令６．12．31	600,000円	91,890円 （うち 1,890円）	令７．３．24

（注１）　令和６年12月期に係る配当等の額600,000円は、令和７年４月２日に入金されたため、当期の収益に計上したものである。なお、前期の確定した決算においては、収益に計上されていない（前期の申告に際し適正に税務調整されている。）。

（注２）　令和７年12月期に係る配当等の額は次のとおりであり、当期末現在、未収であるが、当期の確定した決算において、未収金として収益に計上している。

区　分	配当等の計算期間	配当等の額	源泉徴収税額	配当効力発生日
A　株　式	令７．１．１～令７．12．31	700,000円	107,205円 （うち 2,205円）	令８．３．26

（注３）　上記の源泉徴収税額欄の（　）書きは、復興特別所得税額である。

解答　91,890＋107,205＝199,095円（別表四加算・別表一控除）

（単位：円）

区　　分		金　　額	留　　保	社外流出
加算				
減算	未収配当計上もれ認容	600,000	600,000	
仮　　計				
法人税額控除所得税額		199,095		199,095

解説

① 令和６年12月期の配当に係る源泉徴収税額は、前期に未収配当を確定した決算において収益に計上していないため、前期においては、所得税額控除の適用を受けていません。したがって、原則どおり源泉徴収された当期において、所得税額控除の適用を受けることになります。

なお、令和６年12月期の配当について、前期に配当効力が発生しているにもかかわらず、前期の収益に計上していないため、前期においては「未収配当計上もれ（加算留保）」の調整が行われていることになります。当期に再び収益に計上すると、二重計上となるため、「未収配当計上もれ認容（減算留保）」の調整が必要になります。

② 令和７年12月期の配当に係る源泉徴収税額は、当期に未収配当を確定した決算において収益に計上しているため、当期に所得税額控除の適用を受けることができます。

Try it **所得税額控除**

次の資料により、当社の当期における法人税額から控除される所得税額に係る税務調整を示しなさい。

当社は次の剰余金の配当の支払いを受け、源泉徴収税額を控除した金額を当期の収益に計上している。

区　分	銘柄等	配当等の計算期間	配当等の額	源泉徴収税額
剰余金の配当	A 社 株 式	令6．9．1～令7．8．31	2,000,000円	306,300円 (内 6,300円)
剰余金の配当	B 社 株 式	令7．2．1～令8．1．31	600,000円	91,890円 (内 1,890円)
預 金 利 子	C銀行預金	——	200,000円	30,630円 (内 630円)

（注1）A社株式は、令和6年8月31日現在10,000株を保有していたが、令和6年11月15日に2,000株を売却している。また、令和6年12月5日に5,000株、令和7年7月20日に7,000株を追加取得している。

（注2）B社株式は、名義書換失念株に該当する。

（注3）源泉徴収税額欄の（　）書きは、復興特別所得税額である。

答案用紙

⑴　株式出資

①　個別法

②　簡便法

③

⑵　その他

⑶　合　計

（単位：円）

区　　分		金　　額	留　　保	社外流出
加算				
減算				
仮　　　計		×××	×××	×××

解答

⑴　株式出資

①　個別法

$306,300\times\frac{^{※2}8,000}{^{※1}20,000}+306,300\times\frac{5,000}{20,000}\times\frac{9}{12}(0.750)+306,300\times\frac{7,000}{20,000}\times\frac{2}{12}(0.167)=197,854$円❶

※1　10,000－2,000＋5,000＋7,000＝20,000株

※2　10,000－2,000＝8,000株

②　簡便法

$306,300\times\frac{10,000+(20,000-10,000)\times\frac{1}{2}}{20,000}(0.750)=229,725$円❶

③　①＜②　　∴　229,725円❶

⑵　その他

30,630円❶

⑶　合　計

⑴＋⑵＝260,355円（別表四加算・別表一控除）

（単位：円）

区　　分		金　　額	留　　保	社外流出
加算				
減算				
仮　　　計		×××	×××	×××
法人税額控除所得税額		❸260,355		❸260,355

解説

①　A社株式は配当等の計算期間中に売買を行っているため、個別法と簡便法により計算し、有利な方を選択します。

②　記載場所は、加算欄ではなく仮計の下である点に注意しましょう。

Chapter 6
同族会社等

Section 1

同族会社の意義

同族会社は少数の株主（社長やその親族等）が経営を支配しているため、法人税の負担を回避するような、一般の法人では通常行われない不当な取引が行われやすい状況があります。そこで、同族会社等に限って適用される特別規定を設け、課税の公平を図っています。

このSectionでは同族会社の意義を学習します。

1　同族会社の意義

1．意　義（法2十）

会社[*01]の株主等[*02]（その会社が自己株式等を有する場合のその会社を除く。）の３人以下並びにこれらと特殊の関係のある個人及び法人が次の場合におけるその会社をいう。

⑴　その会社の発行済株式等（その会社が有する自己株式等を除く。）の50%超を有する場合

⑵　その会社の議決権の50%超を有する場合

⑶　その合名会社等の社員の過半数を占める場合

<図解>

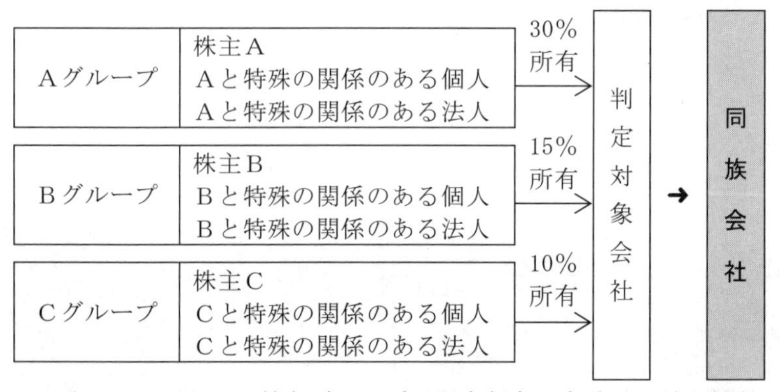

つまり、３つ以下の株主グループで所有割合の合計が50%を超える会社を指しています[*03]。

⑴　**持株割合による判定**

同族会社の持株割合による判定は、次のように、３つ以下の株主グループの持株割合の合計が50%を超えるかどうかにより行います[*04]。

基本算式

⑴　Aグループ　　××%

⑵　Bグループ　　××%

⑶　Cグループ　　××%

⑷　判　定

⑴＋⑵＋⑶＝××%＞50%　　∴　同族会社

*01) 同族会社は文字どおり会社法上の「会社」ですから、医療法人や協同組合について、少数の出資者が出資金額の50%超を保有していたとしても、同族会社に該当することはありません。

*02) 株主又は合名会社、合資会社若しくは合同会社の社員その他法人の出資者をいいます。

*03) 同族会社に該当すると、役員等の範囲に制限を受けたり、同族会社等の行為又は計算の否認の規定の適用を受けることになります。

*04) 持株割合の計算上、発行済株式総数には、判定対象会社の有する自己株式は含めません。

設例１－１　同族会社の判定（持株割合）

次の資料により、当社が同族会社に該当するか否かの判定を示しなさい。

当社の株主構成は次のとおりである。なお、発行済株式総数は20,000株であり、その他の少数株主の所有割合はいずれも１％未満である。

株　主　等	持株数
Ａ氏	4,000株
Ａ氏の同族関係者	2,300
Ｂ氏	2,500
Ｂ氏の同族関係者	1,400
Ｃ氏	1,500
Ｃ氏の同族関係者	900
その他の少数株主	7,400

解答

⑴　Ａグループ

4,000＋2,300＝6,300株

$\frac{6,300}{20,000}=31.5\%$

⑵　Ｂグループ

2,500＋1,400＝3,900株

$\frac{3,900}{20,000}=19.5\%$

⑶　Ｃグループ

1,500＋900＝2,400株

$\frac{2,400}{20,000}=12\%$

⑷　判　定

⑴＋⑵＋⑶＝63％＞50％　　∴　同族会社

解説

同族会社の持株割合による判定は、株主等をグループ分けし、上位３グループの持株割合の合計が50％超になるかどうかにより行います。本問の場合、Ａ氏、Ｂ氏、Ｃ氏を中心にとらえて、これらの者の持株数に同族関係者の持株数を合わせて判定します。

⑵ 議決権割合による判定

同族会社の議決権割合による判定は、次のように、３つ以下の株主グループの議決権割合の合計が50%を超えるかどうかにより行います。

基本算式

⑴ Ａグループ　××%

⑵ Ｂグループ　××%

⑶ Ｃグループ　××%

⑷ 判　定

⑴＋⑵＋⑶＝××%＞50%　∴ 同族会社

⑶ 持株割合と議決権割合の両方が与えられた場合

持株割合と議決権割合の両方が与えられた場合には、次のように、いずれか多い割合により同族会社の判定をします。

基本算式

１．持株割合

⑴ Ａグループ　××%

⑵ Ｂグループ　××%

⑶ Ｃグループ　××%

⑷ 合　計

⑴＋⑵＋⑶＝××%

２．議決権割合

⑴ Ａグループ　××%

⑵ Ｂグループ　××%

⑶ Ｃグループ　××%

⑷ 合　計

⑴＋⑵＋⑶＝××%

３．判　定

⑴ １．⑷と２．⑷のいずれか多い割合

⑵ ⑴＞50%　∴ 同族会社

〈合名会社等の場合〉

合名会社、合資会社及び合同会社の業務は、社員が２人以上の場合には、原則として社員の過半数をもって決定されます。株式会社等と同様に、社員の３人以下及びこれらの同族関係者の合計人数のうち最も多い数が社員の総数の50%超となる場合には、同族会社に該当します。

設例１－２　同族会社の判定（持株割合と議決権割合）

次の資料により、当社が同族会社に該当するか否かの判定を示しなさい。

当社の株主構成は次のとおりである。なお、その他の少数株主の所有割合はいずれも１％未満である。

株　主　等	持株数	議決権数
Ａ氏	4,000株	400個
Ａ氏の同族関係者	2,300	230
Ｂ氏	1,500	150
Ｂ氏の同族関係者	600	60
Ｃ氏	1,200	120
Ｃ氏の同族関係者	300	30
その他の少数株主	10,100	510
合　計	20,000	1,500

解答

１．持株割合

⑴　Ａグループ

4,000＋2,300＝6,300株　$\frac{6,300}{20,000}=31.5\%$

⑵　Ｂグループ

1,500＋600＝2,100株　$\frac{2,100}{20,000}=10.5\%$

⑶　Ｃグループ

1,200＋300＝1,500株　$\frac{1,500}{20,000}=7.5\%$

⑷　合　計

⑴＋⑵＋⑶＝49.5％

２．議決権割合

⑴　Ａグループ

400＋230＝630個　$\frac{630}{1,500}=42\%$

⑵　Ｂグループ

150＋60＝210個　$\frac{210}{1,500}=14\%$

⑶　Ｃグループ

120＋30＝150個　$\frac{150}{1,500}=10\%$

⑷　合　計

⑴＋⑵＋⑶＝66％

３．判　定

⑴　49.5％＜66％　　∴　66％

⑵　66％＞50％　　∴　同族会社

解説

持株割合と議決権割合の両方が資料に与えられている場合には、両方の割合を集計し、いずれか多い割合により同族会社の判定をします。

2 同族関係者の範囲（令4）

▶▶問題集問題1,2

同族会社の判定では、株主等の１人とその同族関係者を１つのグループとして集計する必要があります。同族関係者の範囲は、次のとおりです。

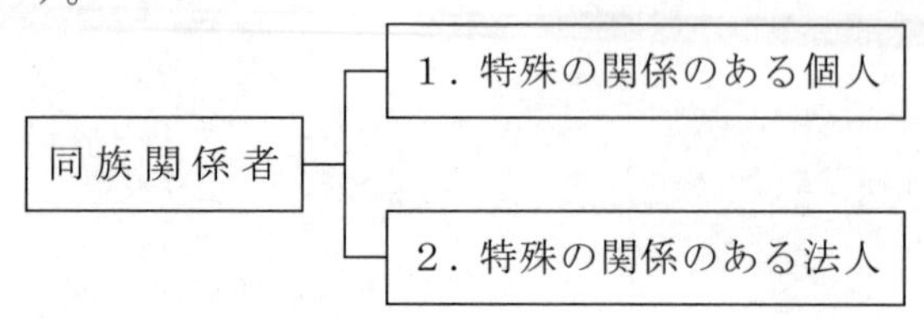

1．特殊の関係のある個人

特殊の関係のある個人とは、株主等と次の関係にある者をいいます。

特殊の関係のある個人	例
株主等の親族（配偶者、６親等内の血族[*01]、３親等内の姻族[*02]をいいます。）	配偶者、子、父母、祖父母、兄弟姉妹、配偶者の父母
株主等の内縁関係者	—
株主等たる個人の使用人	お手伝いさん等
上記以外の者で個人株主等から受ける金銭等で生計を維持しているもの	いわゆる愛人等
上記に掲げる者と生計を一にするこれらの者の親族	—

*01) 法的に血縁で繋がっている者を血族といいます。実の親子のように血筋のつながった自然血族と、養親と養子のように法律の規定により血族とされる法定血族があります。

*02) 配偶者の血族及び血族の配偶者のことをいいます。具体的には、配偶者の両親や兄弟姉妹などが姻族になります。

2．特殊の関係のある法人

特殊の関係のある法人とは、次の法人等をいいます。

⑴　子会社

株主等の１人（個人株主等については特殊の関係のある個人を含みます。以下同じ。）が他の会社を支配している場合[*03]の当該他の会社をいいます。

*03) 他の会社を支配している場合とは、発行済株式総数の50％超を有する場合等をいいます。

<図解>

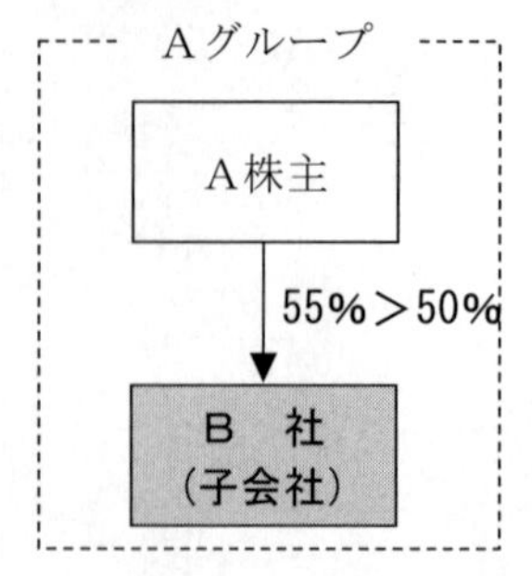

A株主が、B社の株式の50％超を有しているため、B社はA株主の特殊関係法人（子会社）となります。

⑵　孫会社

株主等の１人と子会社とで他の会社を支配している場合の当該他の会社をいいます。

＜図解＞

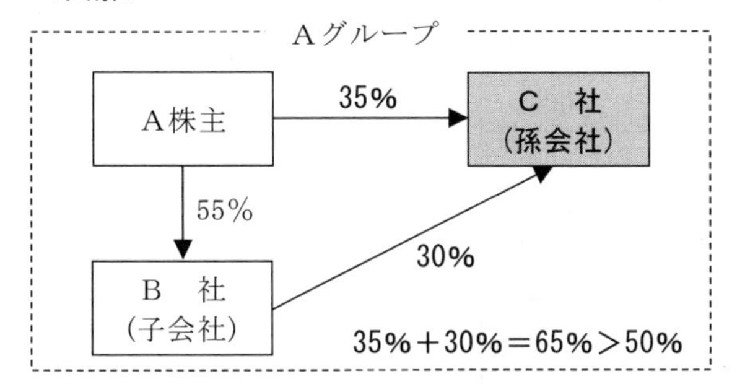

Ａ株主とＢ社（子会社）で、Ｃ社の株式の50%超を有しているため、Ｃ社はＡ株主の特殊関係法人（孫会社）となります。

⑶　兄弟会社

同一の個人又は法人と特殊の関係のある２以上の会社は、相互に特殊の関係のある会社であるものとみなされます。

＜図解＞

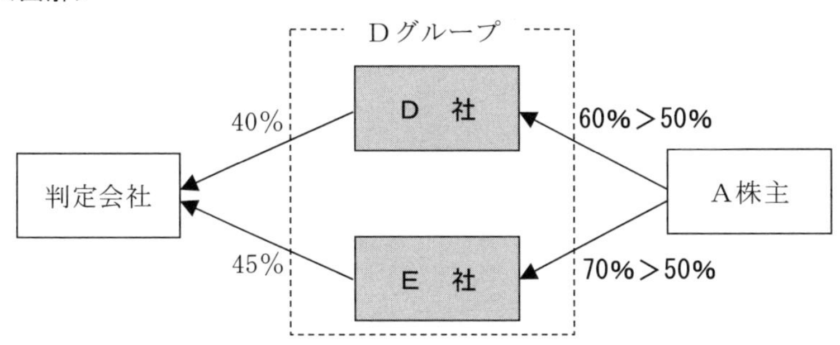

Ｄ社とＥ社の間には直接の特殊関係はありませんが、Ａ株主という同一の者によって、それぞれ50%超を所有されているため、Ｄ社とＥ社とは相互に特殊の関係のある法人とみなされます。

〈他の会社を支配している場合〉

次のいずれかに該当する場合をいいます。

①　他の会社の発行済株式等の50%超を有する場合

②　他の会社の一定の議決権の総数の50%超を有する場合

③　他の会社の株主等の総数の半数を超える数を占める場合（持分会社の場合）

設例１－３　同族関係者の範囲

次の資料により、当社が同族会社に該当するか否かの判定を示しなさい。

当社の株主構成は次のとおりである。なお、その他の少数株主の所有割合はいずれも１％未満である。

株　主　等	続　柄　等	持株数
Ａ　氏	―	3,000株
Ｂ　氏	Ａの友人	2,000
Ｃ　氏	Ａの友人	1,500
Ｄ　氏	Ａの長男	1,000
Ｅ　氏	Ｂの長女	700
Ｆ　氏	Ｃの兄	600
Ｇ　氏	Ｄの妻	500
Ｈ　社	Ａ40％、Ｄ30％所有	300
Ｉ　社	Ａ30％、Ｂ20％、Ｃ20％所有	200
その他の少数株主		5,200
合　　計		15,000

解答　⑴　Ａグループ

3,000＋1,000＋500＋300＝4,800株

$\frac{4,800}{15,000}=32\%$

⑵　Ｂグループ

2,000＋700＝2,700株

$\frac{2,700}{15,000}=18\%$

⑶　Ｃグループ

1,500＋600＝2,100株

$\frac{2,100}{15,000}=14\%$

⑷　判　定

⑴＋⑵＋⑶＝64％＞50％　　∴　同族会社

解説

①　同族会社の判定は、上位３グループの持株割合を集計して、その合計が50％を超えるか否かを判定します。

②　Ｈ社は、Ａ氏とＡ氏の親族であるＤ氏（長男の妻）で50％超所有しているため、Ａ氏と特殊の関係のある法人に該当し、Ａグループに含まれます。

③　Ｉ社の株式は、Ａ氏、Ｂ氏、Ｃ氏に所有されていますが、いずれも互いに特殊の関係のある個人ではなく、単独で50％超所有していません。したがって、Ｉ社はいずれの株主グループにも属さないことになります。

Section 2

役員等の範囲

役員は、自分が受け取る給与の額をある程度自由に決定できる立場にあり、何らの規制も加えなければ、その給与は課税回避に利用されやすいといえます。そのため、役員に対する給与については、損金算入に一定の制限が加えられています。また、使用人と役員とでは給与の取扱いが異なるため、厳密に区別する必要があります。
このSectionでは、役員等の範囲を学習します。

1 役員の意義（法2十五）

役員とは、法人の取締役、執行役*01)、会計参与*02)、監査役、理事*03)、監事*03)及び清算人*04)並びにこれら以外の者で法人の経営に従事している者のうち一定のものをいいます。

具体的には、法人税法上の役員の範囲は次のとおりです。

法人税法上の役員の範囲
1．会社法等の役員（株主総会等において選任された本来の役員）
2．みなし役員（本来の役員ではないが、経営に従事している者）

*01) 特殊な法人に限定されて置かれる役員で、日常の業務執行を行います。

*02) 取締役と共同して計算書類を作成すること等を職務とする役員で、会計に関する専門家である税理士又は公認会計士に限られます。

*03) 公益法人等における代表者や監査を行う者をいいます。

*04) 法人が解散をするときに、清算事務を遂行する者をいいます。

1．会社法等の役員

株主総会等において選任された本来の役員をいいます。

会社法等の役員
取締役、執行役、会計参与、監査役、理事、監事、清算人

2．みなし役員

税法上は、会社法等の役員（本来の役員）ではなくても、実質的に経営に従事している者*05)は役員とみなされ、役員の範囲に含まれます。

*05) 実質的に経営に従事しているとは、法人の経営上の重要事項の決定に参画していることをいいます。

みなし役員
⑴　使用人以外の者で経営に従事しているもの
⑵　経営に従事している者のうち、同族会社の使用人で一定の要件を満たす者

⑴　使用人以外の者

次の要件に該当する者は、役員に含まれます。

要　件
①　経営に従事していること。
②　会長、副会長、相談役、顧問等の使用人以外の者であること。

これらの者は、株主総会等において選任された本来の役員ではありませんが、実質的には取締役等の役員と変わらないものとして、役員の範囲に含まれます。なお、この規定は同族会社に限らず、全ての法人に適用されます。

⑵ 同族会社の使用人

次の要件に該当する者は、役員に含まれます。

要　件
①　経営に従事していること。
②　同族会社の使用人であること。
③　所有割合による判定基準（50%超基準、10%超基準、５%超基準）の全てを満たしていること。

同族会社の使用人については、実質的に経営に従事している者を、形式的に使用人としておくことが容易にできてしまうため、所有割合による判定をして、要件に該当する者を役員として取り扱うことになります。

3．所有割合による判定

同族会社の使用人のうち、経営に従事している者については、所有割合による判定を行って、判定基準の全てを満たす場合には、役員とされます。

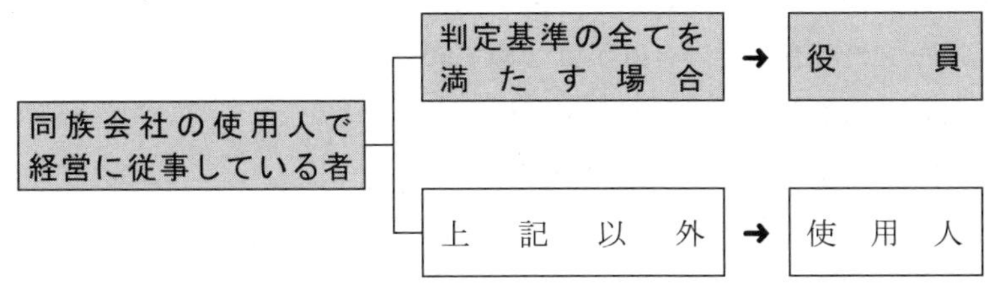

⑴ 判定対象者

同族会社の使用人　かつ　経営に従事している者

この規定は、同族会社に限定して適用されるため、同族会社以外の法人には適用がありません。

⑵ 判定基準

所有割合（同族会社の判定の基礎になった割合をいいます*06)。）を基礎に、次の３つの基準により判定します。

基　準	内　容
①　50%超基準	判定対象者の属する株主グループが、実質的に会社を支配している主流派の株主グループであるか否かを判定します。
②　10%超基準	判定対象者の属する株主グループが、主流派の株主グループの中でも影響力のあるグループであるか否かを判定します。
③　５%超基準	判定対象者個人が、グループ内で影響力のある者であるか否かを判定します。

*06) 株式会社の場合には、同族会社の判定を持株割合と議決権割合のいずれか多い割合で行いますが、そのいずれか多い割合です。

基本算式

1．同族会社の判定

⑴　Ａグループ　××％

⑵　Ｂグループ　××％

⑶　Ｃグループ　××％

⑷　判　定

⑴＋⑵＋⑶＝××％＞50%　∴　同族会社

2．役員等の判定

	50%超	10%超	５%超	判　定
Ａ	○	○	○	みなし役員
Ｂ	×	—	—	使　用　人

Ｃは、使用人以外の者で経営に従事しているためみなし役員

① 50%超基準

株主グループにつきその所有割合が最も大きいものから順位を付し、その所有割合を順次加算した場合において、第１順位から第３順位までの株主グループの所有割合の合計がはじめて50%超となるときにおけるこれらの株主グループ（同順位の株主グループがある場合には、その全ての株主グループ。）のいずれかにその判定対象者が属しているか否かを判定します。

<例>

（ケース１）

①　Ａグループ　60%　➜ 第１順位　60%＞50%

②　Ｂグループ　20%

③　Ｃグループ　10%

第１順位のＡグループのみで50%を超えています。したがって、判定対象者がＡグループに属している場合のみ50%超基準を満たします。

（ケース２）

①　Ａグループ　30%　➜ 第１順位 ┐

②　Ｂグループ　25%　➜ 第２順位 ┘ 30%＋25%＝55%＞50%

③　Ｃグループ　20%

第１順位のＡグループと第２順位のＢグループまでを合計するとはじめて50%を超えることから、判定対象者がＡグループ又はＢグループのいずれかに属している場合には50%超基準を満たします。

（ケース３）

①	Ａグループ	30%	➜	第１順位	30%＋15%＋10% ＝55%＞50%
②	Ｂグループ	15%	➜	第２順位	
③	Ｃグループ	10%	➜	第３順位	

第１順位のＡグループから第３順位のＣグループまでを合計するとはじめて50%を超えることから、判定対象者がＡグループ、Ｂグループ又はＣグループのいずれかに属している場合には50%超基準を満たします。

＜同順位の株主グループがある場合＞

50%超基準の判定をする場合に、所有割合が同じ株主グループは、同順位の株主グループとして取り扱います。

＜例＞

①	Ａグループ	30%	➜	第１順位
②	Ｂグループ	15%	➜	第２順位
③	Ｃグループ	10%		第３順位
④	Ｄグループ	10%		

Ｃグループ及びＤグループの所有割合は、いずれも10%と同じため、同順位（第３順位）の株主グループとして取り扱います。つまり、判定対象者がＣグループ又はＤグループのいずれに属していても50%超基準を満たすことになります。

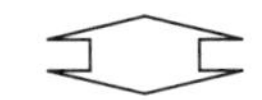

＜同族会社の判定＞

同族会社の判定の場合には、株主グループの３グループ以下で判定することとされているため、同順位だからといって３グループを超える株主グループで判定することはありません。

Ａグループ＋Ｂグループ＋**Ｃグループ又はＤグループ** ＝30%＋15%＋**10%**＝55%＞50%　　∴　同族会社

② **10%超基準**

その判定対象者の属する株主グループの所有割合が10%超であるか否かを判定します。

＜例＞

①	Ａグループ	30%	➜	30%＞10%	満たす
②	Ｂグループ	20%	➜	20%＞10%	満たす
③	Ｃグループ	８%	➜	８%≦10%	満たさない

グループの所有割合が10%を超えているＡグループ及びＢグループは10%超基準を満たしていますが、Ｃグループはグループの所有割合が10%以下であるため10%超基準を満たしません。

③　５％超基準

その判定対象者（その配偶者及びこれらの者の所有割合が50%超の他の会社を含みます。）の所有割合が５％超であるか否かを判定します。

<所有割合を合計する範囲>

範囲	
判定対象者の所有割合	合計 ➜ ５％超基準の判定
判定対象者の配偶者の所有割合	
判定対象者と配偶者で50%超所有している会社の所有割合	

<例>

Ａグループ
Ａ　　Ｂ（Ａの妻）
50％＋３％＝53％

Ａグループの所有割合は53%であるため、50%超基準及び10%超基準は満たしています。

５％超基準の判定対象者がＢ（Ａの妻）である場合、Ｂ単独の所有割合は５％を超えていませんが、配偶者であるＡの所有割合と合計した53%で判定するため、Ｂは５％超基準を満たしていることになります。

設例２－１　みなし役員の判定

次の資料により、同族会社の判定及び役員の判定を示しなさい。

当社の株主構成は次のとおりである。なお、その他の少数株主の所有割合はいずれも１％未満である。

株　主　等	続柄等	役職名等	持株数
A　氏	―	代表取締役	2,000株
B　氏	Aの友人	専務取締役	1,500
C　氏	Aの友人	常務取締役	1,000
D　氏	Aの長男	取　締　役	800
E　氏	Bの長女	監　査　役	700
F　氏	Dの妻	経理部長	500
G　氏	Cの兄	相　談　役	500
その他の少数株主			3,000
合　　計			10,000

(注) F氏及びG氏は、実質的に経営に従事していると認められる。

解答　1．同族会社の判定

⑴　Aグループ

2,000＋800＋500＝3,300株　$\frac{3,300}{10,000}$＝33%

⑵　Bグループ

1,500＋700＝2,200株　$\frac{2,200}{10,000}$＝22%

⑶　Cグループ

1,000＋500＝1,500株　$\frac{1,500}{10,000}$＝15%

⑷　判　定

⑴＋⑵＋⑶＝70%＞50%　∴　同族会社

2．役員等の判定

	50%超	10%超	５%超	判　定
F	○	○	○	みなし役員

Gは、使用人以外の者で経営に従事しているためみなし役員

解説

①　みなし役員の判定は、判定対象者を正確に抜き出すことがポイントです。本問では、肩書は使用人（経理部長）ですが、実質的に経営に従事しているFと使用人以外（相談役）の者で実質的に経営に従事しているGの２人を抜き出すことになります。

②　Fは、所有割合による判定が必要ですが、FはDの妻であることから、５%超基準はFとDの所有割合を合計して判定することになります。

③　Gは、相談役であり、肩書は使用人でも役員でもありませんが、実質的に経営に従事していることから役員として取り扱うことになります。

2 使用人兼務役員の意義（法34⑥）

▸▸問題集問題3,4,5

1．意　義

使用人兼務役員とは、役員のうち、部長、課長その他法人の使用人としての職制上の地位を有し、かつ、常時使用人としての職務に従事するものをいいます*01)。

使用人兼務役員
次の要件を満たす者をいいます。 ⑴　社長、理事長等、下記2．に掲げる役員以外の役員であること。 ⑵　使用人としての職制上の地位*02)を有していること。 ⑶　常時使用人としての職務に従事していること*03)。

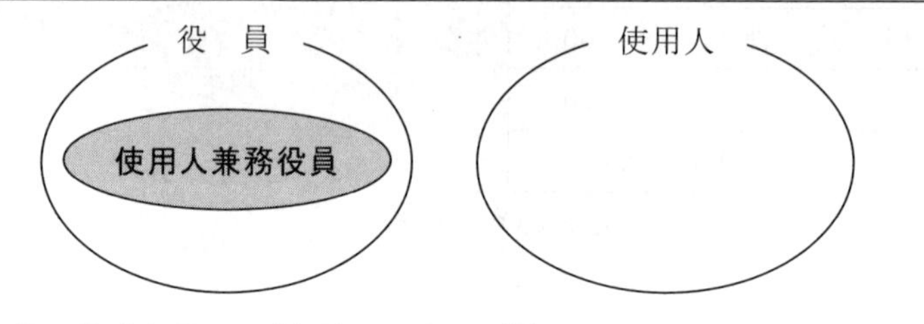

使用人兼務役員は、「役員」であり「使用人」ではありません。

*01) 使用人と役員との両面性を持つ役員を使用人兼務役員といい、他の一般の役員に対する給与とは異なった取扱いが定められています。

*02) 部長、課長、支店長、工場長、営業所長、支配人、主任等の使用人としての地位をいいます。なお、担当役員（○○担当）は使用人としての地位ではありません。

*03) 「常時」使用人としての職務に従事している必要があるため、非常勤役員は除かれます。

2．使用人兼務役員とされない役員

次の者は、使用人兼務役員にはなれません。

使用人兼務役員とされない役員
⑴　代表取締役、代表執行役及び清算人 ⑵　社長、副社長、専務、常務その他これらに準ずる職制上の地位を有する役員 ⑶　取締役（指名委員会等設置会社の取締役及び監査等委員である取締役に限ります。）、会計参与及び監査役 ⑷　同族会社の役員のうち50%超基準、10%超基準及び５%超基準の全てを満たす者

3．所有割合による判定

使用人としての地位及び職務を有する役員であっても、同族会社の役員については、みなし役員の判定と同様に所有割合による判定を行って、50%超基準、10%超基準及び５%超基準の全てを満たす場合には、使用人兼務役員になれません*04)。

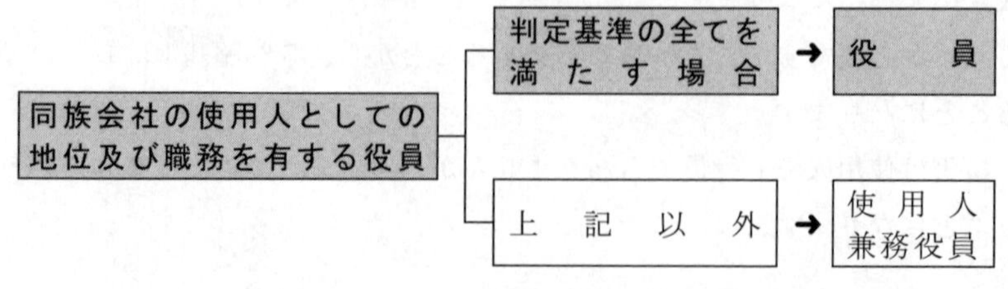

*04) 同族会社に該当しない法人については、肩書により判断します。

基本算式

1．同族会社の判定

⑴　Aグループ　　××％

⑵　Bグループ　　××％

⑶　Cグループ　　××％

⑷　判　定

⑴＋⑵＋⑶＝××％＞50％　　∴　同族会社

2．役員等の判定

	50％超	10％超	5％超	判　定
A	○	○	○	役　　員
B	×	—	—	使用人兼務役員

設例２－２　使用人兼務役員の判定

次の資料により、同族会社の判定及び役員の判定を示しなさい。

当社の株主構成は次のとおりである。なお、その他の少数株主の所有割合はいずれも１％未満である。

株主等	続柄等	役職名等	持株数
A　氏	―	代表取締役	2,000株
B　氏	Aの友人	専務取締役	1,500
C　氏	Aの友人	常務取締役	1,000
D　氏	Aの長男	取締役営業担当	800
E　氏	Bの長女	監査役	700
F　氏	Dの妻	取締役経理部長	500
G　氏	Cの兄	取締役総務部長	500
その他の少数株主			3,000
合　計			10,000

（注）Ｆ氏及びＧ氏は、常時使用人としての職務に従事している。

解答　１．同族会社の判定

⑴　Ａグループ

2,000＋800＋500＝3,300株　$\frac{3,300}{10,000}=33\%$

⑵　Ｂグループ

1,500＋700＝2,200株　$\frac{2,200}{10,000}=22\%$

⑶　Ｃグループ

1,000＋500＝1,500株　$\frac{1,500}{10,000}=15\%$

⑷　判　定

⑴＋⑵＋⑶＝70％＞50％　∴　同族会社

２．役員等の判定

	50%超	10%超	５%超	判　定
F	○	○	○	役　員
G	×	―	―	使用人兼務役員

解説

①　使用人兼務役員の判定も、みなし役員の判定と同様に、判定対象者を正確に抜き出すことがポイントになります。本問では、Ｆ氏及びＧ氏が使用人としての地位及び職務を有しているため、この２人を抜き出すことになります。なお、Ｄ氏は、取締役営業担当ですが、この「○○担当」というのは使用人としての地位ではなく経営の担当ですから、所有割合による判定は要しません。

②　ＦはＤの妻であることから、５％超基準はＦとＤの所有割合を合計して判定することになります。なお、全ての基準を満たす場合には、使用人兼務役員となれないため、役員とされます。

③　Ｇは、50％超基準を満たさないため、肩書どおり使用人兼務役員とされます。

次の資料により、当社の同族会社及び役員等の判定を示しなさい。

氏名等	役職名	持株割合	備考
A　氏	代表取締役	30%	—
B　氏	会長	5%	A氏の友人で、経営に従事している。
C　氏	取締役営業部長	15%	A氏の長男で、常時使用人としての職務に従事している。
D　氏	取締役総務部長	10%	A氏の友人で、常時使用人としての職務に従事している。
E　氏	経理部長	5%	A氏の妻で、経営に従事している。
その他の少数株主		35%	持株割合は1%未満であり、上記の株主との間に、特殊な関係はない。
合計		100%	—

答案用紙

1．同族会社の判定

⑴　Aグループ

⑵　Dグループ

⑶　Bグループ

⑷　判　定

2．役員等の判定

50%超　10%超　5%超　判　定

解答

1．同族会社の判定

⑴　Ａグループ

30％＋15％＋５％＝50％❶

⑵　Ｄグループ

10％❶

⑶　Ｂグループ

５％❶

⑷　判　定

⑴＋⑵＋⑶＝65％❶＞50％　　∴　同族会社❶

2．役員等の判定

	50％超	10％超	５％超	判　定
Ｃ	○	○	○	役　　員❶
Ｄ	○	×	－	使用人兼務役員❶
Ｅ（❶経営従事）	○	○	○	みなし役員❶

Ｂは、使用人以外の者で経営に従事しているため、みなし役員❶。

解説

①　Ｃ氏とＥ氏はＡ氏の親族であるため、同一の株主グループ（Ａグループ）として扱います。

②　Ｃ氏は常時使用人としての職務に従事していますが、50％超基準、10％超基準、５％超基準のすべてを満たすため、役員に該当します。

③　Ｄ氏は常時使用人としての職務に従事しており、かつ50％超基準しか満たしていないため、使用人兼務役員に該当します。

④　Ｅ氏は、使用人ですが、経営に従事しておりかつ、50％超基準、10％超基準、５％超基準のすべてを満たすためみなし役員に該当します。なお、Ｅ氏はＡ氏の妻であることから、５％超基準はＥ氏とＡ氏の所有割合を合計して判定することになります。

Chapter 7

給与等

Section 1

役員給与の取扱い

法人が支出する給与は、費用の額として損金の額に算入されるのが原則です。しかし、役員給与に関しては、その給与の決定に役員自身が関与する等の理由から損金算入に制限が設けられています。

このSectionでは、役員給与の取扱いを学習します。

1　給与の範囲

1．概　要

法人税法においては、一般的に給与とされる報酬・給料、賞与、退職給与等として支給されるもののほか、債務の免除による利益その他の経済的利益のように実質的にその役員等に対して給与を支給したのと同様の経済的効果があるものは、給与の範囲に含めて取り扱うこととされています。

＜図解＞

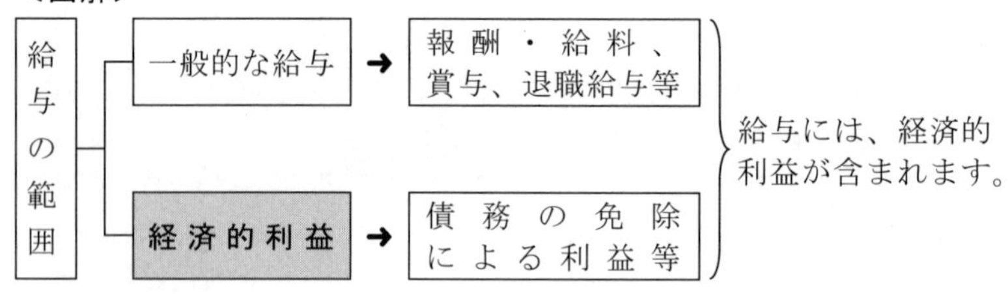

2．経済的利益の範囲

経済的利益とは、次に掲げるもの等をいいます。

具体例	経済的利益の額
⑴　法人の資産の贈与	資産の価額
⑵　法人の資産の低額譲渡	資産の価額－対価の額
⑶　役員等の資産の高価買入	買入価額－資産の価額
⑷　役員等に対する債権の免除等	免除等した債権の額
⑸　役員等の債務の無償引受	引き受けた債務の額
⑹　居住用資産の無償又は低額貸付	通常の賃貸料－実際徴収額
⑺　金銭の無利息又は低利貸付	通常の利息の額－実際徴収額
⑻　交際費等の名義で支給した金額で、法人の業務のために使用したことが明らかでないもの	その支給した金額
⑼　役員等の個人的費用の負担	その費用の額

なお、明らかに株主等の地位に基づいて取得したと認められるもの及び病気見舞、災害見舞等のような純然たる贈与と認められるものは除かれます。

設例１－１　　経済的利益

次の資料により、当社の役員に対する経済的利益の額を示しなさい。

⑴　当社は､代表取締役Ａに対し､当社所有の土地(時価50,000,000円)をその帳簿価額相当額20,000,000円で譲渡している。

⑵　当社は、専務取締役Ｂに対して有していた貸付金10,000,000円を放棄している。なお、専務取締役Ｂには、弁済能力が有ると認められる。

⑶　当社は、常務取締役Ｃに対し、交際費名目で８月及び12月に500,000円ずつを支給している。なお、この交際費は用途を問わないもので、精算を要さないものである。

⑷　当社は、当社が所有するマンションを監査役Ｄの居住用として提供しており、賃貸料として毎月100,000円を徴収している。なお、このマンションは当期中継続して監査役Ｄに貸し付けており、通常収受すべき賃貸料の額は月額250,000円である。

⑸　当社は、取締役Ｅが旅行中に犯した交通違反に係る交通反則金50,000円を支払っている。

解答

⑴　50,000,000－20,000,000＝30,000,000円

⑵　10,000,000円

⑶　500,000×２＝1,000,000円

⑷　250,000×12－100,000×12＝1,800,000円

⑸　50,000円

解説

①　当社が役員に対して所有する土地の低額譲渡をした場合には、その譲渡をした土地の時価と対価の額との差額が経済的利益の額になります。

②　当社が役員に対して有する貸付金を放棄した場合において、その役員に弁済能力があるときは、その放棄した債権の額が経済的利益の額になります。なお、その役員に弁済能力がない場合には、貸倒損失となります。

③　当社が役員に対して交際費等の名義で支給した金額のうち、法人の業務のために使用したことが明らかでないものについては、その支給した金額が経済的利益の額とされます。

④　当社が役員に対して当社が所有するマンションを低額で貸付けた場合には、通常の賃貸料と実際徴収額との差額が経済的利益の額となります。

⑤　当社が役員の旅行中というプライベートでの交通違反に係る交通反則金を負担した場合には、個人的費用の負担にあたるため、その費用の額が経済的利益の額となります。

なお、役員や使用人に係る罰科金等を当社が負担し、費用に計上した場合の取扱いは、次のとおりです。

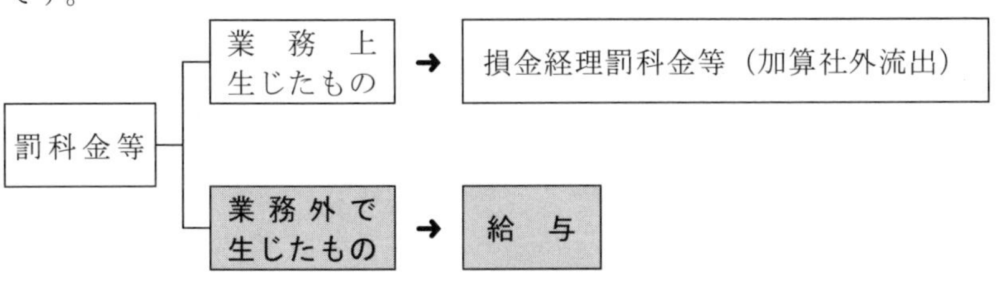

2 隠ぺい又は仮装経理の場合（法34③）

事実を隠ぺいし、又は仮装経理することによりその役員に対して支給する給与*01)の額は、各事業年度の損金の額に算入されません*02)。

*01) 給与には、経済的な利益の額を含みます。以下同じ。

*02) この規定は、例えば、売上を除外する等して得た簿外資産から支給した給与について、不正が発覚した際に、除外した売上と役員給与を相殺することで課税を免れることを防止するものです。

3 損金不算入給与（法34①）

▸▸問題集問題5,6

内国法人がその役員に対して支給する給与（退職給与で業績連動給与に該当しないもの、使用人兼務役員に対する使用人分給与及び2の適用があるものを除きます。）のうち次のいずれにも該当しないものの額は、各事業年度の損金の額に算入されません。

1．定期同額給与
2．事前確定届出給与
3．非同族会社（及びその完全子会社）の業績連動給与

<図解>

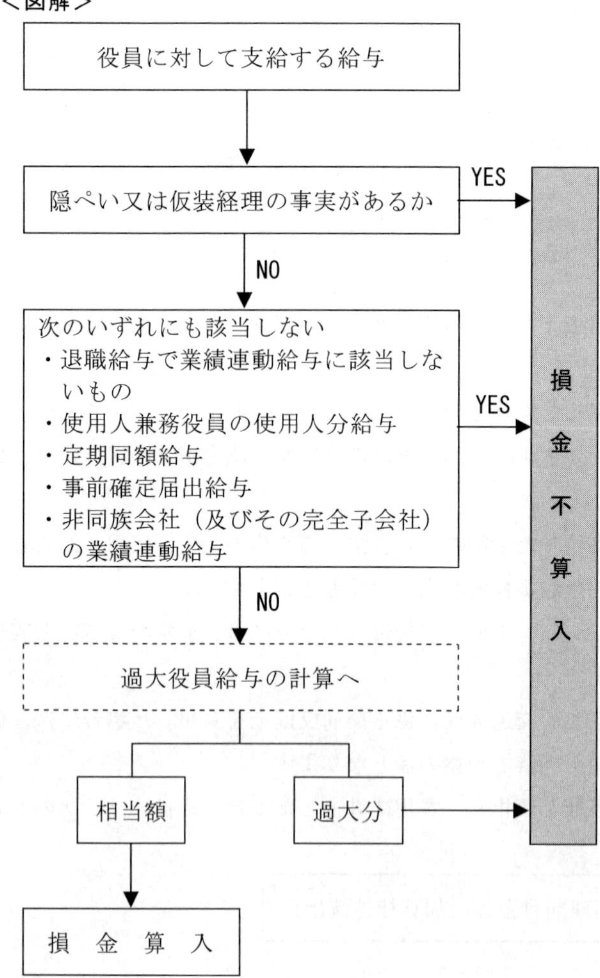

1．定期同額給与

⑴ 意　義

定期同額給与とは、定期給与（その支給時期が1月以下の一定期間ごとである給与をいいます。）でその事業年度の各支給時期における支給額が同額であるものをいいます*01)。

＜図解＞

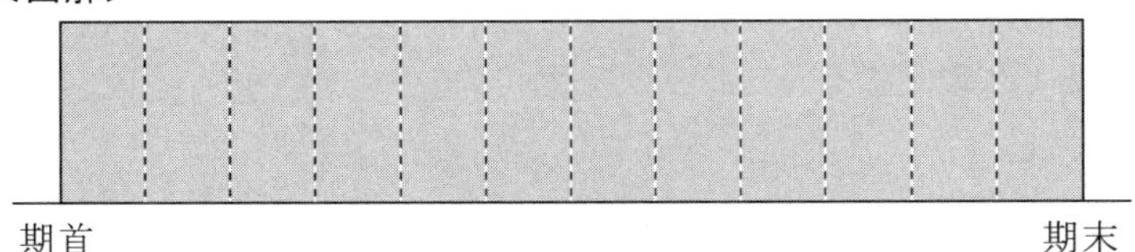

通常は、毎月支給される月額報酬のことを指しています。

① 定期給与とは

あらかじめ定められた支給基準（慣習によるものを含みます。）に基づいて、日給、週給、月給等の月以下の期間を単位として規則的に反復又は継続して支給される給与をいいます。

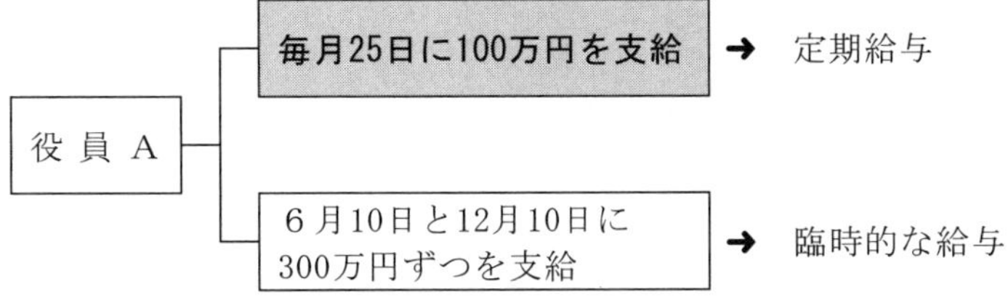

② 年俸又は期間俸の取扱い

非常勤役員等に対し年俸又は事業年度の期間俸を年1回又は年2回所定の時期に支給するようなものは、たとえその支給額が各月ごとの一定の金額を基礎として算定されているものであっても、定期同額給与には該当しません。

*01) 継続的に供与される経済的利益のうち、その額が毎月おおむね一定であるものは、定期同額給与に含まれます。
また、税及び社会保険料の源泉徴収等の後の金額が同額である場合も定期給与として認められます。

⑵ 定期給与の改定

役員給与の額を定める時期は一般的に定時株主総会の時であり、期首ではないこと等を考慮して、一定の改定事由に該当する場合において、その事業年度開始日又は給与改定前の最後の支給時期の翌日から給与改定後の最初の支給時期の前日又はその事業年度終了日までの間*02)の各支給時期における支給額が同額であるときは、定期同額給与として取り扱うこととされています。

＜一定の改定事由＞

定期給与の改定が認められるのは、次の3つの場合に限定されています。

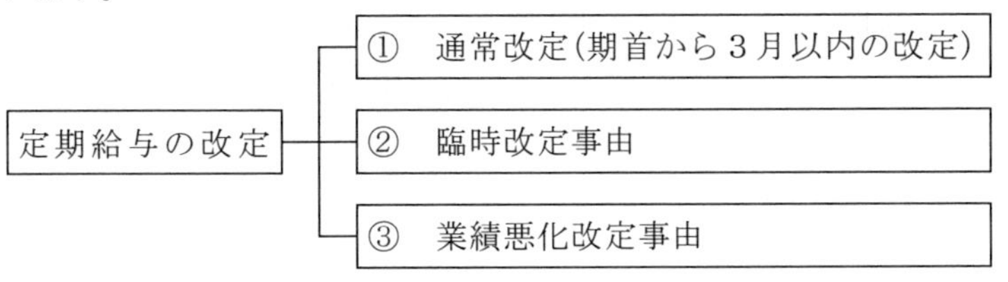

*02) 当期中に改定が1回のみであるときは、期首から改定時まで及び改定時から期末までの間となります。

＜図解＞

期首← 同額 →改定← 同額 →期末

定期同額給与として取り扱う

① 通常改定

通常改定とは、次の改定をいいます。

通常改定
その事業年度開始の日の属する会計期間開始の日から３月を経過する日までにされた定期給与の額の改定*03)

*03) 一般的に役員給与の額の改定が、定時株主総会で行われることを考慮した規定です。

＜図解＞

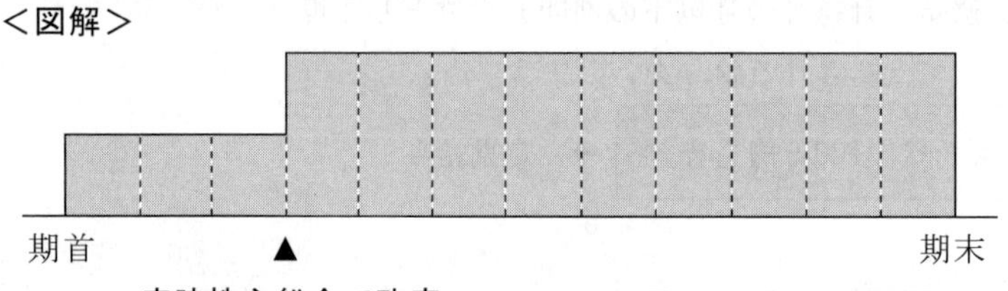

次の要件を満たす場合には、定期同額給与として取り扱います。

(イ) 改定が期首から３月以内に行われていること。

(ロ) 期首から改定時まで及び改定時から期末までの各支給時期における支給額が同額であること（②及び③において同じ。）。

② 臨時改定事由による改定

臨時改定事由による改定とは、次の改定をいいます。

臨時改定事由による改定
役員の職制上の地位の変更*04)、その役員の職務の内容の重大な変更*05) その他これらに類するやむを得ない事情によりされたこれらの役員に係る定期給与の額の改定*06)（①の改定を除きます。）

*04) 例えば、社長の急逝等による他の役員の新社長への昇格等が該当します。

*05) 例えば、合併等により役員の職制上の地位は変わらないがその職務内容が大幅に変更されるもの等が該当します。

*06) 期首から３月以内には予測できない偶発的な事情が生じた場合を考慮した規定です。

＜図解＞

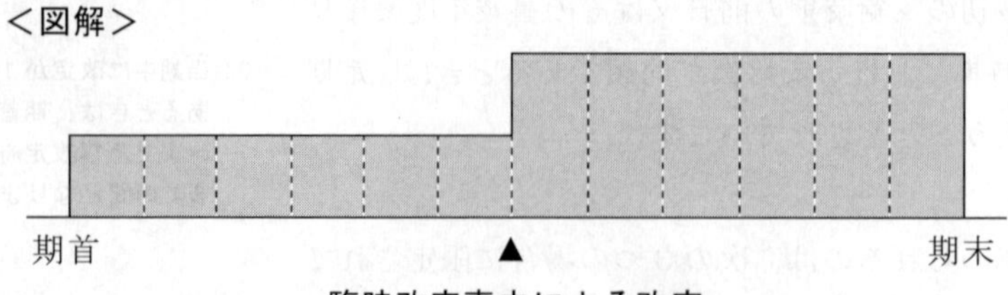

臨時改定事由が生じている場合には、その改定が期首から３月経過後に行われたものであっても、定期同額給与として取り扱います。

③　業績悪化改定事由による改定

業績悪化改定事由による改定とは、次の改定をいいます。

業績悪化改定事由による改定
経営の状況が著しく悪化したことその他これに類する理由[*07]によりされた定期給与の額の改定（減額した改定に限り、①及び②の改定を除きます。）

＜図解＞

期首　▲　期末

業績悪化改定事由による改定

経営状況が著しく悪化した場合などやむを得ず定期給与を減額せざるを得ない状況での減額に限って認められる改定です。なお、一時的な資金繰りの都合や単に業績目標値に達しなかったことなどは業績悪化改定事由に該当しません。

*07) 財務諸表の数値が相当程度悪化したことや倒産の危機に瀕したことだけではなく、経営状況の悪化に伴い、第三者である利害関係者（株主、債権者、取引先等）との関係上、役員給与の額を減額せざるを得ない事情が生じていることなども含まれます。

設例１－２　　定期同額給与

次の資料により、当社の当期における役員給与の損金不算入額を計算しなさい。

⑴　当社は、取締役Ａ氏に対し月額1,000,000円の報酬を支給している。なお、報酬の支給日は毎月25日であり、定時株主総会における報酬の改定はなかった。

⑵　Ａ氏の統括する部門の販売実績が好調であることから、令和７年12月26日に開催した臨時株主総会で、令和８年１月支給分の報酬から月額300,000円ずつ増額して支給する旨を決議している。

⑶　Ａ氏に対する報酬は、上記のとおり支給されており、当期の費用に計上されている。なお、不相当に高額な部分の金額はないものとする。

解答　300,000×３＝900,000円

解説

本問の臨時株主総会における改定は、期首から３月以内に行われたものではなく、臨時改定事由にも該当しないため認められません。この場合において、本問のように、増額後の各支給時期における支給額が同額であるときは、当期における支給額の全額を定期同額給与に該当しないものとするのではなく、定期同額給与とは別の定期給与を上乗せして支給したもの考えます。

＜図解＞

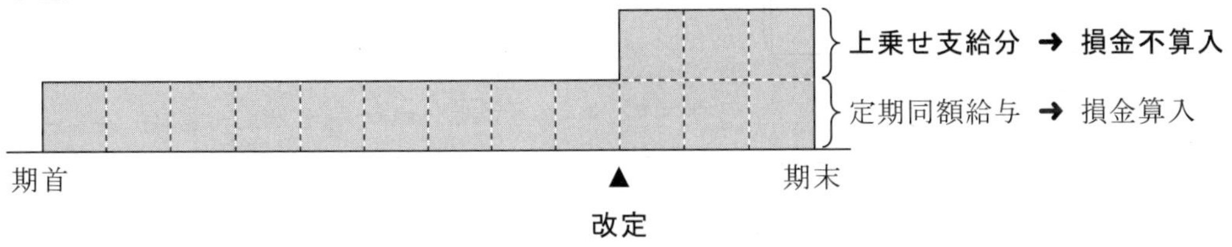

したがって、上乗せ支給された部分のみが損金不算入となります。

2．事前確定届出給与

(1) 意　義

役員の職務につき所定の時期に確定額の金銭*08) 又は確定数の株式等を支給する旨の定めに基づいて支給する給与をいいます。なお、原則として納税地の所轄税務署長に届出をしているものに限られます。

*08) 現物資産（株式等を除く。）により支給するもの、支給額の上限のみを定めたもの及び一定の条件を付すことにより支給額が変動するようなものは、支給金額が確定しているとはいえないため対象となりません。
なお、新株予約権と譲渡制限付き株式については、応用編でみていきます。

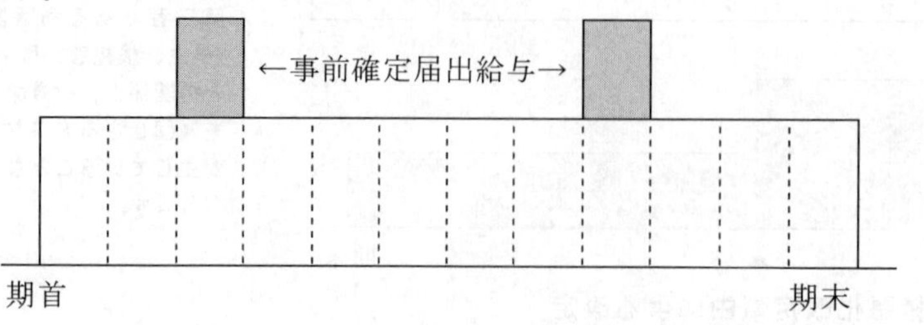

役員賞与を指していますが、事前に確定額を届け出る必要があります。

① 非同族会社が支給する年俸又は期間俸の取扱い

非同族会社*09) が定期給与を支給しない役員に対して支給する給与（年俸又は期間俸等）については、届出の必要はなく、所定の時期に確定額を支給する旨の定めに基づいて支給されている限り、事前確定届出給与に含まれます。

*09) 同族会社に該当するかどうかの判定は、「定めをした日（新設法人については、設立日）」の現況によります。

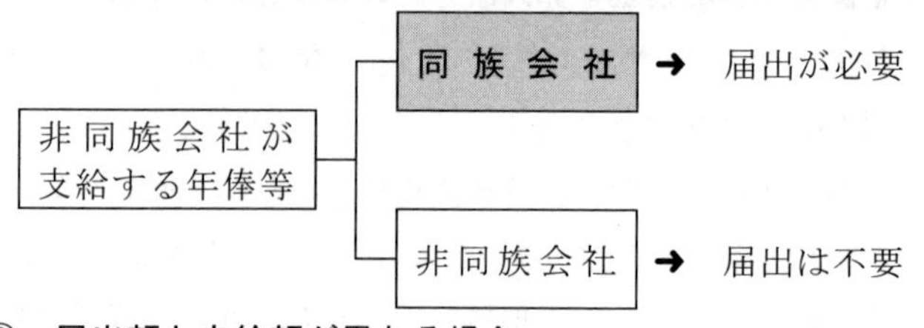

② 届出額と支給額が異なる場合

届出額と実際の支給額が異なる場合には、事前に支給額が確定していたものといえないことから、事前確定届出給与に該当しません。なお、それが増額支給であれば増額分だけでなく実際の支給額の全額が損金不算入とされ、減額支給であれば実際に支給した金額が損金不算入とされます。

<図解>

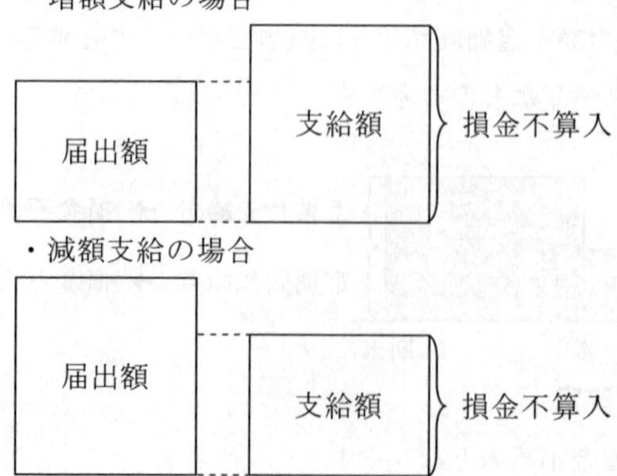

設例１－３　　事前確定届出給与

次の資料により、当社（同族会社に該当する。）の当期における役員給与の損金不算入額を計算しなさい。

⑴　当社は、非常勤取締役Ｂ氏に対して、半年俸として毎年６月25日及び12月25日に同額を支払うこととしている。当期においては、各回3,000,000円ずつを支給している。

なお、この給与に関して、当社は事前確定届出給与に関する届出書を提出していない。

⑵　代表取締役Ｃ氏に対しては、報酬の他に、令和７年６月25日及び同年12月25日にそれぞれ5,000,000円ずつを賞与として支給する旨を定め、定時株主総会において決議されている（この定めの内容を記載した事前確定届出給与に関する届出書を届出期限までに提出している。）。

なお、当社は、令和７年６月25日支給分については全額を支給し、当期の費用に計上しているが、同年12月25日支給分については、資金繰りの都合上、1,000,000円のみを支給している。

⑶　当社は、上記の給与について、その支給額を当期の費用に計上している。

解答　3,000,000×２＋5,000,000＋1,000,000＝12,000,000円

解説

①　当社は同族会社に該当します。役員に対する半年俸は、同族会社であっても「事前確定届出給与に関する届出書」を提出していれば事前確定届出給与に該当し、損金算入が認められますが、本問では、その届出書を提出していないため、支給額の全額が損金不算入とされます。

なお、半年棒は、１月以下の期間を単位として支給されるものではないため、定期同額給与には該当しません。

②　事前確定届出給与の支給が複数回にわたるときは、その全ての支給が定めどおりに行われない限り、損金の額に算入することはできません。本問では、届出額と実際の支給額が異なるため、支給額の全額が損金不算入とされます。

(2) 届出書の提出期限

事前確定届出給与に関する届出書の提出期限は、次の区分に応じ、それぞれに定める日とされています。

① 通常届出

通常届出の場合の届出書の提出期限は、次のとおりです。

提　出　期　限
原則として、役員の職務につき所定の時期に確定額を支給する旨の定めをした株主総会等の決議日（その翌日から数えます。）から１月を経過する日*10)

＜図解＞

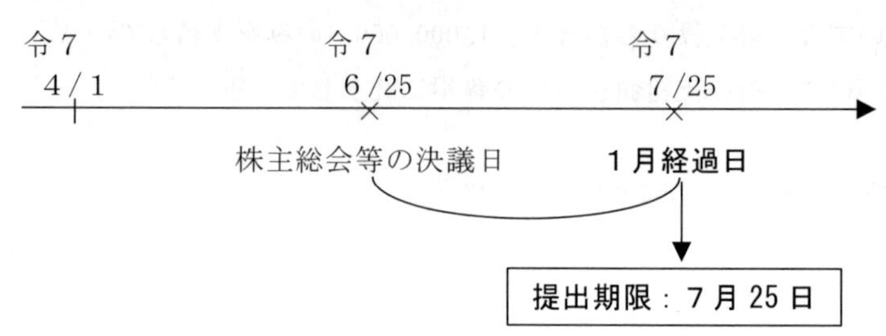

*10) ただし、その日が職務執行期間開始の日の属する会計期間開始の日から４月を経過する日（以下「会計期間4月経過日等」といいます。）後である場合にはその会計期間４月経過日となります。
また、新設法人に係る届出書の提出期限は、設立日以後２月を経過する日となります。

② 新たに事前確定給与を定めた場合

臨時改定事由が生じたため、新たに事前確定給与を定めた場合の届出書の提出期限は、次のとおりです。

提　出　期　限
次のうちいずれか遅い日 (イ) 臨時改定事由が生じた日から１月を経過する日 (ロ) ①の通常届出の場合の届出書の提出期限

＜図解＞

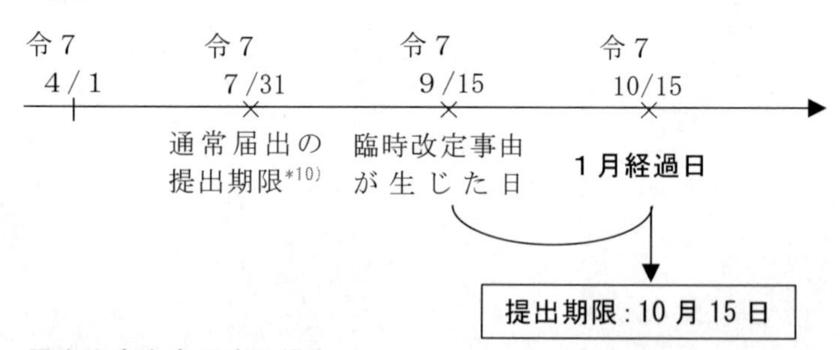

③ 届出内容を変更する場合

次の事由が生じたため、既に届け出た定めの内容を変更する場合の届出書の提出期限は、それぞれ次のとおりです。

事　由	提　出　期　限
臨時改定事由*11)	臨時改定事由が生じた日から１月を経過する日
業績悪化改定事由	業績悪化改定事由による定めの内容の変更に関する株主総会等の決議日から１月を経過する日

*11) 既に届出をしている法人が、その届出に係る定めの内容を変更する場合の手続です。新たに定めた場合には②の手続きによることになります。

3．非同族会社（及びその完全子会社）の業績連動給与

同族会社に該当しない内国法人がその業務執行役員*12)に対して支給する業績連動給与で一定のものをいいます。

いわゆる業績連動型報酬を指しています。

*12) 取締役会設置会社の代表取締役、取締役会設置会社の業務を執行する取締役及び委員会設置会社の執行役等をいいます。

〈業績連動給与で一定のもの〉

損金の額に算入することができる業績連動給与は、次の要件を満たすものに限られます。

① その算定方法が、職務執行期間開始日以後に終了する事業年度の利益の状況を示す指標（有価証券報告書に記載されるものに限る。）、株式の市場価格の状況を示す指標その他一定の指標（以下、業績連動指標という。）を基礎とした客観的なもの（次の要件を満たすものに限る。）であること。

(イ) 確定額又は株式等数を限度とし、かつ、他の業務執行役員に対して支給する業績連動給与に係る算定方法と同様のものであること。

(ロ) 会計期間開始日から３月を経過する日までに、報酬委員会が決定していることその他一定の適正な手続を経ていること。

(ハ) その内容が、(ロ)の手続終了日以後遅滞なく、有価証券報告書に記載されていることその他一定の方法により開示されていること。

② 業績連動指標の数値の確定後１月以内に支払われ、又は支払われる見込みであること。

③ 損金経理をしていること。

4 過大役員給与の損金不算入（法34②）

▸▸問題集問題1,2,3,4

役員に対して支給する給与（2又は3の適用があるものを除きます。）の額のうち不相当に高額な部分の金額は、各事業年度の損金の額に算入されません。

なお、不相当に高額な部分の金額は、次の金額の合計額となります。

過大役員給与の額	
1．過大な役員報酬等	次のうちいずれか多い金額 ⑴ 実質基準額 ⑵ 形式基準額
2．過大な役員退職給与	役員の業務従事期間等に照らし、その退職給与としての相当額を超える場合のその超える部分の金額
3．過大な使用人兼務役員の使用人分賞与	使用人兼務役員の使用人分賞与で、他の使用人の賞与の支給時期と異なる時期に支給したものの額

1．過大な役員報酬等

実質基準と形式基準のうち損金不算入額が多く計算される方法により過大役員給与の額を計算します。

⑴ 実質基準

個々の役員給与の額につき、その役員の職務の内容等に照らし、その役員の職務に対する対価として相当であると認められる額を超える部分の金額を過大役員給与の額とする方法をいいます。

① 対象法人と対象役員

対象法人と対象役員は、次のとおりです。

対象法人	全ての法人に適用されます。
対象役員	税務上の全ての役員（会社法上の役員及びみなし役員）を対象に適用されます。

② 実質基準額の計算

実質基準額は、次の算式により計算します。

基本算式

役員給与の支給額[*01]－職務対価相当額

（注）役員が２人以上の場合 ➜ 各人別に計算した金額の合計額

*01）支給額は、使用人兼務役員である場合であっても、使用人分給与を含んだ金額によります。なお、職務対価相当額は資料として与えられます。

設例1－4　　実質基準

次の資料により、当社の当期における税務上の調整を示しなさい。

当社が、当期において役員に対して支給した給与は次のとおりであり、当期の費用に計上している。

氏名	役　職　名	報　酬	賞　与	税務上の適正額
A	代表取締役	30,000,000円	6,000,000円	23,000,000円
B	専務取締役	24,000,000円	5,000,000円	21,000,000円
C	常務取締役	15,000,000円	4,000,000円	18,000,000円

（注1）報酬は、毎月末に定額を支給したものである。

（注2）賞与については、事前確定届出給与に関する届出書を提出していない。

（注3）上記以外の事項については、一切考慮する必要はない。

解答

1．損金不算入給与

(1)　A　6,000,000円

(2)　B　5,000,000円

(3)　C　4,000,000円

(4)　合　計

(1)＋(2)＋(3)＝15,000,000円

2．過大役員給与（実質基準）

(1)　A　30,000,000－23,000,000＝7,000,000円

(2)　B　24,000,000－21,000,000＝3,000,000円

(3)　C　15,000,000－18,000,000＜0　　∴　0

(4)　合　計

(1)＋(2)＋(3)＝10,000,000円

3．合　計

1．＋2．＝25,000,000円

（単位：円）

区　分		金　額	留　保	社外流出
加算	役員給与の損金不算入額	25,000,000		25,000,000
減算				

解説

①　報酬は、「毎月末に定額を支給」したものであるため、定期同額給与に該当しますが、賞与は、「事前確定届出給与に関する届出書を提出していない。」ため、事前確定届出給与に該当せず、損金不算入となります。

②　定期同額給与に該当する報酬について、実質基準により過大役員給与の額を計算します。なお、実質基準の計算は、各人別に計算した過大役員給与の額の合計額となります。

(2) 形式基準

定款の規定等により役員給与として支給することができる限度額を定めている場合におけるその支給限度額を超える部分の金額を過大役員給与の額とする方法をいいます。

① 対象法人と対象役員

対象法人と対象役員は、次のとおりです。

対象法人	定款の規定等により支給限度額を定めている法人に適用されます。
対象役員	会社法上の役員を対象に適用されます[*02)]。

*02) みなし役員は、会社法上の役員ではないため、形式基準の適用はありません。

② 形式基準額の計算

形式基準額は、次の算式により計算します。なお、取締役と監査役は支給限度額を分けて定められるため、取締役と監査役の区分ごとに計算します[*03)]。

*03) 支給限度額が役員給与の総額として定められている場合には、取締役と監査役の区分ごとにまとめて計算します。なお、支給限度額が個々の役員ごとに定められている場合には、個々の役員ごとに支給額がその支給限度額を超える部分の金額を計算し、合計します。

(イ) 限度額に使用人兼務役員の使用人分が含まれている場合

基本算式

役員給与の支給額－支給限度額

(ロ) 限度額に使用人兼務役員の使用人分が含まれていない場合

基本算式

［役員給与の支給額－※使用人兼務役員の使用人分適正額］－支給限度額

※ 使用人兼務役員の使用人分支給額 ≷ 使用人兼務役員の使用人分相当額 ∴ 少ない方

支給限度額に、使用人兼務役員の使用人分が含まれていない場合には、比較水準を合わせるため、役員給与の支給額から使用人兼務役員の使用人分適正額を控除して計算します。

〈使用人兼務役員の使用人分相当額〉

使用人兼務役員の使用人分相当額は、次のとおりです。

① 原　則

類似する職務に従事する使用人に対する給与の額

② 比準すべき使用人として適当な者がいない場合

使用人のうち最上位にある者に対する給与の額

設例1－5　形式基準

次の資料により、当社の当期における税務上の調整を示しなさい。

(1)　当社の当期における役員給与の支給状況は次のとおりであり、いずれも当期中に支給し、費用に計上している。なお、当社は、同族会社に該当しない法人である。

氏名	役職名	報酬・給料		賞与		合計
		役員分	使用人分	役員分	使用人分	
A	代表取締役	21,000,000円	—	7,000,000円	—	28,000,000円
B	専務取締役	15,000,000円	—	5,000,000円	—	20,000,000円
C	相談役	10,800,000円	—	3,600,000円	—	14,400,000円
D	取締役営業部長	7,200,000円	3,000,000円	2,400,000円	1,000,000円	13,600,000円
E	監査役	6,600,000円	—	—	—	6,600,000円

（注1）報酬・給料は、毎月25日に定額を支給したものである。また、賞与については、事前確定届出給与に関する届出書を提出している。

（注2）Cは、当社の経営に従事している。

（注3）Dは、常時使用人としての職務に従事している。

（注4）役員に対して支給した給与の額は、各人毎の支給額としては適正額の範囲内である。

(2)　当社は定款において、取締役及び監査役に対する給与の支給限度額を取締役55,000,000円、監査役7,000,000円と定めている。なお、この支給限度額には使用人兼務役員の使用人分は含まれていない。

(3)　使用人兼務役員の使用人分としての職務に対する相当な給与の額は3,500,000円である。

解答　過大役員給与（形式基準）

(1)　取締役

(28,000,000＋20,000,000＋13,600,000－※3,500,000)－55,000,000＝3,100,000円

※　3,000,000＋1,000,000＝4,000,000円＞3,500,000円　∴　3,500,000円

(2)　監査役

6,600,000－7,000,000＜0　∴　0

(3)　合　計

(1)＋(2)＝3,100,000円

（単位：円）

区分		金額	留保	社外流出
加算	役員給与の損金不算入額	3,100,000		3,100,000
減算				

解説

① Cは使用人以外の者で経営に従事しているため、みなし役員に該当します。

② Dは、取締役ですが、営業部長という使用人としての地位を有し、常時使用人としての職務に従事していることから、使用人兼務役員に該当します。なお、当社は、同族会社に該当しない法人であるため、持株割合等による役員等の判定は必要なく、肩書で判断します。

③ 各人毎の支給額としては適正額の範囲内であることから、実質基準による過大役員給与の額はないことになります。

④ 形式基準の計算をする際には、次の点に注意が必要です。

(イ) 取締役と監査役に区分して計算します。

(ロ) 支給限度額に使用人兼務役員の使用人分が含まれていないため、支給額からも使用人分の適正額を除く必要があります。

(ハ) みなし役員には、形式基準の適用はありません。

2. 過大な役員退職給与

⑴ 過大役員退職給与の額

役員に対して支給する退職給与は、原則として損金の額に算入されますが、その役員の業務従事期間等に照らし、その退職給与として不相当に高額な部分の金額は、損金の額に算入されません。

基本算式

役員退職給与の支給額－職務対価相当額

（注）役員が２人以上の場合 ➜ 各人別に計算した金額の合計額

⑵ 役員退職給与の損金算入時期

退職した役員に対する退職給与は、株主総会の決議等によりその額が具体的に確定します。したがって、原則として、株主総会等の決議日の属する事業年度において認識し、不相当に高額でない限り損金の額に算入されます。

ただし、実態に即した課税を行う観点から、特例として、損金経理を要件に、実際に支給した日の属する事業年度の損金の額に算入することが認められています。

区 分	損金算入時期
原 則	株主総会等の決議日の属する事業年度
特 例	支給日の属する事業年度（損金経理が要件）

＜図解＞

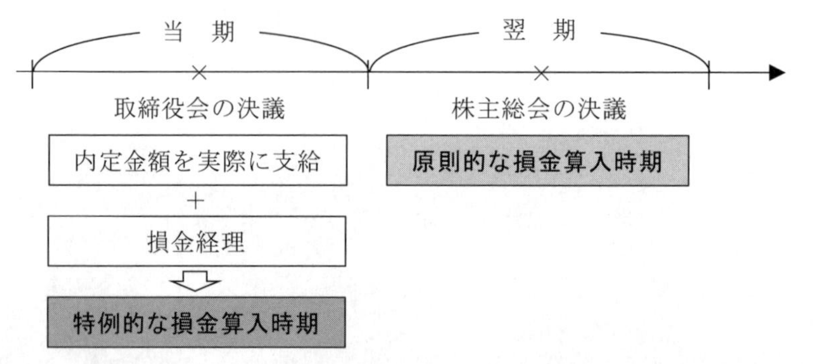

例えば期中に病気又は死亡したこと等により退職したため、取締役会で内定した金額を支給した場合には、これに対して所得税や相続税が課税されることになります。ここで、法人税のみが株主総会の決議等が翌期になるという理由だけで、当期の損金の額に算入することを認めないとすると、実態に即した課税を行うことができなくなってしまいます。そこで、損金経理を要件として、実際に支給した事業年度において損金の額に算入することを認めています。

次の資料により、当社の当期における税務上の調整を示しなさい。

⑴　当期において開催された定時株主総会で、前期に退職した取締役Ａに対して退職金50,000,000円を支給することが決議されている。当社は、直ちに同額を支給し、当期の費用に計上している。なお、取締役Ａの業務従事期間等に照らして、退職給与としての相当額は40,000,000円と認められる。

⑵　当期において開催された取締役会で、当期に退職した取締役Ｂに対して退職金30,000,000円を支給することが決議されている。当社は、この退職金の支給は翌期になることから、未払金として30,000,000円を当期の費用に計上している。

解答　過大役員退職給与

50,000,000－40,000,000＝10,000,000円

（単位：円）

区　分		金　額	留　保	社外流出
加算	役員給与の損金不算入額	10,000,000		10,000,000
	未払役員退職給与否認	30,000,000	30,000,000	
減算				

解説

①　取締役Ａに対する退職金は、当期に開催された定時株主総会で決議されているため、当期に認識することになります。ただし、支給額が業務従事期間等に照らしての相当額を超える部分の金額があるため、その過大役員退職給与の額を別表四で加算調整します。

②　取締役Ｂに対する退職金は、取締役会での内定金額を未払計上したものです。実際に支給をしていれば、当期の損金の額に算入されますが、未払であり、株主総会の決議も行われていないため、当期の損金の額に算入することはできません。

３．過大な使用人兼務役員の使用人分賞与

使用人兼務役員に対する使用人分給与の額は、原則として損金の額に算入されますが、支給時期を操作することによる法人の恣意的な利益操作を防止するために、他の使用人の賞与の支給時期と異なる時期に支給した使用人分賞与の額は、損金の額に算入されません。

Section 2

使用人給与の取扱い

使用人に対して支給する給与は、原則として損金の額に算入されます。しかし、使用人のうち、経営者の親族等に対して多額の給与を支給することにより、法人税の負担軽減が図られる可能性があります。そのため、特殊関係使用人に対する給与については、損金算入に制限が設けられています。また、使用人に対する賞与については損金算入時期に制限が設けられています。

このSectionでは、使用人給与の取扱いを学習します。

1 特殊関係使用人給与の取扱い

▸▸問題集問題8

1．特殊関係使用人の意義（令72）

特殊関係使用人とは、役員と次の特殊の関係のある使用人をいいます。

特殊関係使用人の範囲
⑴　役員の親族
⑵　役員と事実上婚姻関係と同様の関係にある者
⑶　上記以外の者で役員から生計の支援を受けているもの
⑷　上記⑵及び⑶の者と生計を一にするこれらの者の親族

2．過大使用人給与の損金不算入（法36）

特殊関係使用人に対して支給する給与の額のうち不相当に高額な部分の金額は、各事業年度の損金の額に算入されません。

基本算式

使用人給与の支給額－職務対価相当額

➜ 過大使用人給与（加算社外流出）

（注）特殊関係使用人が２人以上の場合には、各人別に計算した金額の合計額となります。過大な役員報酬等における実質基準と同様の計算となります。

設例２－１　過大使用人給与

次の資料により、当社の当期における税務上の調整を示しなさい。

⑴　当期において使用人に対して支給し、費用に計上した給料・賞与の額のうちには、次のものが含まれている。

氏名等	給料の額	賞与の額
営業部長Ａ	6,000,000円	2,000,000円
営業課長Ｂ	5,400,000円	1,800,000円

（注）営業部長Ａは、当社の代表取締役Ｘ氏の長男であり、営業課長Ｂは、当社の専務取締役Ｙ氏の長女である。

⑵　職務内容等からみてその職務に対する対価として相当な金額は、次のとおりである。

氏名等	職務対価相当額
営業部長Ａ	7,000,000円
営業課長Ｂ	7,000,000円

解答

⑴　Ａ

(6,000,000＋2,000,000)－7,000,000＝1,000,000円

⑵　Ｂ

(5,400,000＋1,800,000)－7,000,000＝200,000円

⑶　合　計

⑴＋⑵＝1,200,000円

（単位：円）

区分		金額	留保	社外流出
加算	過大使用人給与	1,200,000		1,200,000
減算				

解説

営業部長Ａ及び営業課長Ｂは、役員の親族であるため、特殊関係使用人に該当します。したがって、給料及び賞与の支給額の合計額がその職務に対する給与としての相当額を超える部分の金額は損金の額に算入されません。

なお、過大使用人給与の額は、各人別に計算した金額の合計額となります。

2 使用人賞与の損金算入時期（令72の3）

▸▸問題集問題7

1．使用人賞与の意義

使用人賞与とは、使用人に対する臨時的な給与のうち、次のもの以外のものをいい、使用人兼務役員に対する使用人分賞与を含みます。

⑴　退職給与*01)

⑵　他に定期の給与を受けていない者に対し、継続して毎年所定の時期に定額を支給する旨の定めに基づいて支給されるもの*02)

⑶　新株予約権によるもの*03)

*01) 退職に基因する一切の給与をいいます。

*02) 年俸や半年俸のことです。

*03) いわゆるストック・オプションによるものです。

<図解>

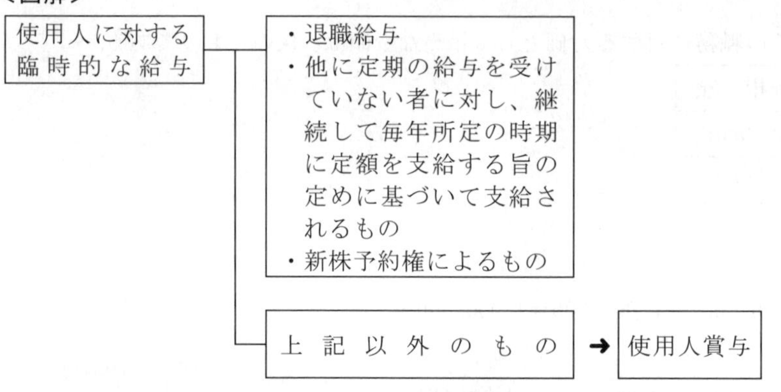

2．損金算入時期

使用人賞与を支給する場合には、次のそれぞれに定める事業年度において損金の額に算入します。

⑴　原　則

使用人賞与の損金算入時期の原則的な取扱いは、次のとおりです。

損金算入時期
支給日の属する事業年度

<図解>

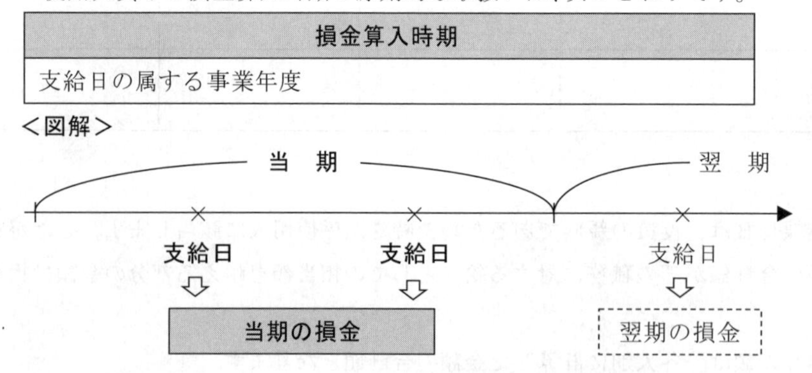

使用人賞与は、原則として実際にその支給をした事業年度の損金の額に算入されます。

(2) 支給予定日が到来している未払賞与

支給予定日が到来している未払賞与について、次の要件を満たす場合の損金算入時期は、次のとおりです。

要　　件
①　支給額が通知されていること。 ②　支給予定日又は通知日の属する事業年度に損金経理していること。

⇩

損金算入時期
支給予定日又は通知日のいずれか遅い日の属する事業年度

<図解>

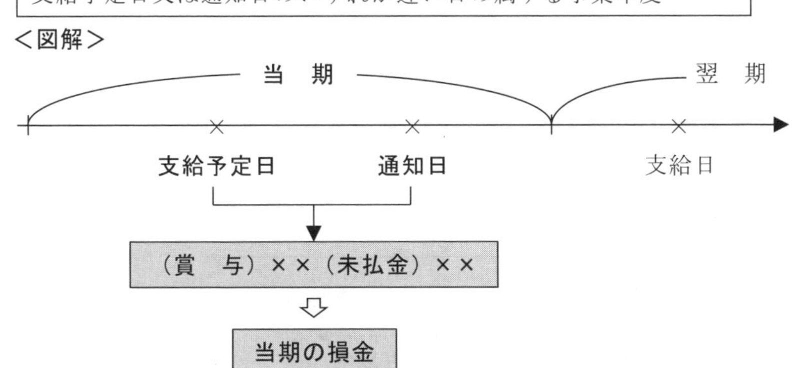

支給予定日が到来している未払賞与は、当期中に通知し、損金経理をしている場合には、当期の損金の額に算入することができます。

設例２−２　支給予定日が到来している未払賞与

次の資料により、当社の当期における税務上の調整を示しなさい。

(1)　当社が当期において、使用人に対する賞与として費用に計上した金額は30,000,000円であり、そのうちには未払金として計上した金額2,000,000円が含まれている。

(2)　上記(1)の未払賞与については、当期中に支給予定日が到来しているものであるが、当期末までに支給額を通知していない。

解答

（単位：円）

区　　分		金　　額	留　　保	社外流出
加算	未払賞与否認	2,000,000	2,000,000	
減算				

解説

本問の未払賞与は、既に支給予定日が到来しているものです。この未払賞与を当期の損金の額に算入するためには、当期中に通知をし、損金経理をすることが必要ですが、通知を行っていません。したがって、原則どおり支給日の属する事業年度の損金の額に算入されるため、当期の損金の額に算入することはできません。

⑶　翌期首から１月以内に支給する未払賞与

翌期首から１月以内に支給する未払賞与について、次の要件を満たす場合の損金算入時期は、次のとおりです。

要　　件
①　支給額を各人別に、かつ、同時期に支給を受ける全ての使用人に通知していること。 ②　通知額をその通知した全ての使用人に対し、その通知日の属する事業年度終了の日の翌日から１月以内に支払っていること。 ③　通知日の属する事業年度に損金経理していること。

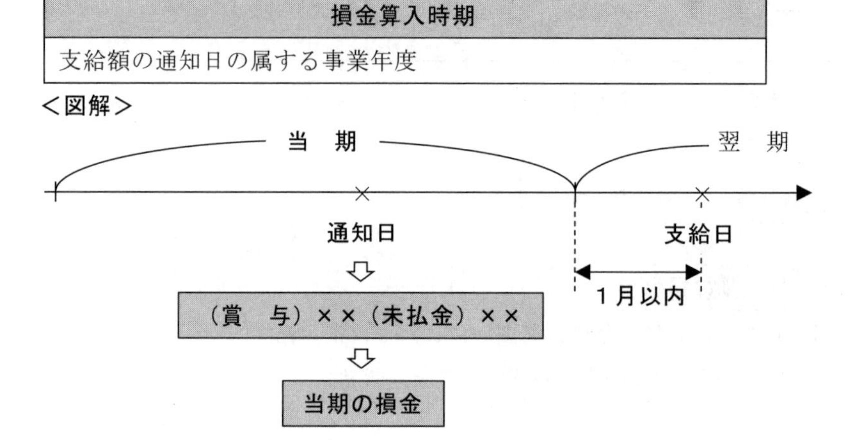

翌期首から１月以内に支給する未払賞与は、当期中に通知及び損金経理をし、翌期首から１月以内に実際に支給している場合には、当期の損金の額に算入することができます。

設例２－３　翌期首から１月以内に支給する未払賞与

次の資料により、当社の当期における税務上の調整を示しなさい。

⑴　当社が当期において、使用人に対する賞与として費用に計上した金額は40,000,000円であり、そのうちには当期末において未払金として計上した金額3,000,000円が含まれている。なお、未払金として計上した賞与は、翌期首から１月以内に支給することとしているが、当期末までに支給額を通知した事実はない。

⑵　前期において未払金に計上した使用人に対する賞与2,800,000円があるが、前期の別表四において未払賞与否認2,800,000円（加算留保）の税務調整が行われている。なお、当該賞与の額は、当期において未払金を消却する経理により支給されている。

解答

（単位：円）

区　分		金　額	留　保	社外流出
加算	未払賞与否認	3,000,000	3,000,000	
減算	未払賞与認容	2,800,000	2,800,000	

解説

①　当期において計上した未払賞与は、当期末までに支給額を通知していないため、当期の損金の額に算入することはできません。

②　前期において計上した未払賞与は、前期の別表四で未払賞与否認（加算留保）の税務調整が行われています。つまり、前期の損金の額に算入されていないということです。当期に未払金を消却する経理により支給しており、当期が支給日の属する事業年度であり原則的な損金算入時期となるため、当期の損金の額に算入することになります。

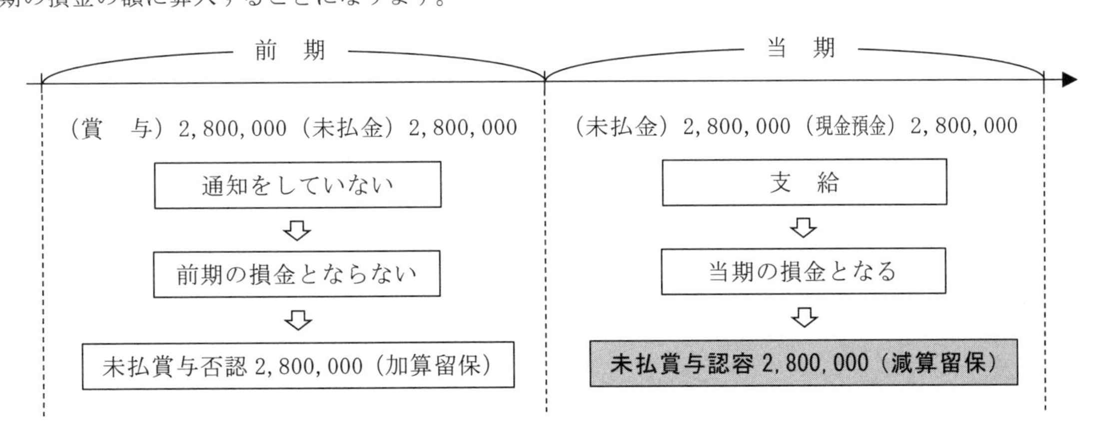

Try it　**給与等**

次の資料により、当社（同族会社に該当する。）の当期における税務上の調整を示しなさい。

⑴　当社が当期において、役員等に対して支給した給与（すべて損金経理により支給している。）の支給状況等は、次のとおりである。

氏名	役職名	報酬・給料		賞与	
		役員分	使用人分	役員分	使用人分
A氏	代表取締役社長	12,600,000円	——	6,000,000円	——
B氏	取締役営業部長	6,000,000円	3,600,000円	2,000,000円	1,200,000円
C氏	取締役経理部長	7,200,000円	4,320,000円	2,400,000円	1,440,000円
D氏	総務部長	——	4,200,000円	——	1,400,000円
E氏	監査役	——	——	10,000,000円	——
合計		25,800,000円	12,120,000円	20,400,000円	4,040,000円

(注)　B氏は使用人兼務役員、C氏は使用人兼務役員とされない役員、D氏は特殊関係使用人に該当する。

⑵　当社はA氏に対して毎月25日に月額1,000,000円の報酬を支給していたが、業績が好調であることから、令和７年12月に臨時株主総会を開催し、翌月支給分の報酬から月額1,200,000円を支給することを決議している。なお、A氏以外の者に対する報酬・給料は毎月同額を支給している。

⑶　D氏の職務内容等からみて、その職務に対する対価として相当な金額は5,000,000円である。

⑷　当社は、事前確定届出給与に関する届出が必要な者については適正に手続きを行い、届出額と同額の賞与を支給している。

⑸　役員の職務の内容等に照らして不相当に高額な部分の金額はない。

⑹　当社は、定款において取締役給与の限度額を39,400,000円（使用人兼務役員の使用人分相当額を含めていない。）、監査役給与の限度額を12,000,000円と定めている。なお、使用人兼務役員の使用人分給与について、比準すべき使用人の給与は4,600,000円とする。

答案用紙

1．役員給与

⑴　損金不算入給与

⑵　過大役員給与

①　実質基準

②　形式基準

(イ)　取締役

(ロ)　監査役

(ハ)

③

⑶

2．使用人給与

（単位：円）

区　　分		金　　額	留　　保	社外流出
加算				
減算				

解答

1．役員給与

⑴　損金不算入給与

A　(1,200,000－1,000,000)×３＝600,000円❶

⑵　過大役員給与

①　実質基準

不相当に高額な部分の金額はない。❶

②　形式基準

(イ)　取締役

(12,600,000＋6,000,000－600,000＋6,000,000＋3,600,000＋2,000,000＋1,200,000

－※4,600,000＋7,200,000＋4,320,000＋2,400,000＋1,440,000)－39,400,000＝2,160,000円❶

※　3,600,000＋1,200,000＝4,800,000円＞4,600,000円　　∴　4,600,000円❶

(ロ)　監査役

10,000,000－12,000,000＜０　　∴　０❶

(ハ)　(イ)＋(ロ)＝2,160,000円

③　①＜②　　∴　2,160,000円

⑶　⑴＋⑵＝2,760,000円

2．使用人給与

D　4,200,000＋1,400,000－5,000,000＝600,000円❶

（単位：円）

区　分		金　額	留　保	社外流出
加算	役員給与の損金不算入額	❶2,760,000		❶2,760,000
	過大使用人給与	❶600,000		❶600,000
減算				

解説

①　A氏の給与の改定は、通常改定、臨時改定事由、業績悪化改定事由のいずれにも該当しないため、臨時株主総会の翌月（令和８年１月）からの増額分は定期同額給与とされません。そのため、損金不算入給与として加算調整を行います。

②　D氏は特殊関係使用人に該当することから、支給額のうち職務対価相当額を超える部分の金額は損金の額に算入されません。

③　定款により役員給与として支給することができる限度額に使用人兼務役員の使用人分相当額が含まれていないため、形式基準において、役員給与の支給額から使用人兼務役員の使用人分支給額と使用人分相当額のいずれか少ない金額を控除して計算を行います。

Chapter 8

寄附金

Section 1 寄附金の額

法人税法における寄附とは、無償による財産の移転や、無償による役務の提供等を指しています。贈与や無償の供与という用語が使われますが、一般的な意味での寄附金より広い範囲を指しています。
このSectionでは、寄附金の額の意義を学習します。

1 寄附金の額の意義（法37⑦⑧）

1．原則的な寄附金の額

寄附金の額は、寄附金、拠出金、見舞金その他いずれの名義をもってするかを問わず、内国法人が金銭その他の資産又は経済的な利益の贈与又は無償の供与（広告宣伝費、見本品費、交際費、接待費及び福利厚生費とされるべきものは除きます。）をした場合のその金銭の額若しくは金銭以外の資産のその贈与時の価額又はその経済的な利益のその供与時の価額によることとされています。

＜図解＞

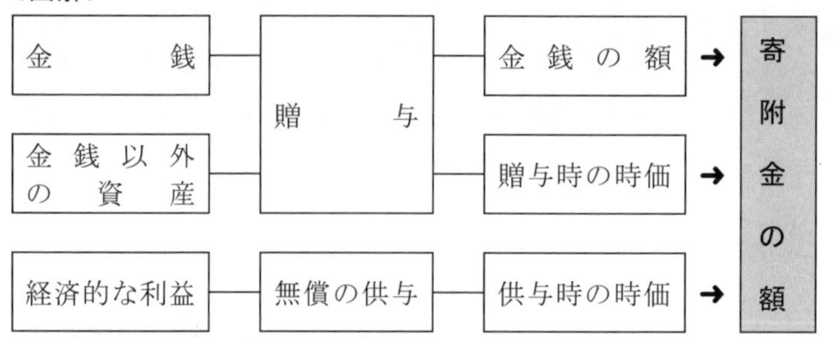

（注）　贈与又は無償の供与からは、広告宣伝費、見本品費、交際費、接待費及び福利厚生費とされるべきものが除かれます*01)。

*01) 贈与や無償の供与をしたものであっても、事業上の経費として明らかなものは除かれます。

＜例－1＞

町内会のお祭りに際して、100,000円を寄附した場合

① 会社の仕訳

会社の仕訳			
（寄　附　金）	100,000円	（現　　　金）	100,000円

② 税務上の仕訳

税務上の仕訳			
（寄　附　金）	100,000円	（現　　　金）	100,000円

➜ 贈与した金銭の額が寄附金の額となります。

なお、会社の費用の額と税務上の損金の額は同額となるため、税務調整をする必要はありません。

<例-２>

土地（帳簿価額30,000,000円、時価50,000,000円）をＡ社に贈与した場合

① 会社の仕訳

会社の仕訳			
（寄　附　金）	30,000,000円	（土　　　地）	30,000,000円

② 税務上の仕訳

(イ) 時価で譲渡したと考えます。

税務上の仕訳			
（未　収　金）	50,000,000円	（土地譲渡収入）	50,000,000円
（土地譲渡原価）	30,000,000円	（土　　　地）	30,000,000円

(ロ) 実際は贈与であり、譲渡対価の回収意思がないため、未収金を寄附金に振り替えます。

税務上の仕訳			
（寄　附　金）	50,000,000円	（未　収　金）	50,000,000円

➜ 贈与資産の時価が寄附金の額となります。

なお、会社の費用の額と税務上の損金の額（土地譲渡収入と寄附金を相殺すると、土地譲渡原価30,000,000円が残ります。）は同額となり、差が生じないため、税務調整をする必要はありません。

<例-３>

現金10,000,000円をＢ社に無利息（通常収受すべき利息の額は300,000円である。）で貸し付けた場合

① 会社の仕訳

会社の仕訳			
（貸　付　金）	10,000,000円	（現　　　金）	10,000,000円

② 税務上の仕訳

(イ) 通常収受すべき利息の額（時価）で貸付けたと考えます。

税務上の仕訳			
（貸　付　金）	10,000,000円	（現　　　金）	10,000,000円
（未　収　金）	300,000円	（受 取 利 息）	300,000円

(ロ) 実際は無利息貸付であり、利息の回収意思がないため、未収金を寄附金に振り替えます。

税務上の仕訳			
（寄　附　金）	300,000円	（未　収　金）	300,000円

➜ 経済的な利益の供与時の時価（通常収受すべき利息の額）が寄附金の額になります。

なお、会社の仕訳上は費用を認識しませんが、税務上も益金の額（受取利息）と損金の額（寄附金）が同額となり、損益との差は生じないため、税務調整をする必要はありません。

2. 低額譲渡等の場合の寄附金の額

内国法人が資産の譲渡又は経済的な利益の供与をした場合において、その譲渡又は供与の対価の額がその資産のその譲渡時の価額又はその経済的な利益のその供与時の価額に比して低いときは、その対価の額とその価額との差額のうち実質的に贈与又は無償の供与をしたと認められる金額は、寄附金の額に含まれます。

＜図解＞

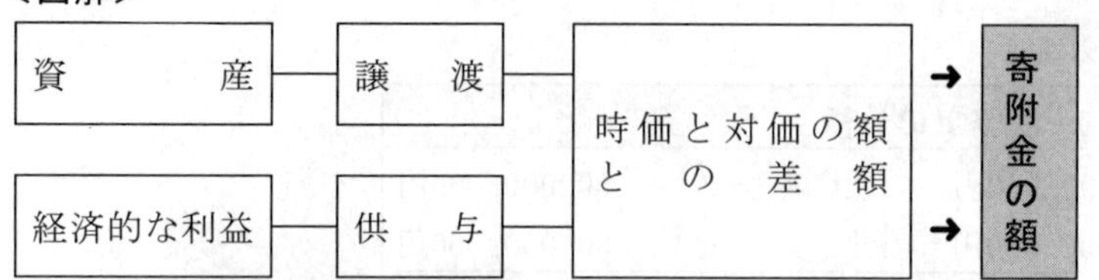

（注）　実質的に贈与又は無償の供与をしたと認められる金額が、寄附金の額に含まれます*02)。

*02) したがって、単なる値引等については、寄附金の額に含まれません。

＜例＞

土地（帳簿価額30,000,000円、時価50,000,000円）を40,000,000円でC社に譲渡した場合

① 会社の仕訳

会社の仕訳			
（現　　金）	40,000,000円	（土　　地）	30,000,000円
		（土地譲渡益）	10,000,000円

② 税務上の仕訳

(イ)　時価で譲渡したと考えます。

税務上の仕訳			
（現　　金）	40,000,000円	（土地譲渡収入）	50,000,000円
（未 収 金）	10,000,000円		
（土地譲渡原価）	30,000,000円	（土　　地）	30,000,000円

(ロ)　実際の対価は40,000,000円であり、時価と対価の差額については回収意思がないため、未収金を寄附金に振り替えます。

税務上の仕訳			
（寄 附 金）	10,000,000円	（未 収 金）	10,000,000円

➜　譲渡資産の時価と対価の額との差額が寄附金の額となります。

なお、会社の土地譲渡益の額と、税務上の益金の額（土地譲渡収入）と損金の額（土地譲渡原価と寄附金）との差額は同額となるため、税務調整をする必要はありません。

＜資産を高額で買入れた場合＞

法人が、他の法人等から資産等を時価より高く買い入れた場合には、その買入価額（対価の額）とその資産の時価（取得価額）との差額のうち、実質的に贈与をしたと認められる金額は、寄附金の額に含まれます。

＜例＞

Ｄ社から、時価50,000,000円の土地を70,000,000円で購入した場合

① 会社の仕訳

会社の仕訳			
（土　　地）	70,000,000円	（現　　金）	70,000,000円

② 税務上の仕訳

税務上の仕訳			
（土　　地）	50,000,000円	（現　　金）	70,000,000円
（寄　附　金）	20,000,000円		

➜ 土地の取得価額は、時価の50,000,000円となり、対価の額と土地の時価との差額が寄附金の額となります。

＜税務調整＞

会社の仕訳では、購入代価の70,000,000円が取得価額とされていますが、税務上はその他の取得形態による取得に該当するため時価である50,000,000円が取得価額となります。

したがって、会社の仕訳による取得価額を減額し、寄附金に振り替える税務調整が必要になります。

（税務上の修正仕訳）

税務上の修正仕訳			
（寄　附　金）	20,000,000円	（土　　地）	20,000,000円

（図解）

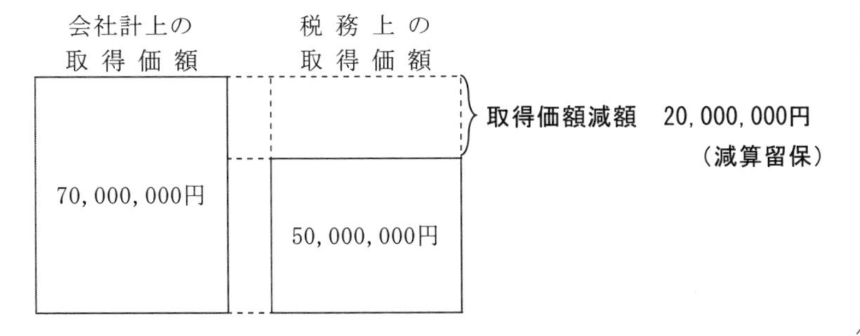

2 損金算入時期

1．現金主義（令78）

法人税法では、寄附金の損金不算入額の計算の対象となる寄附金の認識は、現実の支払いがあった時点に行われます*01)。

寄附金の支出	➜	その支払がされるまでの間、なかったものとする。

*01) 法人税法上、費用は債務の確定をもって認識するのが原則ですが、寄附金については、いわゆる現金主義によることとされています。

未払計上を認めると利益操作につながりやすいことや、契約書のない贈与は取消しが可能であること等を考慮して、寄附金は、その現実の支払により認識すべきことを明らかにしたものです。

2．経理処理と別表四上の調整

⑴ 未払経理の場合

寄附金について、寄附契約（寄附の申し込み）をした段階で未払金として経理した場合であっても、寄附金の支出は現実の支払いをいうため、その経理した事業年度ではなく、その現実の支払いをした事業年度において認識します*02)。

*02) 寄附金の支払いのために手形を振出した場合の期日未到来金額は、未払経理の場合と同様に取扱います。なお、手形払いの寄附金は、手形が期日に決済された時点で認識します。

<図解>

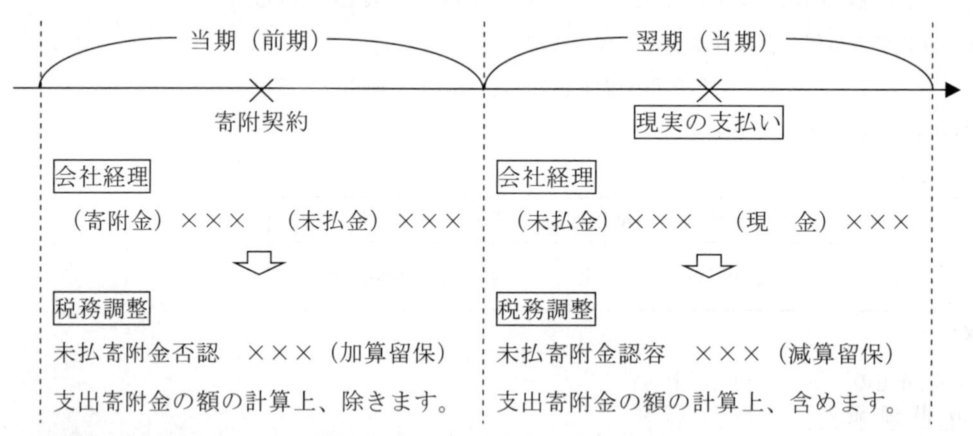

⑵ 仮払経理の場合

寄附金について仮払金として経理した場合には、会社の経理処理上は費用とされていないが、税務上は既に現実の支払いがあるため、その現実の支払いがあった事業年度に認識することになります。

＜図解＞

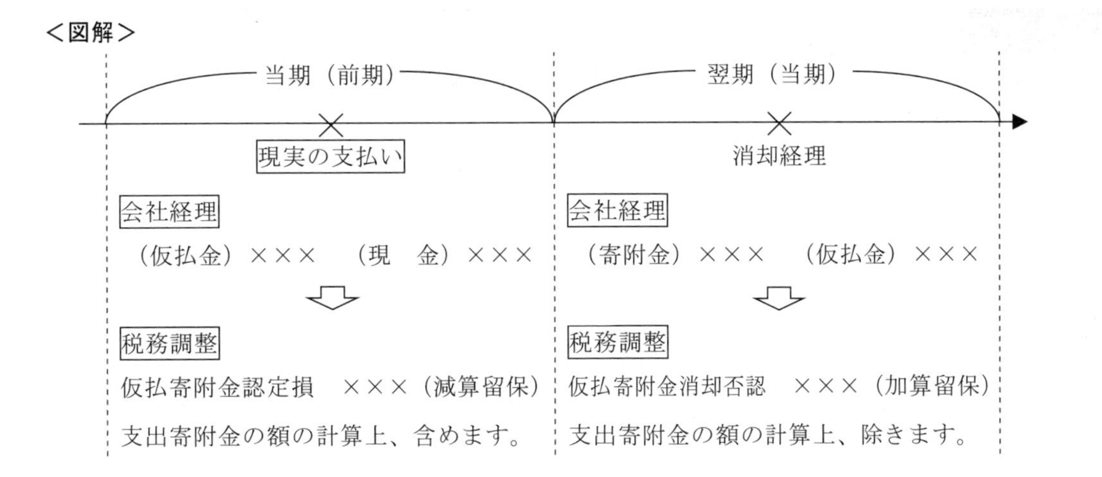

設例１－１　未払経理の場合

次の資料により、当社の当期における税務上の調整（寄附金の損金不算入額については考慮する必要はない。）を示しなさい。

⑴　前期の令和７年３月20日に申し込みをした寄附金150,000円について、令和７年４月20日に未払金を取り崩す経理により現金で支払っている。

⑵　当期の令和８年３月10日に申し込みをし、未払経理により費用に計上した寄附金200,000円がある。なお、当該寄附金は、翌期の令和８年４月２日に現金で支払っている。

解答

（単位：円）

	区　　分	金　　額	留　　保	社外流出
加算	未払寄附金否認	200,000	200,000	
減算	未払寄附金認容	150,000	150,000	

解説

①　前期に申し込みをし、当期に現金で支払っている寄附金150,000円については、当期に費用に計上されていない（前期に費用に計上されている。）ため、別表四で減算調整して認識します。

②　当期に申し込みをし、当期末現在未払いとなっている寄附金200,000円については、まだ現実の支払いを行っていないため、当期の寄附金とはなりません。したがって、別表四で加算調整が必要です。

設例１－２　　仮払経理の場合

次の資料により、当社の当期における税務上の調整（寄附金の損金不算入額については考慮する必要はない。）を示しなさい。

⑴　当社は、前期の令和７年３月25日に仮払経理により支払った寄附金200,000円について、当期においてその仮払金を寄附金勘定に振替える経理を行っている。

⑵　当社は、当期の令和８年３月31日に仮払経理により寄附金100,000円を支払っている。

解答

（単位：円）

区分		金額	留保	社外流出
加算	仮払寄附金消却否認	200,000	200,000	
減算	仮払寄附金認定損	100,000	100,000	

解説

①　前期に仮払経理により支払った寄附金は、前期に認識すべき寄附金であり、当期の費用に振替えられた金額は、別表四で加算調整が必要です。

②　当期に仮払経理により支払った寄附金は、当期に認識すべき寄附金ですが、費用に計上されていないため、別表四で減算調整が必要です。

3．支出寄附金の額

寄附金の額のうち、当期の損金不算入額の計算の対象となるもの（当期の寄附金の額）を、支出寄附金の額といいます。

支出寄附金の額の内訳は、次のとおりとなります。

＜図解＞

費用に計上した寄附金の額	未払寄附金否認 仮払寄附金消却否認
未払寄附金認容 仮払寄附金認定損	

当期に現実の支払いをした部分

➜ **支出寄附金の額**

Section 2

損金不算入額の計算

寄附金の支出は、見返りを伴わないため、法人の事業との関連性が必ずしも明らかなものとは言えません。そこで、損金算入限度額を定めることにより、損金算入限度額までの支出は、事業関連部分として損金算入を認め、損金算入限度額を超える部分の金額は損金不算入とされています。

このSectionでは、寄附金の損金不算入額の計算を学習します。

1 支出寄附金の区分（法37③④）

支出寄附金の額は、その取扱いが異なる次の３種類に区分されます。

区　分	内　容
1．指定寄附金等	全額が損金の額に算入されます。
2．特定公益増進法人等に対する寄附金	一般寄附金の損金算入限度額とは別枠の特別損金算入限度額が認められています。
3．一般寄附金	一般寄附金の損金算入限度額の範囲内で、損金の額に算入されます。

2 損金不算入額の計算（法37①③④）

内国法人が支出した寄附金の額の合計額のうち、損金算入限度額を超える部分の金額は、各事業年度の損金の額に算入されません。

具体的には、次のように損金不算入額を計算します。

基本算式

⑴　支出寄附金

①　指定寄附金等

②　特定公益増進法人等

③　一般寄附金

④　合　計　①＋②＋③

⑵　損金算入限度額

①　一般寄附金の損金算入限度額

②　特別損金算入限度額

⑶　損金不算入額

⑴④－⑴①－（※）－⑵①　寄附金の損金不算入額（加算社外流出）

※　⑴②と⑵②のいずれか少ない方

＜図解＞

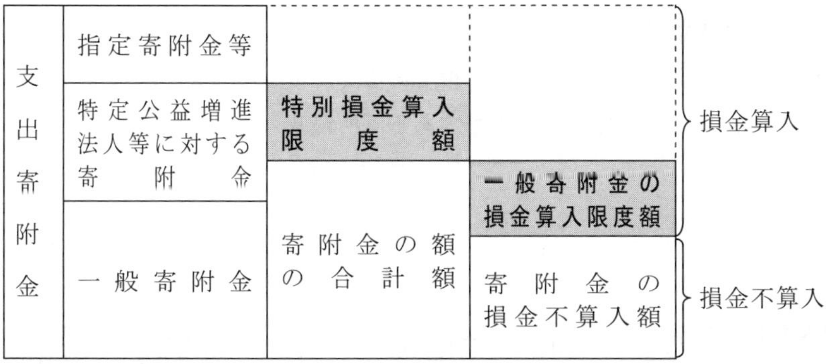

支出寄附金	指定寄附金等			損金算入
	特定公益増進法人等に対する寄附金	**特別損金算入限度額**		損金算入
	一般寄附金	寄附金の額の合計額	**一般寄附金の損金算入限度額**	損金算入
			寄附金の損金不算入額	損金不算入

支出寄附金の額から、まず、全額損金算入される指定寄附金等を控除し、次に、特定公益増進法人等に対する寄附金を、特別損金算入限度額の範囲内で控除します。最後に残った寄附金の額の合計額から一般寄附金の損金算入限度額を控除して損金不算入額を求めます。

＜別表四の表示＞

損金算入限度額の計算に別表四仮計の金額を使用するため、通常の加算欄で加算するのではなく、仮計と合計の間に記載し、加算調整します。

区分		金額
減算		
減算	小計	
仮計		
寄附金の損金不算入額		×××
合計・差引計・総計		
所得金額		

3 損金算入限度額の計算（令73、77の2）

▸▸問題集問題1

1．一般寄附金の損金算入限度額

損金算入限度額は、法人の資本規模から見た支出水準である「資本基準額」と法人の支払能力（利益）から見た支出水準である「所得基準額」の合計額の4分の1です。

基本算式

① 資本基準額

$$期末資本金及び資本準備金の額^{*01)} \times \frac{当期の月数}{12} \times \frac{2.5}{1,000}$$

② 所得基準額

$$当期の所得金額（別表四仮計の金額＋支出寄附金の額）\times \frac{2.5}{100}$$

③ $(①+②) \times \frac{1}{4}$

*01) 会計上の資本金の額及び資本準備金の額の合計額を資本規模とした計算です。

設例2－1 一般寄附金の損金算入限度額

次の資料により、当社の当期における一般寄附金の損金算入限度額を計算しなさい。

(1) 当社が当期において支出した寄附金の額は、5,000,000円である。

(2) 当社の当期の所得金額（別表四仮計の金額であり、調整は不要とする。）は、46,286,000円である。

(3) 当社の当期末における資本金の額は100,000,000円、資本準備金の額は25,000,000円であり、その合計額は125,000,000円である。

解答

(1) 資本基準額

$$125,000,000 \times \frac{12}{12} \times \frac{2.5}{1,000} = 312,500円$$

(2) 所得基準額

$$(46,286,000 + 5,000,000) \times \frac{2.5}{100} = 1,282,150円$$

(3) $((1)+(2)) \times \frac{1}{4} = 398,662円$

解説

資本基準額は、当期末における資本金及び資本準備金の額の合計額を使用します。また、所得基準額では、別表四仮計の金額に支出寄附金の額を加えた「寄附金支出前の所得」を基に計算します。最後に$\frac{1}{4}$を乗ずることを忘れないようにしましょう。

2. 特別損金算入限度額

特定公益増進法人等に対する寄附金に対して一般寄附金の損金算入限度額とは別枠で適用される限度額で、「資本基準額」と「所得基準額」の合計額の２分の１ですが、「資本基準額」の計算は期末資本金の額及び資本準備金の額の合計額に$\frac{3.75}{1,000}$を乗じ、「所得基準額」の計算は当期の所得金額に$\frac{6.25}{100}$を乗じて計算します*02)。

*02) 支出内容が公益性の高いものであるため、一般寄附金の損金算入限度額と比較して、損金算入額が拡大されています。

基本算式

① **資本基準額**

期末資本金及び資本準備金の額 $\times \frac{当期の月数}{12} \times \frac{3.75}{1,000}$

② **所得基準額**

当期の所得金額（別表四仮計の金額＋支出寄附金の額）$\times \frac{6.25}{100}$

③ （①＋②）$\times \frac{1}{2}$

設例２－２ 特別損金算入限度額

次の資料により、当社の当期における特別損金算入限度額を計算しなさい。

(1) 当社が当期において支出した寄附金の額は、7,000,000円である。

(2) 当社の当期の所得金額（別表四仮計の金額であり、調整は不要とする。）は、50,910,000円である。

(3) 当社の当期末における資本金の額は300,000,000円、資本準備金の額は50,000,000円であり、その合計額は350,000,000円である。

解答

(1) 資本基準額

$350,000,000 \times \frac{12}{12} \times \frac{3.75}{1,000} = 1,312,500$円

(2) 所得基準額

$(50,910,000 + 7,000,000) \times \frac{6.25}{100} = 3,619,375$円

(3) $((1)+(2)) \times \frac{1}{2} = 2,465,937$円

解説

一般寄附金の損金算入限度額の計算とは係数が異なるため注意が必要です。

設例2－3　損金不算入額の計算

次の資料により、当社の当期における税務上の調整を示しなさい。

⑴　当社が当期において支出し、費用に計上した寄附金の額の内訳は次のとおりである。

①　指定寄附金等　600,000円

②　特定公益増進法人等に対する寄附金　1,800,000円

③　一般寄附金　2,000,000円

⑵　当社の当期に係る別表四の仮計の金額は28,694,800円（調整不要）である。

⑶　当社の当期末における資本金の額は50,000,000円、資本準備金の額は10,000,000円であり、その合計額は60,000,000円である。

解答

⑴　支出寄附金

①　指定寄附金等　600,000円

②　特定公益増進法人等　1,800,000円

③　一般寄附金　2,000,000円

④　合　計

①＋②＋③＝4,400,000円

⑵　損金算入限度額

①　一般寄附金の損金算入限度額

(イ)　資本基準額

$$60,000,000 \times \frac{12}{12} \times \frac{2.5}{1,000} = 150,000円$$

(ロ)　所得基準額

$$(28,694,800 + 4,400,000) \times \frac{2.5}{100} = 827,370円$$

(ハ)　$((イ)+(ロ)) \times \frac{1}{4} = 244,342$円

②　特別損金算入限度額

(イ)　資本基準額

$$60,000,000 \times \frac{12}{12} \times \frac{3.75}{1,000} = 225,000円$$

(ロ)　所得基準額

$$(28,694,800 + 4,400,000) \times \frac{6.25}{100} = 2,068,425円$$

(ハ)　$((イ)+(ロ)) \times \frac{1}{2} = 1,146,712$円

⑶　損金不算入額

4,400,000－600,000－※1,146,712－244,342＝2,408,946円（仮計の下・加算）

※　1,800,000円＞1,146,712円　∴　1,146,712円

解説

損金不算入額の計算は、支出寄附金の額から、指定寄附金等を控除し、次に、特定公益増進法人等に対する寄附金と特別損金算入限度額のいずれか少ない金額を控除します。最後に一般寄附金の損金算入限度額を控除して損金不算入額を求めます。

4 支出寄附金の具体例

▶▶問題集問題2,3,4

1．指定寄附金等

国又は地方公共団体に対する寄附金及び財務大臣の指定した寄附金（指定寄附金）をいい、具体的には次のものがあります。

	具　体　例
国等に対する寄附金	①　国又は地方公共団体に対する寄附金 ②　国公立学校の施設の建設等の目的をもって設立された後援会等に対する寄附金でその施設が国等に帰属するもの ③　日本赤十字社等に対してきょ出した義援金で義援金配分委員会等に対してきょ出されることが明らかなもの
指定寄附金	①　日本学生支援機構に対する寄附金で学資貸与資金に充てるためのもの ②　各都道府県共同募金会に対する寄附金で財務大臣の承認を受けたもの ③　中央共同募金会に対する寄附金で社会福祉事業又は更生保護事業に充てるためのもの ④　日本赤十字社に対する寄附金で財務大臣の承認を受けたもの 等

租税と同様に国等に帰属することや、政策的配慮から全額が損金の額に算入されるものです。

2．特定公益増進法人等に対する寄附金（令77）

特定公益増進法人[*01]又は認定特定非営利活動法人[*02]に対する寄附金等をいい、具体的には次のものがあります。

具　体　例
(1)　独立行政法人に対する寄附金 〔日本学生支援機構に対する寄附金で経常経費に充てるためのもの 理化学研究所に対する寄附金〕
(2)　自動車安全運転センターに対する寄附金
(3)　日本司法支援センターに対する寄附金
(4)　日本赤十字社に対する寄附金で経常経費に充てるためのもの
(5)　社会福祉法人に対する寄附金
(6)　公益社団法人に対する寄附金
(7)　公益財団法人に対する寄附金
(8)　認定特定公益信託の信託財産とするために支出した金銭の額[*03]
(9)　認定特定非営利活動法人に対する寄附金　等

指定寄附金等ほどの緊急性はないが、公益性が比較的高いと認められる法人に対するものです。

*01）教育又は科学の振興、文化の向上、社会福祉への貢献その他公益の増進に著しく寄与する法人をいいます。

*02）特定非営利活動法人のうち、一定の要件を満たすものとして、所轄庁の認定を受けたものをいいます。

*03）特定公益信託の信託財産とするために支出した金銭の額は、寄附金の額とみなされます。

3．一般寄附金

上記以外の一般の寄附金で、具体的には次のものがあります。

具　体　例
⑴　政治団体（政党）に対する寄附金
⑵　宗教法人（神社・寺）に対する寄附金
⑶　日本中央競馬会に対する寄附金
⑷　日本下水道事業団に対する寄附金
⑸　日本商工会議所等に対する寄附金
⑹　町内会に対する寄附金　等

〈区分上の注意点〉

①　日本学生支援機構に対する寄附金

次のように区分されます。

内　容	区　分
学資貸与資金に充てるもの	指定寄附金等
経常経費に充てるもの	特定公益増進法人等に対する寄附金

②　日本赤十字社に対する寄附金

次のように区分されます。

内　容	区　分
義援金配分委員会等にきょ出されるもの	指定寄附金等
財務大臣の承認を受けたもの	指定寄附金等
経常経費に充てるもの	特定公益増進法人等に対する寄附金

③　特定公益信託の信託財産とするために支出した金銭の額

次のように区分されます。

内　容	区　分
認定特定公益信託に該当するもの	特定公益増進法人等に対する寄附金
上記以外	一般寄附金

（注）特定公益信託の信託財産とするために支出した金銭の額は、寄附金の額とみなされます。そのうち、公益の増進に著しく寄与するものとして主務大臣等の認定を受けたもの（認定特定公益信託）の信託財産とするために支出したものは、特定公益増進法人等に対する寄附金に区分されます。

設例2－4　寄附金の損金不算入額

次の資料により、当社の当期における税務上の調整を示しなさい。

⑴　当期において寄附金として費用に計上した金額の内訳は次のとおりである。

①	都立A高校に対する図書館建設費に充てるための寄附金	500,000円
②	日本学生支援機構に対する学資の貸与資金に充てるための寄附金	300,000円
③	日本赤十字社に対する災害義援金で義援金配分委員会にきょ出されるもの	400,000円
④	政治団体に対する寄附金	200,000円
⑤	上記の他、一般寄附金に該当するもの	600,000円

（注）前期において仮払経理した寄附金で当期に消却したものが150,000円含まれている。

⑵　当期において支出した理化学研究所の経常経費に充てるための寄附金が350,000円あるが、仮払金勘定に計上されている。

⑶　当期において得意先B社に対し車両（譲渡直前の帳簿価額1,500,000円、譲渡時の時価 2,500,000円）を1,000,000円で譲渡している。当社は、譲渡対価の額と譲渡直前の帳簿価額との差額500,000円を当期の費用に計上している。

⑷　当社の当期に係る別表四の仮計の金額は56,349,500円（調整不要）である。

⑸　当社の当期末における資本金の額は100,000,000円、資本準備金の額は20,000,000円であり、その合計額は120,000,000円である。

解答　⑴　支出寄附金

①　指定寄附金等

500,000＋300,000＋400,000＝1,200,000円

②　特定公益増進法人等

350,000円

③　一般寄附金

200,000＋(600,000－150,000)＋(2,500,000－1,000,000)＝2,150,000円

④　合　計

①＋②＋③＝3,700,000円

⑵　損金算入限度額

①　一般寄附金の損金算入限度額

(イ)　資本基準額

$$120,000,000\times\frac{12}{12}\times\frac{2.5}{1,000}=300,000円$$

(ロ)　所得基準額

$$(56,349,500+3,700,000)\times\frac{2.5}{100}=1,501,237円$$

(ハ)　$((イ)+(ロ))\times\frac{1}{4}=450,309円$

② 特別損金算入限度額

(イ) 資本基準額

$$120,000,000\times\frac{12}{12}\times\frac{3.75}{1,000}=450,000円$$

(ロ) 所得基準額

$$(56,349,500+3,700,000)\times\frac{6.25}{100}=3,753,093円$$

(ハ) $((イ)+(ロ))\times\frac{1}{2}=2,101,546円$

(3) 損金不算入額

3,700,000－1,200,000－※350,000－450,309＝1,699,691円

※ 350,000円＜2,101,546円 ∴ 350,000円

（単位：円）

区　分		金　額	留　保	社外流出
加算	仮払寄附金消却否認	150,000	150,000	
減算	仮払寄附金認定損	350,000	350,000	
仮　計		56,349,500	×××	×××
寄附金の損金不算入額		1,699,691		1,699,691

解説

① 資料(1)①②③は、指定寄附金等に該当します。

② 資料(1)④⑤は、一般寄附金に該当しますが、前期に仮払経理した寄附金で当期に消却したものは、前期の寄附金であり、当期の支出寄附金の額には含まれません。なお、前期に仮払経理した寄附金で当期に消却したものは、仮払寄附金消却否認（加算留保）の税務調整が必要です。

③ 資料(2)の当期に仮払経理をした寄附金は、当期の支出寄附金の額に含まれるため、仮払寄附金認定損（減算留保）の税務調整が必要です。なお、理化学研究所の経常経費に充てるための寄附金は、特定公益増進法人等に対する寄附金に該当します。

④ 資料(3)の車両の低額譲渡に係る寄附金の額は、時価と対価の額の差額であり、当社が費用に計上した金額ではないことに注意してください。なお、この寄附金の額は一般寄附金に該当します。

Try it　　　寄附金の損金不算入額

次の資料により、当社の当期における税務上の調整を示しなさい。

⑴　当期において寄附金として費用に計上した金額の内訳は次のとおりである。

①	認定特定非営利活動法人に対する寄附金	500,000円
②	日本下水道事業団に対する寄附金	1,000,000円
③	地方公共団体に対する寄附金	1,500,000円
④	政治団体に対する寄附金で当期末において未払いであるもの	2,000,000円

⑵　当社の当期における所得金額（別表四の仮計の金額）は、30,000,000円である。

⑶　当社の当期末における資本金の額は80,000,000円、資本準備金の額は10,000,000円であり、その合計額は90,000,000円である。

答案用紙

1．寄附金

⑴　支出寄附金

①　指定寄附金等

②　特定公益増進法人等

③　一般寄附金

④　合　計

⑵　損金算入限度額

①　一般寄附金の損金算入限度額

(イ)　資本基準額

(ロ)　所得基準額

(ハ)

②　特別損金算入限度額

(イ)　資本基準額

(ロ)　所得基準額

(ハ)

⑶　損金不算入額

（単位：円）

区　　分		金　　額	留　　保	社外流出
加算				
減算				
仮　　　　計		30,000,000	×××	×××

解 答

1．寄附金

(1) 支出寄附金

① 指定寄附金等

1,500,000円❶

② 特定公益増進法人等

500,000円❶

③ 一般寄附金

1,000,000円❶

④ 合　計

①＋②＋③＝3,000,000円

(2) 損金算入限度額

① 一般寄附金の損金算入限度額

(イ) 資本基準額

$90,000,000 \times \frac{12}{12} \times \frac{2.5}{1,000} = 225,000$円❶

(ロ) 所得基準額

$(30,000,000 + 3,000,000) \times \frac{2.5}{100} = 825,000$円

(ハ) $((イ) + (ロ)) \times \frac{1}{4} = 262,500$円❶

② 特別損金算入限度額

(イ) 資本基準額

$90,000,000 \times \frac{12}{12} \times \frac{3.75}{1,000} = 337,500$円

(ロ) 所得基準額

$(30,000,000 + 3,000,000) \times \frac{6.25}{100} = 2,062,500$円❶

(ハ) $((イ) + (ロ)) \times \frac{1}{2} = 1,200,000$円❶

(3) 損金不算入額

3,000,000－1,500,000－※500,000－262,500＝737,500円

※　500,000円＜1,200,000円　　∴　500,000円❶

(単位：円)

区　　分		金　額	留　　保	社外流出
加算	未払寄附金否認	2,000,000	❶2,000,000	
減算				
仮　　　計		30,000,000	×××	×××
寄附金の損金不算入額		737,500		❶737,500

解 説

寄附金の認識は現実の支払があった時点で行われるため、期末現在未払いである政治団体に対する寄附金は「未払寄附金否認」として加算調整を行い、当期の支出寄附金の額には含まれません。

Chapter 9

交際費等

Section 1

交際費等の額

法人税法上の交際費等には、取引先の歓心を買うことによって親睦を深めたり、取引をスムーズに進めるためにする支出が広く含まれています。つまり、交際費等に該当するか否かは、経理上の勘定科目等にかかわらず、その実質的な内容で区分することになります。一般的な意味での交際費より広い範囲を指しています。

このSectionでは、交際費等の意義及び範囲を学習します。

1 交際費等の額の意義（措法61の4⑥）

1．交際費等の意義

交際費等とは、交際費、接待費、機密費その他の費用で、法人が、その得意先、仕入先その他事業に関係のある者等に対する接待、供応、慰安、贈答その他これらに類する行為のために支出するもの[*01)]をいいます。

*01) 接待等の行為のために支出するものを指していることから、例えば、接待をするために要したタクシー代等も交際費等の範囲に含まれ、一般的な交際費の概念よりも広いものとなっています。

具体的には、次のような費用が交際費等に含まれます。

具　体　例	
料亭・クラブ等での接待費用 旅行・観劇等への招待費用 中元・歳暮等の贈答費用 慶弔・禍福費 ゴルフ接待費用　等	得意先、仕入先等社外の者に対する接待、供応等に要した費用で広告宣伝費、福利厚生費、給与等の他の費用に該当しないすべてのものが交際費等に該当します。

2．交際費等から除かれる費用

原則として交際費等に該当する費用であっても、次のものは、交際費等から除かれます。

交際費等に該当しない費用	
従業員の慰安のための運動会、演芸会、旅行等の費用	福利厚生費
飲食費[*02)]で、一人当たりの支出金額が10,000円以下のもの	飲食費等
当社の社名、製品名入りのカレンダー、手帳、扇子等の贈与費用	広告宣伝費
会議に関連して支出した茶菓、弁当等の供与費用	会議費
出版物や放送番組の取材の費用	取材費

*02) 飲食費とは、飲食その他これに類する行為のために要する費用をいいます。ただし、専らその法人の役員若しくは従業員又はこれらの親族に対する接待等のために支出するものは含まれません。

▸▸問題集問題1,2

2 交際費等の範囲

1．売上割戻し等との区分（措通61の4(1)－3、4、6）

得意先である事業者[*01]に対し、売上割戻し等として一定の基準により金銭、事業用資産[*02]又は少額物品[*03]を交付する費用は、交際費等に該当しません。なお、売上割戻し等と同一の基準によるものであっても、得意先を旅行、観劇等に招待するために要する費用は、交際費等に該当します。

*01) 得意先等である企業自体をいいます。

*02) 得意先である事業者において棚卸資産又は固定資産として販売又は使用することが明らかな物品をいいます。

*03) 購入単価が3,000円以下である物品をいいます。

<table>
<tr><th colspan="3">区　　分</th><th>取扱い</th></tr>
<tr><td rowspan="5">一定の基準によるもの</td><td colspan="2">金銭の交付</td><td rowspan="3">売上割戻し</td></tr>
<tr><td rowspan="3">物品の交付</td><td>事業用資産</td></tr>
<tr><td>少額物品</td></tr>
<tr><td>上記以外の物品</td><td rowspan="3">交際費等</td></tr>
<tr><td colspan="2">旅行、観劇等への招待費用</td></tr>
<tr><td colspan="3">上記以外</td></tr>
</table>

（注）　一定の基準とは、次のように合理的な基準を指しています。したがって、合理的な基準に基づかない売上割戻し等の費用は交際費等に該当することになります。

(1)　売上高又は売掛金の回収高に比例

(2)　売上高の一定額ごと　等

2．景品費との区分（措通61の4(1)－5）

得意先に対して行った景品付販売等に係る景品費は、その景品が少額物品である場合には、交際費等に該当しません。なお、一般消費者を対象とするものについても、交際費等に該当しません。

<table>
<tr><th colspan="2">区　　分</th><th>取扱い</th></tr>
<tr><td colspan="2">一般消費者に対するもの</td><td rowspan="2">販売促進費等</td></tr>
<tr><td rowspan="2">得意先に対するもの</td><td>少額物品の交付</td></tr>
<tr><td>上記以外の物品の交付</td><td>交際費等</td></tr>
</table>

3．販売奨励金との区分（措通61の4(1)－7）

販売促進目的で特定地域の得意先である事業者に対し、販売奨励金等として金銭又は事業用資産を交付する費用は、交際費等に該当しません。

ただし、販売奨励金等の名目であっても、旅行、観劇等に招待するための費用の負担額として交付するものは、交際費等に該当します。

<table>
<tr><th colspan="2">区　　分</th><th>取扱い</th></tr>
<tr><td rowspan="2">金銭の交付</td><td>旅行、観劇への招待費用の負担額</td><td>交際費等</td></tr>
<tr><td>上記以外</td><td rowspan="2">販売促進費等</td></tr>
<tr><td colspan="2">事業用資産の交付</td></tr>
</table>

4．広告宣伝費との区分（措通61の4(1)－9）

不特定多数の者に対して、宣伝的効果を意図する費用は、交際費等に該当しません。

<table>
<tr><th colspan="2">区　　分</th><th>取扱い</th></tr>
<tr><td rowspan="5">一般消費者に対するもの</td><td>抽選により金品を交付するための費用</td><td rowspan="8">広告宣伝費</td></tr>
<tr><td>抽選により旅行、観劇等に招待する費用</td></tr>
<tr><td>景品費</td></tr>
<tr><td>工場見学者等に試飲、試食をさせる費用</td></tr>
<tr><td>自社製品等のモニター費用</td></tr>
<tr><td rowspan="3">得意先に対するもの</td><td>見本品・試用品の供与に通常要する費用</td></tr>
<tr><td>新製品等の展示会等に招待する場合等の交通費、食事代、宿泊料</td></tr>
<tr><td>自社製品等に関する商品知識の普及等のため工場等を見学させる場合の交通費、食事代、宿泊料</td></tr>
</table>

5．福利厚生費との区分（措通61の4(1)－10）

社内行事等に際して支出される金額で、従業員等の福利厚生や慰安を目的として支出する費用は、交際費等に該当しません。

ただし、得意先等の社外の者に対して支出するものは、交際費等に該当します。

<table>
<tr><th colspan="2">区　　分</th><th>取扱い</th></tr>
<tr><td colspan="2">専ら従業員の慰安のために行われる運動会、演芸会、旅行等のための費用</td><td rowspan="2">福利厚生費</td></tr>
<tr><td rowspan="2">慶弔・禍福費</td><td>従業員（元従業員を含みます。）又はその親族等に対するもの</td></tr>
<tr><td>得意先等の社外の者に対するもの</td><td rowspan="2">交　際　費</td></tr>
<tr><td rowspan="3">創立記念、新社屋落成式等の費用</td><td>得意先等を招待する宴会費、交通費、記念品代等の費用</td></tr>
<tr><td>従業員に一律に社内において供与される通常の飲食に要する費用</td><td rowspan="2">福利厚生費</td></tr>
<tr><td>式典の祭事費用</td></tr>
</table>

6. 給与との区分（措通61の4(1)－12）

従業員に対して支給する次の費用は、交際費等に該当せず、給与に該当します*04)。

<table>
<tr><th>区　　分</th><th>取扱い</th></tr>
<tr><td>常時給与される昼食等の費用</td><td rowspan="3">給　　与</td></tr>
<tr><td>自社製品等を原価以下で販売した場合の原価の額と対価の額との差額</td></tr>
<tr><td>機密費等の名義で支給した金額のうち、法人の業務のために使用したことが明らかでないもの</td></tr>
</table>

*04) 役員に対するものについて、定期同額給与又は事前確定届出給与に該当しないものは、損金不算入とされることに注意が必要です。

7. 運動費等との区分（措通61の4(1)－15(2)）

下請工場、特約店、代理店等となるため、又はするための運動費等の費用は、交際費等に該当します。

ただし、相手方の事業者に対し、金銭又は事業用資産を交付する費用は、交際費等に該当しません。

区　　分	取扱い
金銭又は事業用資産の交付	販売促進費等
上記以外	交際費等

8. 会議費との区分（措通61の4(1)－16、21）

会議に際して支出する通常供与される昼食の程度を超えない飲食物等を供与するための費用は、交際費等に該当しません。また、旅行等と併せて会議を行った場合において、その会議が会議としての実体を備えているときは、会議に通常要する費用は、交際費等に該当しません。

<table>
<tr><th colspan="2">区　　分</th><th>取扱い</th></tr>
<tr><td colspan="2">通常供与される昼食の程度を超えない飲食物等を供与するための費用</td><td rowspan="2">会　議　費</td></tr>
<tr><td rowspan="3">旅行等と併せて会議を行った場合</td><td>会議の実体を備えている場合の会議費用</td></tr>
<tr><td>会議の実体を備えていない場合の会議費用</td><td rowspan="2">交際費等</td></tr>
<tr><td>旅行等に招待した費用</td></tr>
</table>

3 交際費等の支出（措法61の4⑥）

1．交際費等の支出の相手方

交際費等の支出の相手方は「得意先、仕入先その他事業に関係のある者等」と規定されています。この相手方には、直接当社の営む事業に取引関係のある者だけではなく、間接に当社の利害に関係のある者及び当社の役員、従業員、株主等も含まれます。

区　　分	例
直接利害関係者	製造業者における直接の得意先である卸売業者　等
間接利害関係者	製造業者における間接の得意先である小売業者　等
法人内部の者	当社の役員、従業員、株主　等

＜図解＞

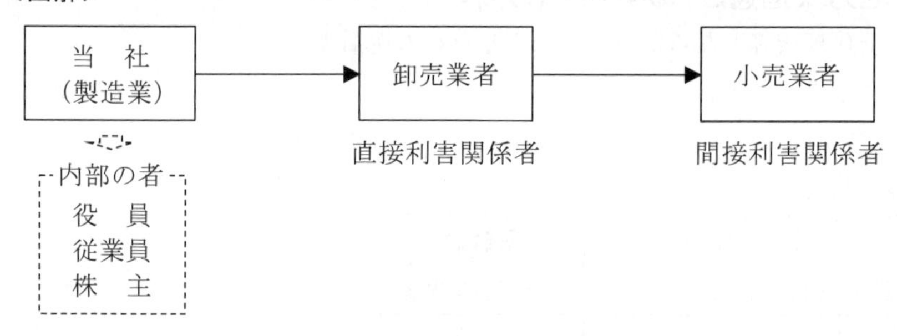

2．交際費等の支出の方法

交際費等の額は、当社が直接に支出したものであるか、間接に支出したものであるかは問いません。したがって、次のそれぞれの場合には、それぞれの金額が交際費等の額に含まれます。

区　　　分	交際費等の額
⑴　二以上の法人が共同して接待等をした場合	分　担　額
⑵　同業者団体等が接待等をした場合	負　担　額
⑶　専ら懇親のための会合を催すための団体（親睦団体等）に対し、会費を支出した場合	会　費　の　額

＜図解＞

⑴　共同して接待等をした場合

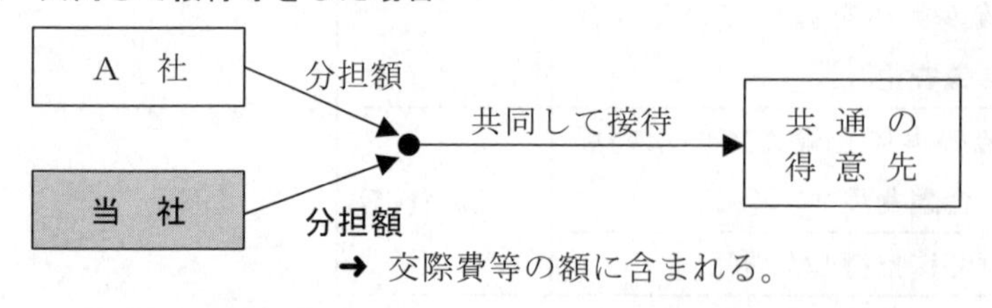

⑵　同業者団体等が接待等をした場合

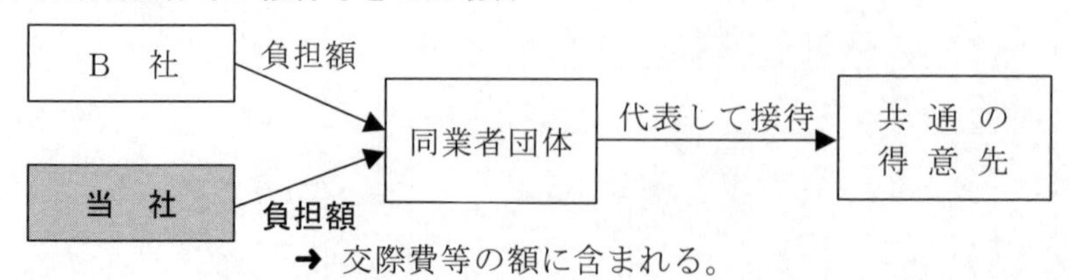

⑶ 親睦団体等に会費を支出した場合

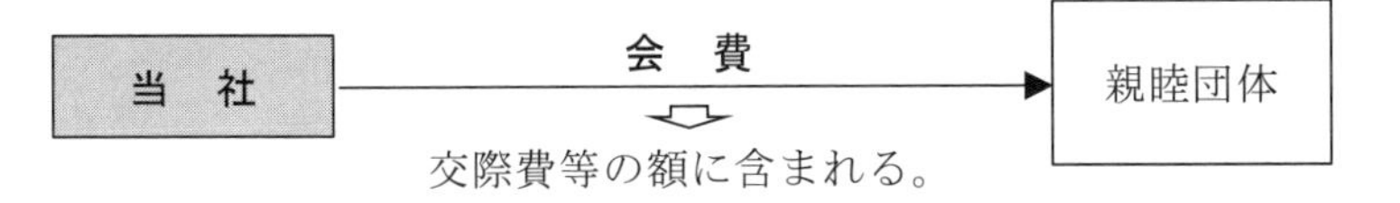

4 損金算入時期

1．事実発生主義（措通61の4⑴－24）

法人税法では、交際費等の損金不算入額の計算の対象となる交際費等の認識は、接待等の行為のあった時点に行われます[*01]。

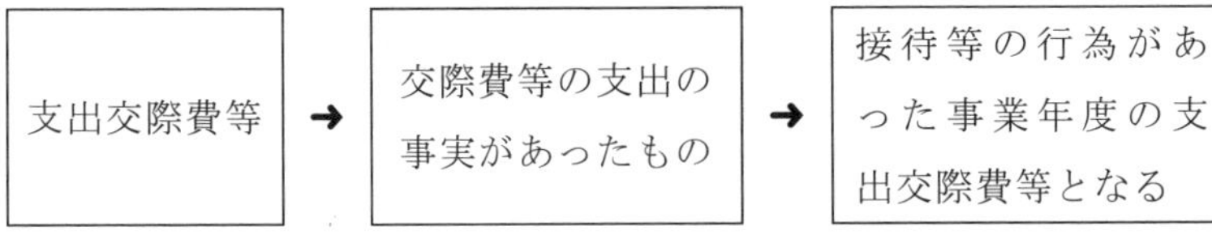

*01) 交際費等については、期末現在未払いのものであっても、交際費等を費用として認識し、損金不算入額の計算の対象とします。

交際費等は、実際に接待等の行為のあった事業年度において支出交際費等となり、法人が仮払経理又は未払経理等をしているといないとを問いません。

2．経理処理と別表四上の調整

⑴ 未払計上すべき場合

交際費等について、接待行為をした段階で未払いであるため何ら経理をしていない場合であっても、交際費等は接待等の行為があった事業年度において認識します。

<図解>

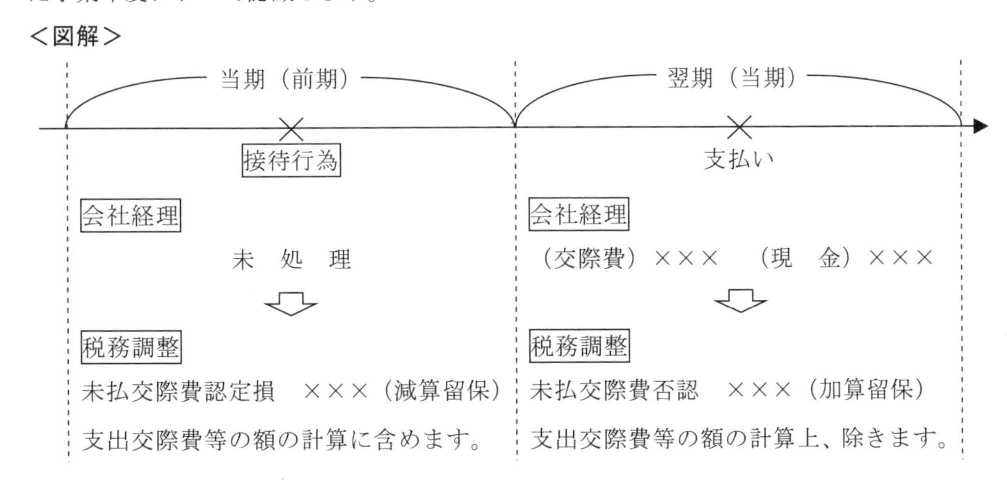

⑵　仮払経理の場合

交際費等について仮払金として経理した場合には、会社の経理処理上は費用とされていませんが、既に接待等の行為があるため、その接待等の行為があった事業年度に認識することになります。

＜図解＞

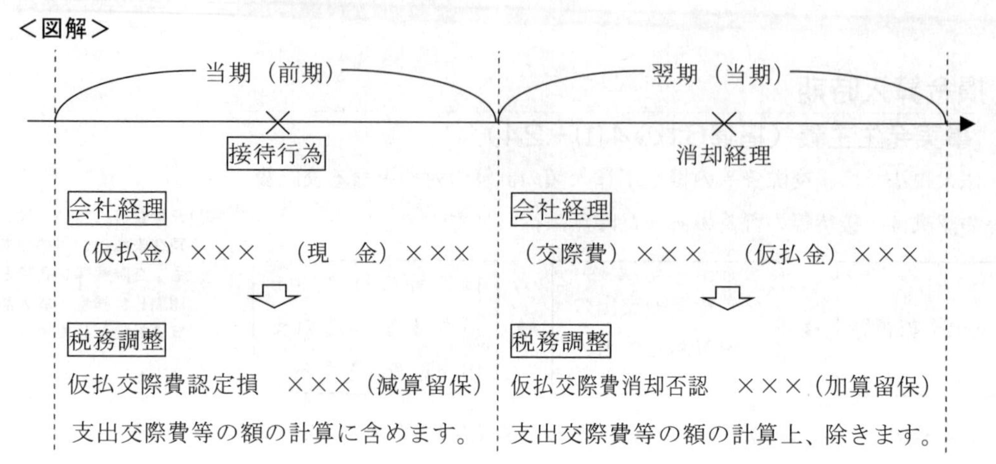

⑶　前払計上すべき場合

交際費等について、接待行為をする前の段階で予約金等を支払い、費用に計上した場合であっても、交際費等は接待等の行為があった事業年度において認識します。

＜図解＞

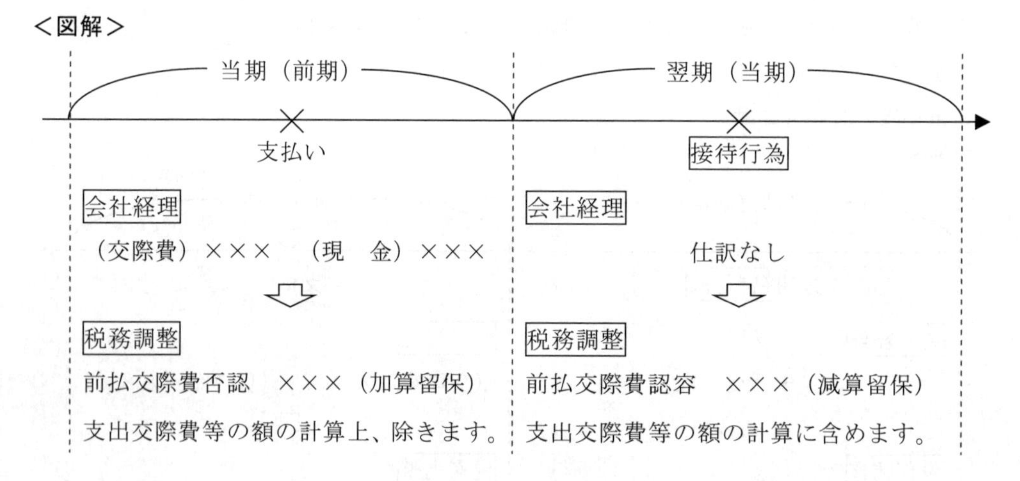

3．支出交際費等の額

交際費等の額のうち、当期の損金不算入額の計算の対象となるもの（当期の交際費等の額）を、支出交際費等の額といいます。

支出交際費等の額の内訳は、次のとおりとなります。

＜図解＞

費用に計上した交際費等の額	未払交際費否認 仮払交際費消却否認 前払交際費否認
未払交際費認定損 仮払交際費認定損 前払交際費認容	

当期に接待行為をした部分

➜ 支出交際費等の額

設例１－１　未払計上すべき場合

次の資料により、当社の当期における税務上の調整（交際費等の損金不算入額については考慮する必要はない。）を示しなさい。

⑴　当期の令和８年３月25日に得意先を接待した費用が300,000円あるが、当期末において請求書が未達であるため、何ら経理していない。

⑵　前期の令和７年３月31日に大株主を接待した費用が500,000円あるが、前期においては請求書が未達であったため、何ら経理していなかった。当該費用について、当期の令和７年４月５日に請求書が届いたため、現金で支払い交際費等として費用に計上している。

解答

（単位：円）

	区　　分	金　　額	留　　保	社外流出
加算	未払交際費否認	500,000	500,000	
減算	未払交際費認定損	300,000	300,000	

解説

①　当期に接待をし、当期末現在、未払いとなっている交際費300,000円については、接待行為が当期に行われているため、当期に認識すべき交際費等です。しかし、当期の費用に計上されていないため、別表四で減算調整して認識します。

②　前期に接待をし、前期末現在、未払いとなっていた交際費500,000円については、接待行為が前期に行われているため、前期の別表四において「未払交際費認定損　500,000円（減算留保）」の調整が行われています。当期に再び費用に計上してしまうと、費用が二重に認識される結果となってしまうため、別表四で加算調整が必要になります。

設例１－２　仮払経理の場合

次の資料により、当社の当期における税務上の調整（交際費等の損金不算入額については考慮する必要はない。）を示しなさい。

⑴　当期の令和７年４月１日に仮払金の消却により費用に計上した交際費150,000円があるが、これは前期において得意先を接待したものであり、前期の別表四において「仮払交際費認定損　150,000円（減算)」の処理がされているものである。

⑵　当期の令和８年３月31日に大株主を料亭で接待した費用が240,000円あるが、仮払金として支出している。

解答

（単位：円）

区　　分		金　　額	留　　保	社外流出
加算	仮払交際費消却否認	150,000	150,000	
減算	仮払交際費認定損	240,000	240,000	

解説

①　前期に仮払経理により支出した交際費は、前期に接待行為があった前期に認識すべき交際費であり、前期の別表四において「仮払交際費認定損　150,000円（減算留保)」の調整が行われています。当期に再び費用に計上してしまうと、費用が二重に認識される結果となってしまうため、別表四で加算調整が必要になります。

②　当期に仮払経理により支払った交際費は、当期に接待行為が行われているため当期に認識すべき交際費ですが、費用に計上されていないため、別表四で減算調整が必要です。

設例１－３　前払計上すべき場合

次の資料により、当社の当期における税務上の調整（交際費等の損金不算入額については考慮する必要はない。）を示しなさい。

⑴　前期の令和７年３月30日において、当期に得意先を旅行に招待した費用2,000,000円の予約金600,000円を支払い、前期の費用に計上している。この予約金については、前期の別表四において「前払交際費否認　600,000円（加算留保）」の処理がされている。

⑵　当期の令和８年３月31日に取引先を招いて翌期に実施する予定のパーティー費用の予約金500,000円を支払い、当期の費用に計上している。

解答

（単位：円）

区　分		金　額	留　保	社外流出
加算	前払交際費否認	500,000	500,000	
減算	前払交際費認容	600,000	600,000	

解説

①　前期に費用に計上した旅行費用の予約金は、その旅行が当期に実施されていることから当期の交際費であり、前期の別表四において「前払交際費否認　600,000円（加算留保）」の調整が行われています。当期に旅行に招待した際には、費用としての認識をするため別表四で減算調整が必要になります。

②　当期に費用に計上したパーティー費用の予約金は、そのパーティーが翌期に実施されるものであることから、翌期の交際費であり、別表四で加算調整が必要です。

Section 2

損金不算入額の計算

無駄な費用を抑制し、法人の資本充実を図る等の政策的な理由から、法人が支出した交際費の損金算入には一定の制限が加えられています。
原則として、交際費のうち接待飲食費の半分までの損金算入は認められますが、それを超える部分の金額は損金不算入とされます。また、中小企業については、交際費の支出を極端に減らしてしまうと、取引関係を維持できなくなってしまう等の現実があるため、年800万円の定額控除限度額の利用も認められています。
このSectionでは、交際費等の取扱いを学習します。

1 損金不算入額の計算

▸▸問題集問題4

1．概　要

法人が支出する交際費等の額のうち、損金算入限度額を超える部分の金額は、その事業年度の損金の額に算入しないこととされています。

2．損金算入限度額

中小法人[*01]と中小法人以外の法人の区分に応じて、それぞれ次の金額が損金算入限度額となります。

区　　分	損金算入限度額
中小法人以外の法人 (期末資本金の額等が100億円以下の法人に限ります。)	接待飲食費[*02]×50%
中小法人	次の①と②のいずれか多い方 ①　接待飲食費[*02]×50% ②　定額控除限度額 (注)　定額控除限度額とは、次の金額をいいます。 $800万円\times\frac{当期の月数}{12}$

原則として、交際費等の額のうち、接待飲食費の50%相当額が損金算入限度額とされることになりますが、中小法人については、接待飲食費の50%相当額と定額控除限度額のいずれか多い方（有利な方）を選択して、損金算入限度額とすることが認められています。

*01) 期末資本金１億円以下の法人のうち、大法人（資本金５億円以上の法人）による完全支配関係（100%の支配関係をいいます。）がない法人です。税率区分における中小法人と同じです。

*02) 飲食費のうち、一人当たりの支出金額が10,000円を超えるものをいいます。
なお、接待飲食費の50%相当額の損金算入が認められる法人は、その事業年度終了の日における資本金又は出資金の額が百億円以下であるものです。

3. 損金不算入額

交際費等の損金不算入額は、中小法人と中小法人以外の法人の区分に応じて、それぞれ次のように計算します。

⑴ 中小法人以外の法人

基本算式

⑴ 支出交際費等
　① 接待飲食費
　② ①以外
　③ 合　計　①+②
⑵ 損金算入限度額
　⑴①×50%
⑶ 損金不算入額
　⑴−⑵=×××　　交際費等の損金不算入額（加算社外流出）

<図解>

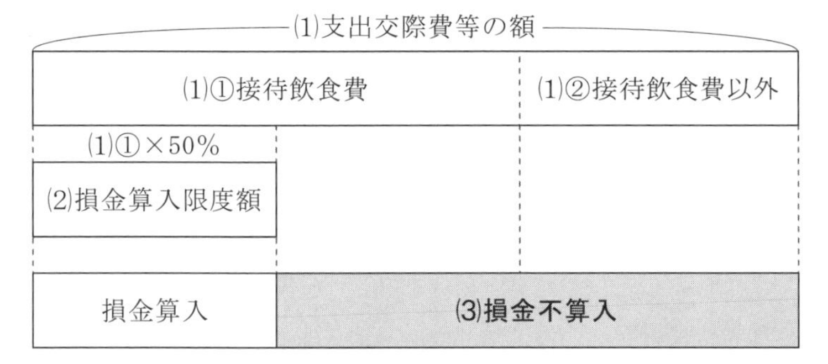

⑵ 中小法人

基本算式

⑴ 支出交際費等
　① 接待飲食費
　② ①以外
　③ 合　計　①+②
⑵ 損金算入限度額
　① 接待飲食費基準額
　　⑴①×50%
　② 定額控除限度額
　　支出交際費等の額と定額控除限度額（年800万円）のいずれか少ない方
　③ ①と②のいずれか多い方
⑶ 損金不算入額
　⑴−⑵=×××　　交際費等の損金不算入額（加算社外流出）

＜図解＞

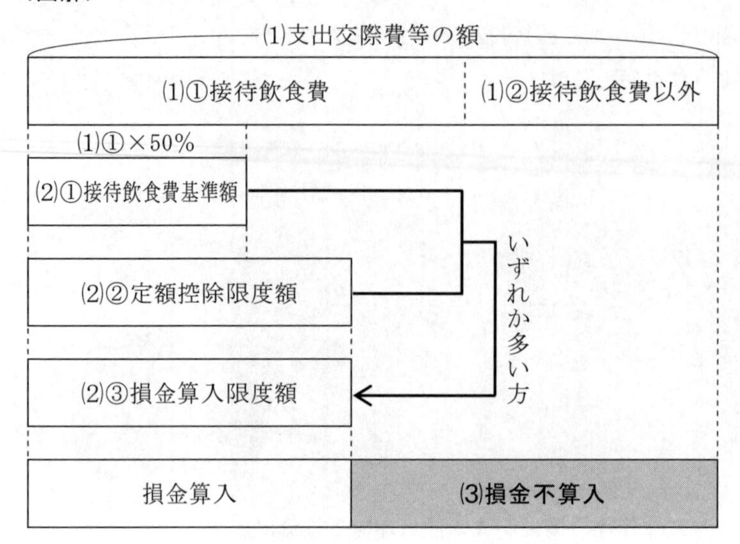

⑴支出交際費等の額
⑴①接待飲食費
⑴②接待飲食費以外
⑴①×50％
⑵①接待飲食費基準額
⑵②定額控除限度額
いずれか多い方
⑵③損金算入限度額
損金算入
⑶損金不算入

設例２－１　交際費等の損金不算入額

次の各設問の場合において、当社の当期における支出交際費等の額が15,000,000円（接待飲食費に該当するもの5,000,000円と接待飲食費に該当しないもの10,000,000円の合計額である。）であるときの、交際費等の損金不算入額を計算しなさい。

［設問１］

当社の期末資本金の額が300,000,000円である場合

［設問２］

当社の期末資本金の額が30,000,000円（大法人よる完全支配関係はない。）である場合

解答

［設問１］

(1)　支出交際費等

①　接待飲食費　　5,000,000円

②　①以外　　10,000,000円

③　合　計　　①＋②＝15,000,000円

(2)　損金算入限度額

(1)①×50％＝2,500,000円

(3)　損金不算入額

(1)－(2)＝12,500,000円

［設問２］

(1)　支出交際費等

①　接待飲食費　　5,000,000円

②　①以外　　10,000,000円

③　合　計　　①＋②＝15,000,000円

(2)　損金算入限度額

①　接待飲食費基準額

(1)①×50％＝2,500,000円

②　定額控除限度額

15,000,000円＞8,000,000×$\frac{12}{12}$＝8,000,000円　　∴　8,000,000円

③　①＜②　　∴　8,000,000円

(3)　損金不算入額

(1)－(2)＝7,000,000円

解説

交際費等の損金算入限度額は、中小法人と中小法人以外の法人の区分により異なります。原則として接待飲食費の50％相当額を損金算入限度額としますが、中小法人については定額控除限度額との選択が認められています。

Section 3

その他の論点

交際費等の範囲は、非常に広く、その内容も多岐に渡ります。交際費等から除かれる飲食費の範囲や、交際費等の経理に応じた処理等についても押えておく必要があります。

このSectionでは、交際費等について、これまでの内容以外に注意しなければならない論点を学習します。

1 交際費等から除かれる飲食費と接待飲食費

▸▸問題集問題3

1．取扱い（措法61の4⑥二）

交際費等に該当する費用であっても、飲食費*01)（専らその法人の役員若しくは従業員又はこれらの親族に対する接待等のために支出するものは除きます。*02)）で、一人当たりの支出金額が10,000円以下のものは、交際費等から除かれ、損金の額に算入されます*03)。

なお、一人当たりの飲食費等の額が10,000円以下であるかどうかは、支出金額を参加者の人数で除し、単純に単価を求めて判定します。

基本算式

$$\frac{\text{飲食費として支出する金額}}{\text{飲食に参加した者の数}} \leqq 10,000\text{円}$$

∴　交際費等に該当しない。

（注）　この規定は、交際費等に該当する飲食費を対象とするものです。したがって、そもそも交際費等に該当しない会議費等については、一人当たり10,000円超のものであっても、その費用が通常要する費用である限り、交際費等に該当しません。

*01) 飲食費は、飲食という行為をするために必要な費用をいいます。したがって、サービス料等として飲食店等に対して直接支払うものも含まれます。

*02) いわゆる社内飲食費は、一人あたりの支出金額が10,000円以下であっても、交際費等に該当します（接待飲食費には該当しません。）。

*03) 飲食のあった年月日、飲食に参加した者の氏名等を記載した一定の書類を保存している場合に限って適用されます。

2．飲食その他これに類する行為（措通61の4(1)－15の2）

飲食その他これに類する行為（以下「飲食等」といいます。）のために要する費用は、自己の従業員等が得意先等を接待して飲食するための飲食代以外にも、例えば、次の支出も含まれます。

具　体　例
⑴　得意先等の行事に際して、弁当を差し入れるための弁当代
⑵　得意先等の繁忙期に「陣中見舞い」等と称して弁当や飲料を差し入れるための弁当代等
⑶　花見等に際して弁当や飲料を差し入れるための弁当代等

（注）対象となる飲食物は、得意先等において差入れ後、相応の時間内に飲食されることが想定されるものに限られます。

設例３－１　　飲食費(1)

次の費用が交際費等に該当するか否かの判定を示しなさい。

(1)　居酒屋で接待した際に支出した飲食費32,000円（参加者は４名である。）

(2)　寿司店で接待した際に支出した飲食費36,000円（参加者は３名である。）

解答

(1)　$\frac{32,000}{4}$＝8,000円≦10,000円　　∴　交際費等に該当しない。

(2)　$\frac{36,000}{3}$＝12,000円＞10,000円　　∴　交際費等に該当する（接待飲食費）。

解説

(1)の費用は、一人当たりの金額が10,000円以下であるため、交際費等に該当しませんが、(2)の費用は、一人当たりの金額が10,000円を超えるため、交際費等（接待飲食費）に該当します。

設例３－２　　飲食費(2)

次の資料により、当社（中小法人）の当期における交際費等の損金不算入額を計算しなさい。

(1)　当社が当期において交際費として損金経理をした金額には、次のものが含まれている。

①　新工場の竣工・落成記念に際し、得意先を招いて行ったホテルでの飲食費（１人当たりの飲食費は15,000円である。）が300,000円ある。

②　社外の事業関係者に対して旅費等として支出した金額は、次のとおりである。

(イ)　新工場の設備及び稼働状況を見学させるために要した交通費、宿泊代及び食事代等の費用（通常要する費用の額の範囲内である。）　1,700,000円

(ロ)　旅行に招待し併せて会議を行った際の旅費及び会議費等　2,100,000円

（注）うち500,000円は会議費（会議として実体を備えていると認められ、通常要する金額である。）及び会議の際の昼食代である。

③　同業者団体が卸売業者を接待した際の当社負担分（１人当たりの飲食費は10,000円）　450,000円

(2)　上記以外で租税特別措置法第61条の４第６項の交際費等に該当するものが7,200,000円ある。

解答

(1)　支出交際費等

①　接待飲食費　　300,000円

②　①以外　　(2,100,000－500,000)＋7,200,000＝8,800,000円

③　合　計　　①＋②＝9,100,000円

(2)　損金算入限度額

①　接待飲食費基準額

(1)①×50％＝150,000円

②　定額控除限度額

9,100,000円＞8,000,000×$\frac{12}{12}$＝8,000,000円　　∴　8,000,000円

③　①＜②　　∴　8,000,000円

(3)　損金不算入額

(1)－(2)＝1,100,000円

2 売上割戻し等の支払に代えてする旅行等の費用

▸▸問題集問題5

1．取扱い（措通61の4(1)－6）

得意先に対して支出する売上割戻し等の費用であっても、一定額に達するまでは支払をせず預り金等として積立て、一定額に達した場合に、積立額により旅行等に招待することとしているときは、その積立額は、積立事業年度の損金の額に算入しないで、旅行等への招待事業年度において交際費等として支出したものとして取り扱われます。

<図解>

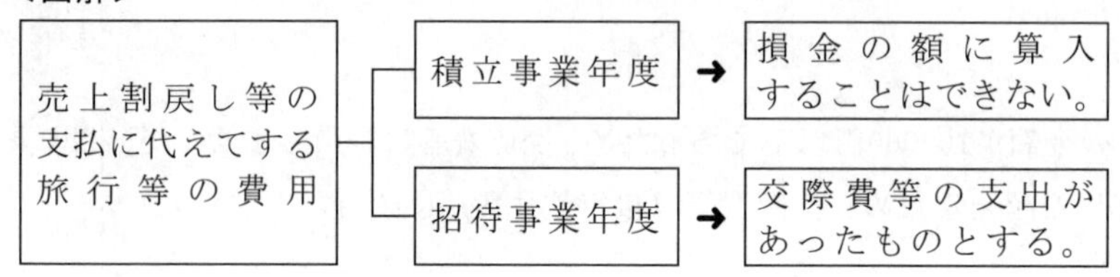

2．経理処理と別表四上の調整

売上割戻し等の名目であっても、旅行等に招待する費用は交際費等に該当します。したがって、旅行等に招待した事業年度で交際費等を認識することになります。

<図解>

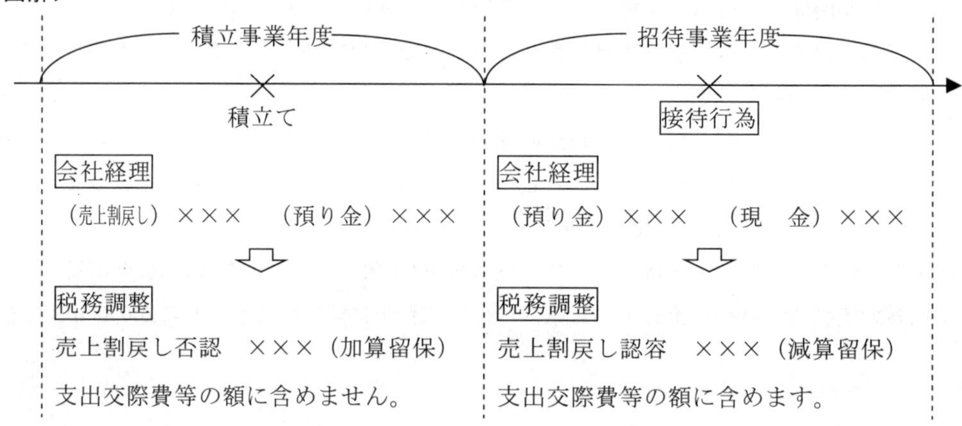

3．招待事業年度の注意点

売上割戻し等の支払に代えてする旅行等の費用の積立額について、たまたま、旅行等に参加しなかった得意先に対し、積立額の全部又は一部を支払ったとしても、その支払った金額は、支出交際費等の額に含まれます。

<図解>

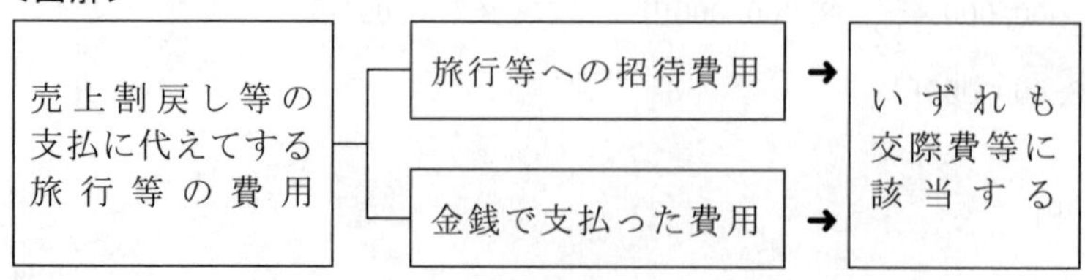

設例３－３　売上割戻し預り金

次の資料により、当社の前期及び当期における税務上の調整（交際費等の損金不算入額を除く。）を示しなさい。

⑴　前期において、売上割戻しとして費用に計上した金額には、Ａ社を旅行に招待するための費用として一定額に達するまで預り金として積み立てるものが400,000円含まれている。

なお、前期においてはまだ一定額に達していなかったため、旅行に招待していない。

⑵　当期において、Ａ社を旅行に招待し、旅行費用を次の経理処理により支出している。

借方		貸方	
（預り金）	400,000円	（現　金）	700,000円
（交際費）	300,000円		

解答

⑴　前　期　（単位：円）

区　分		金　額	留　保	社外流出
加算	売上割戻し否認	400,000	400,000	
減算				

⑵　当　期　（単位：円）

区　分		金　額	留　保	社外流出
加算				
減算	売上割戻し認容	400,000	400,000	

解説

①　本問の売上割戻しは、旅行に招待する費用であるため、交際費等に該当します。したがって、旅行に招待した当期の交際費等となるため、前期においては損金の額に算入することはできません。

②　当期においては、旅行に招待していることから、その旅行に招待した費用700,000円は、交際費等に該当します。なお、前期に預り金として計上した金額は、当期において費用に計上されていないため、当期において減算調整をする必要があります。

3 原価に算入された交際費等の調整

1. 支出交際費等の額（措通61の4(2)－7）

資産の取得に要した交際費等[*01]がある場合には、その交際費等の額は、その資産の取得価額に算入されます。

*01) 土地の取得に際して、土地所有者を接待した際の費用などです。

この資産の取得価額に算入された交際費等（原価算入交際費といいます。）の額は、費用に計上されていませんが、接待等の事実があった事業年度の支出交際費等の額に含まれ、損金不算入額の計算の対象となります。

<図解>

取得価額

付随費用 （交際費等）
購入代価等

➜ 原価算入交際費は、費用とされていませんが、支出交際費等に含めて損金不算入の対象になります。

2. 経理処理と別表四上の調整（措通61の4(2)－7）

(1) 支出事業年度

原価算入交際費がある場合には、次の算式により計算した金額を、資産の取得価額から減額し、損金の額に算入することができます。

基本算式

$$交際費等の損金不算入額 \times \frac{原価算入交際費}{支出交際費等の額}$$

➜ 原価算入交際費認定損（減算留保）

<図解>

支出交際費等の額　10,000,000円
原価算入交際費　　　800,000円
損金不算入額　　　2,000,000円

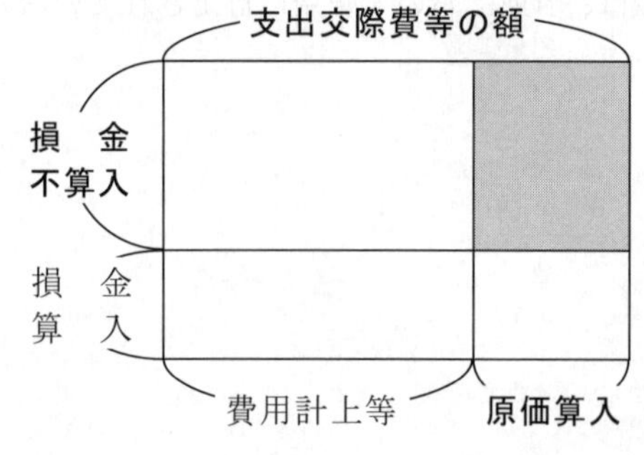

$$2,000,000 \times \frac{800,000}{10,000,000} = 160,000円$$

➜ 原価算入交際費認定損（減算留保）

費用に計上されていない（取得価額に算入されている）にもかかわらず、損金不算入とされてしまった金額を計算し、別表四で減算調整することになります。

設例３－４　原価算入交際費の認容

次の資料により、当社（期末資本金の額は50,000,000円であり、株主に法人株主はいない。）の当期における税務上の調整を示しなさい。

⑴　当社は、当期において新本社ビル建設予定地を取得しており、その取得に際して、当該予定地の地主に贈答費用600,000円を支出している。なお、当該支出額については、土地の取得価額に含める経理を行っている。

⑵　上記の他、当期の税務上の交際費等の額に該当する金額は10,000,000円であり、当期の費用に計上されている。

解答

⑴　支出交際費等

①　接待飲食費　　0円

②　①以外　10,000,000＋600,000＝10,600,000円

③　合　計　　①＋②＝10,600,000円

⑵　損金算入限度額

①　接待飲食費基準額

⑴①×50％＝0円

②　定額控除限度額

$10,600,000円 > 8,000,000 \times \frac{12}{12} = 8,000,000円$　　∴　8,000,000円

③　①＜②　　∴　8,000,000円

⑶　損金不算入額

⑴－⑵＝2,600,000円

⑷　原価算入交際費

$2,600,000 \times \frac{600,000}{10,600,000} = 147,169円$

（単位：円）

区　　分		金　　額	留　　保	社外流出
加算	交際費等の損金不算入額	2,600,000		2,600,000
減算	原価算入交際費認定損	147,169	147,169	

解説

①　新本社ビル建設予定地の取得価額とした交際費の額600,000円が、原価算入交際費です。この原価算入交際費は、費用になっていませんが、支出事業年度の支出交際費等の額に含め、損金不算入の対象となります。

②　交際費等の損金不算入額のうち、原価算入交際費に対応する部分の金額は、別表四で減算調整し、損金の額に算入します。

③　交際費等の損金不算入額と原価算入交際費認定損額は、処分（留保・社外流出）が異なるため、相殺することはできず、必ず両建てで表示します。

⑵　**翌事業年度**

⑴の適用を受けた場合には、その適用を受けた事業年度の翌事業年度において、経理処理上、原価算入交際費認定損相当額を資産の取得価額から減額する必要があります。

なお、その資産の取得価額を減額することにより生じる費用の額は、原価算入交際費認定損額相当額であり、既に支出事業年度で減算調整されていることから、再び損金の額に算入することはできません。

＜図解＞

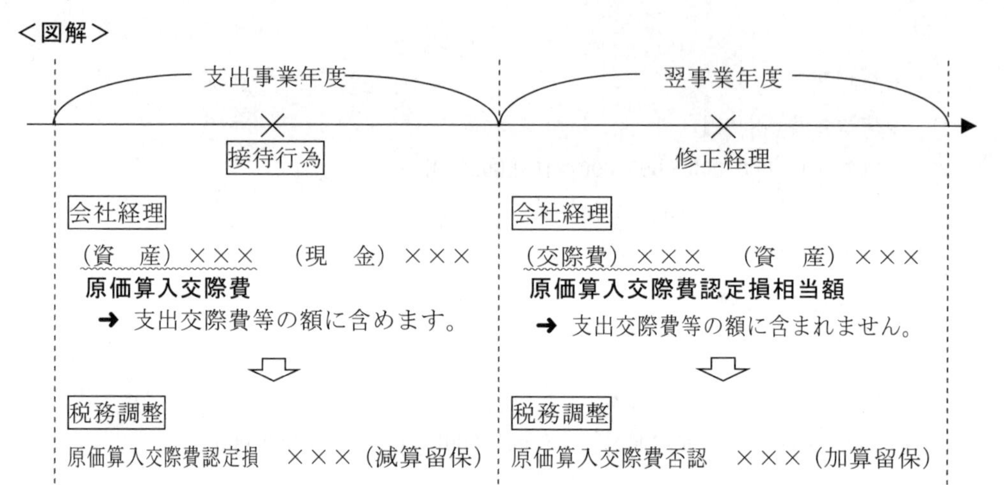

設例３－５　原価算入交際費の否認

次の資料により、当社の当期における税務上の調整を示しなさい。

⑴　当社は、前期において土地の取得価額に算入した交際費 600,000 円について、前期の別表四で「原価算入交際費認定損 147,169 円（減算留保）」の調整を行っている。

⑵　当社は、当期において⑴の交際費に関して、次の経理を行っている。

借方　　　　　　　　貸方

（交際費）147,169 円　（土　地）147,169 円

解答

（単位：円）

	区　分	金　額	留　保	社外流出
加算	原価算入交際費否認	147,169	147,169	
減算				

解説

本問の当期は、原価算入交際費認定損額の調整を行った翌事業年度です。当社は、原価算入交際費認容額相当額を土地の取得価額から減額し、費用に計上する経理を行っていますが、この費用の額を当期の損金の額に算入することはできません。

<原価算入交際費認定損後の取得価額>

「原価算入交際費認定損（減算留保）」の調整を行った後の税務上の取得価額は、次の算式により計算した金額となります。

原価算入交際費認定損後の取得価額	＝	本来の取得価額－原価算入交際費認定損額

<図解>

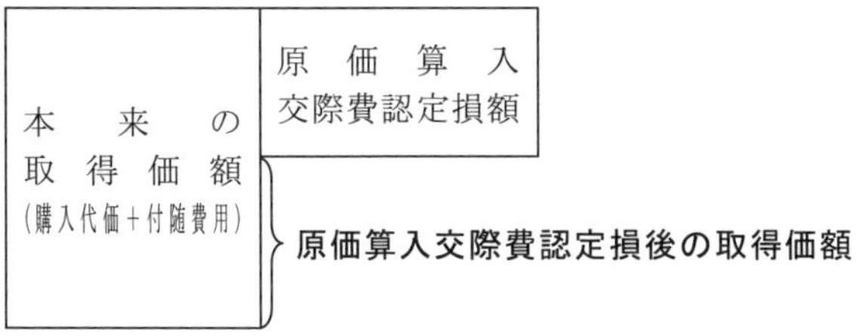

本来の取得価額（購入代価＋付随費用）	原価算入交際費認定損額
	原価算入交際費認定損後の取得価額

減価償却の計算は、原価算入交際費認定損後の取得価額を基礎に行うことになります。したがって、減価償却の前に「交際費等の損金不算入額」「原価算入交際費認定損」の計算を行っておく必要があります。

次の資料により、当社の当期における税務上の調整を示しなさい。

⑴　当期において交際費として費用に計上した金額の内訳は次のとおりである。

①　当社の従業員４名が、得意先の設立記念パーティーに参加するため、令和７年５月１日に支出したタクシー代3,000円

②　令和７年７月15日に、当社の従業員とその親族（参加者は５人であった。）で食事会を行った際の飲食費50,000円

③　令和８年３月15日に支払った予約金で、取引先を招待して翌期に実施する予定のパーティー費用1,000,000円

④　令和８年３月20日に得意先を銀座のクラブで接待した費用500,000円（当期末において請求書が未達であるため、未払金として経理している。接待飲食費に該当する。）

⑵　当社が当期において計上した売上割戻しのうちには、売掛金の回収高に比例して得意先を旅行に招待した費用8,000,000円が含まれている。

⑶　当社の期末資本金の額は80,000,000円であり、株主は全て個人である。

答案用紙

⑴　支出交際費等

⑵　損金算入限度額

⑶　損金不算入額

（単位：円）

区　　分		金　　額	留　　保	社外流出
加算				
減算				

解答

(1) 支出交際費等

① 接待飲食費

500,000円❶

② ①以外

50,000＋8,000,000＝8,050,000円❶

③ 合計

①＋②＝8,550,000円❶

(2) 損金算入限度額

① 接待飲食費基準額

(1)①×50%＝250,000円❶

② 定額控除限度額

8,550,000円＞8,000,000×$\frac{12}{12}$＝8,000,000円　∴ 8,000,000円❶

③ ①＜②　∴ 8,000,000円❶

(3) 損金不算入額

(1)－(2)＝550,000円

(単位：円)

区分		金額	留保	社外流出
加算	交際費等の損金不算入額	❶550,000		❶550,000
	前払交際費否認	❶1,000,000	❶1,000,000	
減算				

解説

① 得意先の設立記念パーティーに参加するためのタクシー代は、当社が行う接待等の行為の為に支出するものではないため、交際費等に該当しません。

② 当社の従業員とその親族で行った食事会の飲食費は、社内飲食費として交際費等に該当します。また、社内飲食費は10,000円以下であっても交際費等に該当します（接待飲食費には該当しません。）。

③ 交際費は実際に接待等の行為のあった時点に認識するため、翌期に実施する予定のパーティー費用は「前払交際費否認」として加算調整を行い、当期の支出交際費等には含まれません。

④ 銀座のクラブでの接待は、当期中に接待行為を行っているため、当期の交際費等に含まれます。

⑤ 売上割戻し等の支払に代えて得意先を旅行に招待する費用は交際費等に該当します。

Chapter 10

外国税額控除等

Section 1 外国税額の控除

内国法人は、国内で生じた所得と国外で生じた所得の両方について法人税が課税されます。したがって、内国法人が国外に支店等を設置して事業活動を行い所得が生じた場合、その所得に対しては、日本の法人税と外国税の両方が課税され、国際間で二重課税が生じてしまいます。そこで、この二重課税を排除するため、外国税額を法人税額から控除する制度が設けられています。

このSectionでは、外国税額の控除を学習します。

1 税額計算上の取扱い（法69）

内国法人が外国法人税を納付することとなる場合には、控除対象外国法人税の額は、一定の控除限度額を限度として、その外国法人税の額を当期の法人税額から控除し、控除しきれない金額は還付されます。

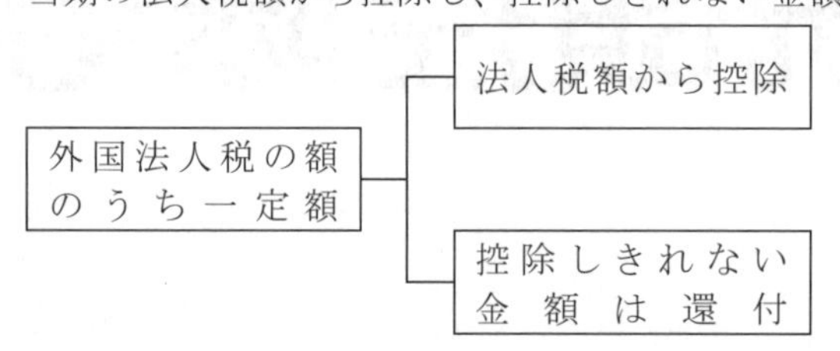

2 所得計算上の取扱い（法41）

内国法人が、外国税額の控除又は還付の適用を受ける場合には、控除又は還付される金額は、損金不算入とされます[*01]。

*01) 外国法人税の額（一定のものを除く。）について、外国税額の控除又は還付の適用を受けない場合には、その外国法人税の額は損金の額に算入されることになります。

<別表四と別表一の関係>

外国税額控除の適用を受ける場合の所得計算と税額計算の関係は次のとおりとなります。

（別表四）

内容		金額
当期純利益		
加算		
減算		
仮計		
控除対象外国法人税額		×××
合計・差引計・総計		
所得金額		

（別表一）

内容	金額
所得金額	
法人税額	
差引法人税額	
法人税額計	
控除外国税額	×××
差引所得に対する法人税額	
中間申告分の法人税額	
差引確定法人税額	

→ (1) 控除対象外国法人税
(2) 控除限度額
(3) (1)と(2)の少ない方 →（別表一 控除外国税額へ）

Section 2 控除税額の計算

内国法人が納付する外国税の額は、その全額が控除されるわけではありません。二重課税にならない部分の外国税の額を除いた上で、控除限度額を設け、国外所得に対して課される法人税額の範囲内で税額控除することになります。
このSectionでは控除税額の計算を学習します。

1 控除対象外国法人税額の計算（別表四の計算）

▸▸問題集問題1

1．税額控除の対象となる外国税の範囲（令141）

税額控除の対象となる外国税は、外国の法令に基づいて外国又はその地方公共団体により法人の所得を課税標準として課される税とされています。具体的には、次のようなものがあります。

国外所得の区分	対象となる外国税
国外預金に係る利子	源泉徴収外国税
保有割合が25％未満*01)の外国株式に係る配当	源泉徴収外国税
外国の支店等の所得	外国法人税

*01) 当社の保有割合が25％以上の外国法人を外国子会社といい、別途取扱いが設けられています。

2．控除対象外国法人税額（令142の2）

税額控除の対象となる外国法人税の額を、控除対象外国法人税額といいます。控除対象外国法人税額は、外国法人税の額から所得に対する負担が高率な部分の金額等を除いたものをいいますが、この金額を別表四で加算調整します。

なお、所得に対する負担が高率な部分の金額とは、外国法人税の課税標準とされる金額の35％を超える部分の金額をいいます*02)。

*02) 日本の法人税、住民税及び事業税の実効税率を超えて課税された部分であり、明らかに二重課税とならないため、控除対象から除くこととされています。

基本算式

⑴　納付した外国法人税額

⑵　その外国法人税の課税標準額*03) ×35％

⑶　⑴と⑵のいずれか少ない方

控除対象外国法人税額（別表四仮計下・加算社外流出）

*03) 外国の法令に基づく課税標準額です。

<図解>

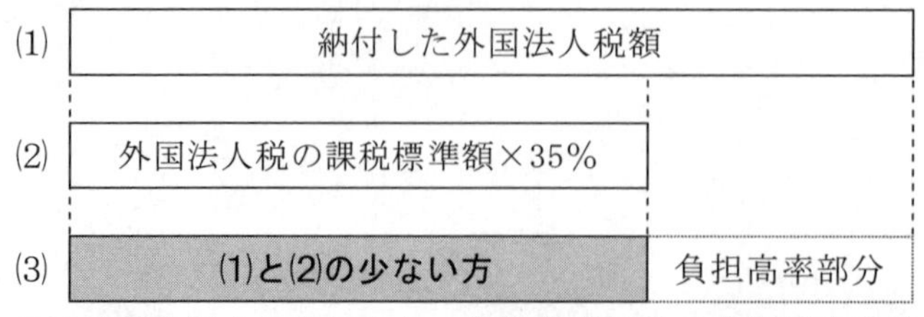

この計算を行うことにより、負担高率部分の金額が自動的に除外されることになります。

設例2－1　控除対象外国法人税額

次の資料により、控除対象外国法人税額を計算しなさい。

⑴　当社は、A国に支店を設けているが、A国における支店の所得10,000,000円に対して、A国の法令に基づいて外国法人税5,500,000円（税率55%）を納付し、当期の費用に計上している。

⑵　当社は、B国に工場を設けているが、B国おける工場の所得6,000,000円に対して、B国の法令に基づいて外国法人税2,100,000円（税率35%）を納付し、当期の費用に計上している。

解答

1．A　国

⑴　5,500,000円

⑵　10,000,000×35%＝3,500,000円

⑶　⑴＞⑵　　∴　3,500,000円

2．B　国

2,100,000円

3．合　計

3,500,000＋2,100,000＝5,600,000円

解説

負担高率部分があるかどうかの判定は、外国法人税ごとに、かつ、課税標準とされる金額ごとに行います。

本問の場合、A国とB国で外国法人税が課税されていますが、負担高率部分の判定は、合計して行うのではなく、A国とB国で課税された外国法人税ごとに行います。なお、税率が与えられている等、明らかに負担高率部分がない場合（本問ではB国の外国法人税）には、解答作成上は、外国法人税の課税標準額の35%との比較を示す必要はありません。

2 控除外国税額の計算（別表一の計算）（令142）

▸▸問題集問題2,3,4

1．控除税額の計算

別表四で加算した控除対象外国法人税額は、その全額が法人税額から控除されるわけではなく、控除限度額を限度として控除することになります。

法人税額から控除する外国法人税額は、次のように計算します。

基本算式

⑴　控除対象外国法人税額

別表四で加算した控除対象外国法人税額

⑵　控除限度額

各事業年度の所得に対する法人税額（別表一の差引法人税額）× $\frac{\text{当期の調整国外所得金額}}{\text{当期の所得金額（別表四の差引計）}}$

⑶　控除税額

⑴と⑵のいずれか少ない方 ➜ 控除外国税額（別表一法人税額計の下・控除）

＜控除限度額＞

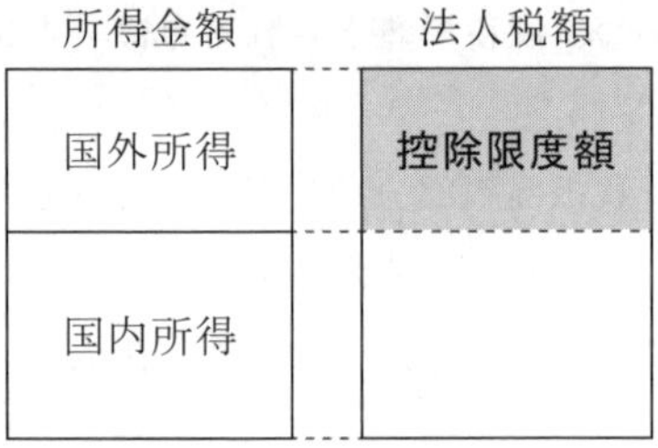

所得金額	法人税額
国外所得	控除限度額
国内所得	

➜ 法人税額× $\frac{\text{調整国外所得}}{\text{所得金額}}$

控除限度額は、その事業年度の調整国外所得金額部分に対して課される法人税額を計算したものです。この控除限度額を限度として税額控除することになります。

2．国外所得金額の計算

控除限度額の計算における「当期の調整国外所得金額」は、一定の国外所得金額[*01]と別表四の差引計の90%のいずれか少ない金額とされています。

具体的には、次のように計算します。

基本算式

控除限度額

別表一の差引法人税額× $\frac{\text{※当期の調整国外所得金額}}{\text{別表四の差引計}}$

※　当期の調整国外所得金額

①　一定の国外所得金額

②　別表四の差引計×90%[*02]

③　①と②のいずれか少ない方

*01) 国外所得金額から非課税の国外所得金額を控除した金額となります。

*02) 内国法人の本店は国内にありますから、所得が全て国外所得となるような場合であっても、少なくとも所得金額の10%は国内で生じた所得と考えて課税するための限度額として規定されています。

＜国外所得金額＞

国外所得金額とは、国外で生じた所得について、日本の法令（法人税法や租税特別措置法等）を適用して計算した所得金額をいいます。

なお、外国法人税が課されない国外所得（非課税所得）がある場合には、その非課税所得の金額を控除して一定の国外所得金額を求めます[*03)]。

（別表四のイメージ）

内容		金額	左のうち国外で発生
当期純利益		×××	×××
加算			
減算			
仮計			
控除対象外国法人税額		××	××
合計・差引計・総計			
所得金額		×××	×××

→ 国外所得金額

*03) 外国で非課税とされた所得を控除限度額の計算に含めると、対応する外国法人税額がないにもかかわらず、控除限度額が多く計算されてしまうため、控除することとされています。

設例２－２　控除外国税額の計算（源泉徴収外国税）

次の資料により、控除対象外国法人税額（別表四）及び控除外国税額（別表一）を計算しなさい。

⑴　当社は、数年前から外国法人Ａ社が発行するＡ社株式を保有しており、株式保有割合は５％である。

⑵　当社は、当期において外国法人Ａ社から剰余金の配当1,350,000円（源泉徴収外国税額150,000円を控除した差引手取額）の支払いを受け、差引手取額を収益に計上している。

⑶　当社の当期における別表四の差引計の金額は57,000,000円であり、別表一の差引法人税額は13,224,000円である。

解答

1．控除対象外国法人税額（別表四）

150,000円（仮計下・加算社外流出）

2．控除外国税額（別表一）

⑴　控除対象外国法人税額

150,000円

⑵　控除限度額

$$13,224,000 \times \frac{※1,500,000}{57,000,000} = 348,000円$$

※①　1,350,000＋150,000＝1,500,000円

②　57,000,000×90％＝51,300,000円

③　①＜②　　∴　1,500,000円

⑶　⑴＜⑵　　∴　150,000円（法人税額計の下・控除）

解説

①　源泉徴収外国税は、特殊なケースを除いて、負担高率部分の金額はありません。したがって、源泉徴収外国税額の全額を別表四で加算調整します。

②　外国法人Ａ社からの剰余金の配当に係る国外所得金額は、次のように計算されています。

国外所得金額＝差引手取額＋控除対象外国法人税額

＜図解＞

（別表四のイメージ）　　　　（単位：円）

内容	金額	左のうちＡ社からの配当に係るもの	
当期純利益	×××	1,350,000	➔ 収益計上された配当
加算			
減算			
仮計	×××		
控除対象外国法人税額	150,000	150,000	➔ 源泉徴収外国税額
合計・差引計・総計	57,000,000		
所得金額	57,000,000	1,500,000	➔ 国外所得金額

設例２－３　控除外国税額の計算（支店等の所得）

次の資料により、控除対象外国法人税額（別表四）及び控除外国税額（別表一）を計算しなさい。

⑴　当社は、数年前よりＢ国及びＣ国に支店を設けて、当社の商品の販売を行っている。

⑵　当社が、Ｂ国及びＣ国において、当期に納付し費用に計上した外国法人税額及び調整国外所得金額に関する資料は、次のとおりである。

区分	課税標準	外国法人税額	税率等	納付確定日
Ｂ国	13,000,000円	6,760,000円	52%	令和７年５月30日
Ｃ国	4,000,000円	―	非課税	令和７年６月20日

⑶　当社の当期における別表四の差引計の金額は164,200,000円であり、別表一の差引法人税額は38,094,400円である。なお、当期の国外所得金額は19,250,000円（うちＣ国の非課税所得の金額が4,500,000円含まれている。）である。

解答　１．控除対象外国法人税額（別表四）

⑴　6,760,000円

⑵　13,000,000×35％＝4,550,000円

⑶　⑴＞⑵　　∴　4,550,000円（仮計下・加算社外流出）

２．控除外国税額（別表一）

⑴　控除対象外国法人税額

4,550,000円

⑵　控除限度額

$$38,094,400\times\frac{^{※}14,750,000}{164,200,000}=3,422,000\text{円}$$

※①　19,250,000－4,500,000＝14,750,000円

②　164,200,000×90％＝147,780,000円

③　①＜②　　∴　14,750,000円

⑶　⑴＞⑵　　∴　3,422,000円（法人税額計の下・控除）

解説

①　控除対象外国法人税額（別表四で加算される金額）は、納付した外国法人税額そのものではなく、負担高率部分を除いた金額となります。

②　控除限度額の計算上、一定の国外所得金額は、次のように計算します。

国外で生じた所得に日本の法令を適用して計算した所得金額－非課税所得の金額

本問では、国外所得金額が19,250,000円と与えられていますが、非課税所得の金額4,500,000円が含まれているため、その非課税所得の金額を除く必要があります。

なお、問題資料の⑵の表中における「課税標準」は、現地の法令で課税標準とされた金額であり、負担高率部分の金額の計算（別表四の計算）をする際に使用するものです。国外所得金額は、日本の法令を適用して計算（別表一の計算）しますから、問題資料の⑵の表中における「課税標準」の金額は使用しません。

3 繰越控除

▸▸問題集問題5,6

別表一で控除税額を計算すると、控除対象外国法人税額と控除限度額の間には差額が生じますが、この差額については、3年間の繰越しが認められています。

具体的には、次の2つの制度が設けられています。

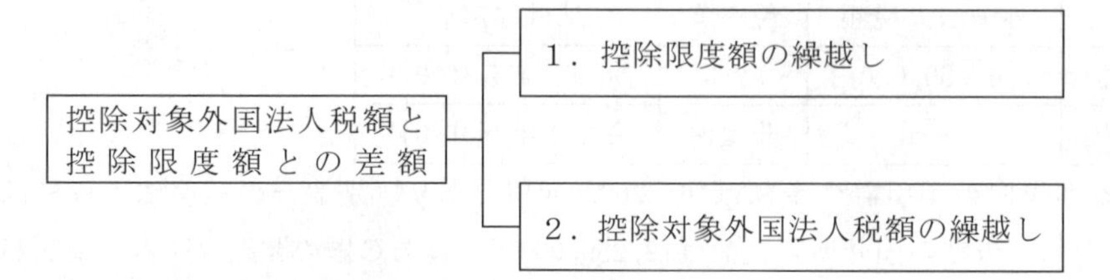

1．控除限度額の繰越し（法69②）

控除対象外国法人税額がその事業年度の控除限度額を超える場合において、前3年内事業年度[*01]の繰越控除限度額があるときは、その繰越控除限度額を限度として、その超える部分の金額をその事業年度の法人税額から控除することができます。

*01) その事業年度開始日前3年以内に開始した各事業年度をいいます。

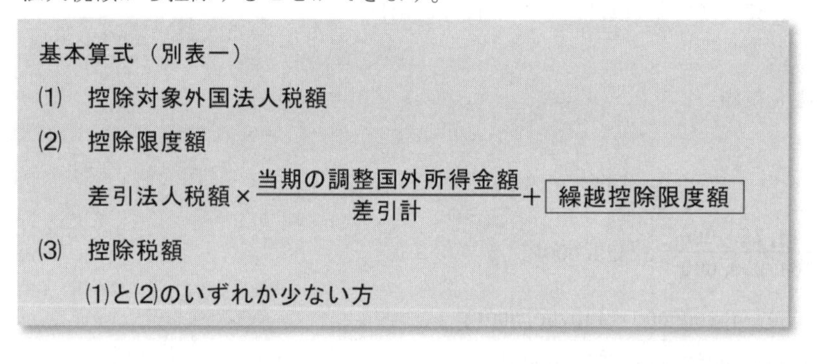

基本算式（別表一）

(1) 控除対象外国法人税額

(2) 控除限度額

$$差引法人税額 \times \frac{当期の調整国外所得金額}{差引計} + \boxed{繰越控除限度額}$$

(3) 控除税額

(1)と(2)のいずれか少ない方

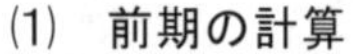

<図解>

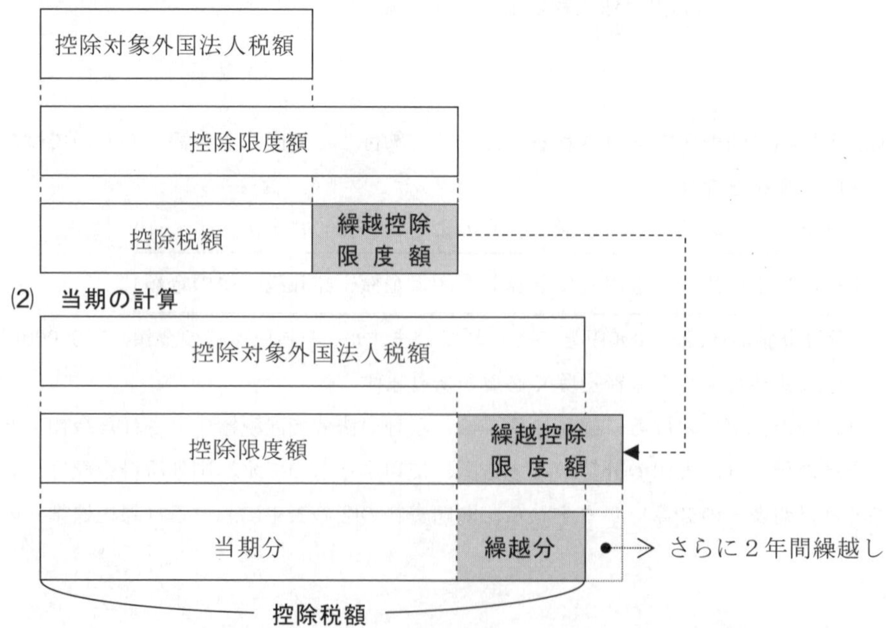

設例2－4　控除限度額の繰越し

次の資料により、控除外国税額（別表一）を計算しなさい。

(1)　当社は、前期において外国法人税額を納付し、外国税額の控除の適用を受けている。前期における申告内容は、次のとおりである。

①　控除対象外国法人税額　　2,400,000円

②　控除限度額　　3,750,000円

③　控除外国税額　　2,400,000円

(2)　当社は、当期において外国法人税額4,300,000円（所得に対する負担が高率な部分はない。）を納付し、当期の費用に計上している。なお、当期の法人税申告書別表四の差引計の金額は63,700,000円（うち国外所得金額11,300,000円）であり、別表一の差引法人税額は14,778,400円である。

(3)　地方法人税及び地方税については、考慮する必要はないものとする。

解答　控除外国税額（別表一）

(1)　控除対象外国法人税額

4,300,000円

(2)　控除限度額

$$14,778,400\times\frac{^{\text{※}}11,300,000}{63,700,000}+(3,750,000-2,400,000)=3,971,600\text{円}$$

※①　11,300,000円

②　63,700,000×90%＝57,330,000円

③　①<②　　∴　11,300,000円

(3)　(1)>(2)　　∴　3,971,600円（法人税額計の下・控除）

解説

①　前期の別表一では、次のように計算されていることになります。

(1)　控除対象外国法人税額

2,400,000円

(2)　控除限度額

3,750,000円

(3)　控除税額

(1)<(2)　　∴　2,400,000円

「3,750,000－2,400,000＝1,350,000円」分だけ控除限度額に余裕額が生じているため、繰越控除限度額として、当期に繰り越されてきていることになります。

②　繰越控除限度額は、当期の控除限度額とあわせて使用することができます。

2．控除対象外国法人税額の繰越し（法69③）

控除対象外国法人税額がその事業年度の控除限度額に満たない場合において、前3年内事業年度の繰越控除対象外国法人税額があるときは、その満たない金額を限度として、その繰越控除対象外国法人税額をその事業年度の法人税額から控除します。

基本算式（別表一）

⑴　控除対象外国法人税額

控除対象外国法人税額＋ 繰越控除対象外国法人税額 [*02)]

⑵　控除限度額

⑶　控除税額

⑴と⑵のいずれか少ない方

*02) 控除対象外国法人税額の繰越しは、控除税額を計算する際に考慮するもので、別表四で加算する控除対象外国法人税額の計算には影響させません。

＜図解＞

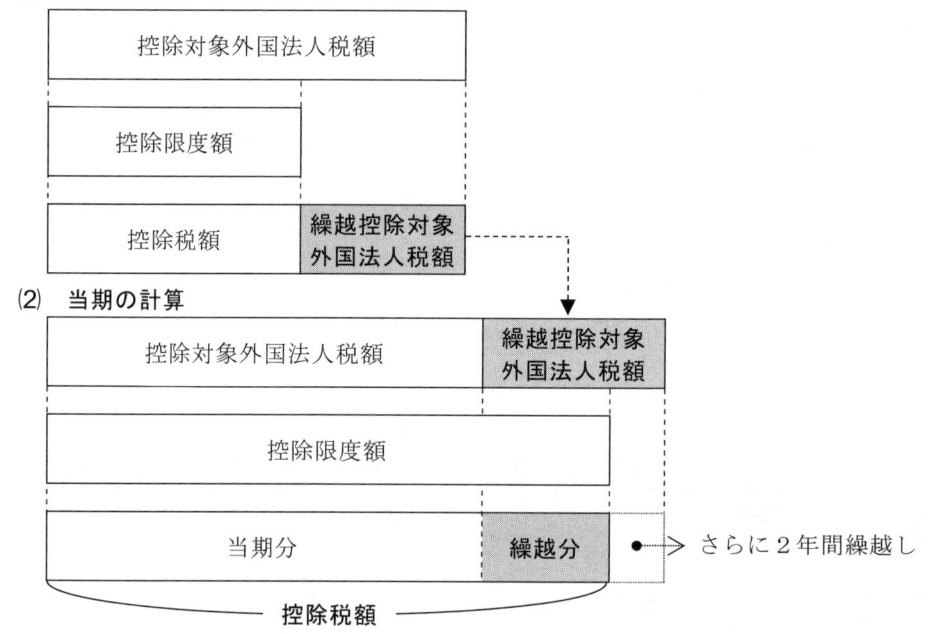

設例2－5　控除対象外国法人税額の繰越し

次の資料により、控除外国税額（別表一）を計算しなさい。

(1) 当社は、前期において外国法人税額を納付し、外国税額の控除の適用を受けている。前期における申告内容は、次のとおりである。

① 控除対象外国法人税額　3,500,000円

② 控除限度額　2,250,000円

③ 控除外国税額　2,250,000円

(2) 当社は、当期において外国法人税額3,800,000円（所得に対する負担が高率な部分はない。）を納付し、当期の費用に計上している。なお、当期の法人税申告書別表四の差引計の金額は76,400,000円（うち国外所得金額19,300,000円）であり、別表一の差引法人税額は17,724,800円である。

(3) 地方法人税及び地方税については、考慮する必要はないものとする。

解答　控除外国税額（別表一）

(1) 控除対象外国法人税額

3,800,000＋(3,500,000－2,250,000)＝5,050,000円

(2) 控除限度額

$$17,724,800 \times \frac{^{※}19,300,000}{76,400,000} = 4,477,600\text{円}$$

※① 19,300,000円

② 76,400,000×90%＝68,760,000円

③ ①＜② ∴ 19,300,000円

(3) (1)＞(2) ∴ 4,477,600円（法人税額計の下・控除）

解説

① 前期の別表一では、次のように計算されていることになります。

> (1) 控除対象外国法人税額
> 3,500,000円
> (2) 控除限度額
> 2,250,000円
> (3) (1)＞(2) ∴ 2,250,000円

「3,500,000－2,250,000＝1,250,000円」分だけ控除限度額を超えるため控除しきれなかった控除対象外国法人税額が生じているため、繰越控除対象外国法人税額として、当期に繰り越されてきていることになります。

② 繰越控除対象外国法人税額は、当期の控除対象外国法人税額とあわせて、控除限度額の範囲内で税額控除することができます。なお、繰越控除対象外国法人税額は、当期の税額控除の対象となりますが、前期に既に費用計上されており、当期の費用には計上されていないため、当期の別表四で加算調整をする必要はありません。

4 所得税額控除との関係

1．取引の概要

外国法人から配当を受ける場合において、国内の証券会社等を通じて支払いを受けるときは、国外で外国税額が源泉徴収された後に、国内で所得税額が源泉徴収されることになります。

この場合には、源泉徴収所得税については所得税額控除を適用し、源泉徴収外国税については外国税額控除を適用することになります。

＜図解＞

⑴　直接支払を受ける場合

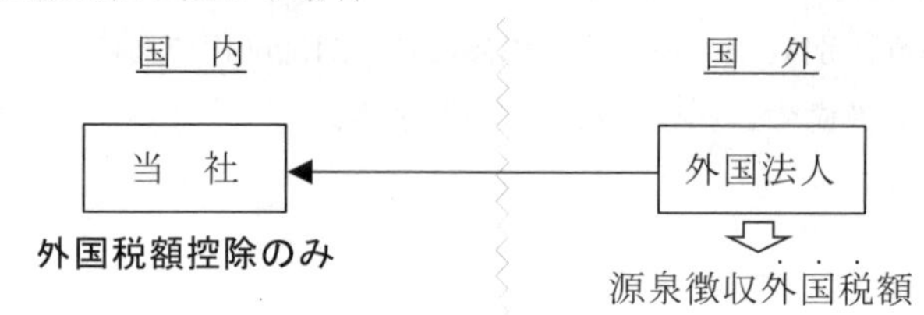

⑵　証券会社を通じて支払いを受ける場合

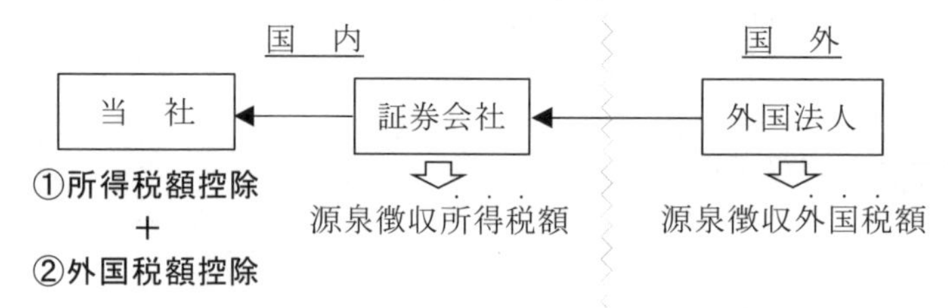

2．計算上の注意点

⑴　所得税額控除

所得税額控除の計算は、通常どおりに行います。

区　分	取　扱　い
別表四	所有期間按分後の金額を仮計下で加算します。
別表一	別表四で加算した金額のうち、所得税額に係る部分の金額を法人税額計の下で控除します。

⑵　外国税額控除

外国税額控除の計算は、次のように行います。

区　分	取　扱　い
別表四	負担高率部分の金額を除いて仮計下で加算します。
別表一	国外所得金額は、次の算式により計算します。 国外所得の金額＝差引手取額＋法人税額控除所得税額＋控除対象外国法人税額

設例２－６　所得税額控除との関係

次の資料により、法人税額控除所得税額（別表四）、控除対象外国法人税額（別表四）及び控除外国税額（別表一）を計算しなさい。

(1)　当社は、令和７年５月18日に外国法人Ｄ社が発行するＤ社株式を取得している（保有割合は１％である。）。

(2)　当社は、当期において外国法人Ｄ社から次の剰余金の配当の支払いを受け、差引手取額を収益に計上している。

銘　柄	配当等の計算期間	配当等の額	源泉徴収税額	差引手取額
Ｄ社株式	令和７年１月１日～令和７年12月31日	1,500,000円	356,752円	1,143,248円

（注）源泉徴収税額のうち150,000円は外国税額であり、残額は国内で源泉徴収された所得税額（うち4,252円は復興特別所得税額である。）である。

(3)　当社の当期における別表四の差引計の金額は75,000,000円であり、別表一の差引法人税額は17,400,000円である。

解答

１．法人税額控除所得税額（別表四・別表一）（$\frac{8}{12}>\frac{1}{2}$　∴　個別法有利）

$(356,752-150,000)\times\frac{8}{12}(0.667)=137,903$円（法人税額計の下・控除）（仮計下・加算社外流出）

２．控除対象外国法人税額（別表四）

150,000円（仮計下・加算社外流出）

３．控除外国税額（別表一）

(1)　控除対象外国法人税額

150,000円

(2)　控除限度額

$17,400,000\times\frac{※1,431,151}{75,000,000}=332,027$円

※①　1,143,248＋137,903＋150,000＝1,431,151円

②　75,000,000×90％＝67,500,000円

③　①＜②　∴　1,431,151円

(3)　(1)＜(2)　∴　150,000円（法人税額計の下・控除）

解説

① 法人税額控除所得税額の計算は、所有期間按分を行います。

② 国外所得金額は、次のように計算されています。

1,143,248	＋	137,903	＋	150,000	＝	1,431,151円
配当の差引手取額		法人税額控除所得税額		控除対象外国法人税額		

(別表四のイメージ)　　　　　　　　　　　　　　　　(単位：円)

内容		金額	国外源泉所得	
当期純利益		×××	1,143,248	➜ 配当の差引手取額
加算				
減算				
仮計		×××	1,143,248	
法人税額控除所得税額		137,903	137,903	➜ 法人税額控除所得税額
控除対象外国法人税額		150,000	150,000	➜ 控除対象外国法人税額
合計・差引計・総計		75,000,000	1,431,151	
所得金額		75,000,000	1,431,151	➜ 国外所得金額

Try it　外国税額控除

次の資料により、当社の当期における税務上の調整を示すとともに控除外国税額を計算しなさい。

⑴　当社は、当期において外国法人であるA社から配当等の支払いを受け、配当等の額から源泉徴収税額を控除した差引手取額を当期の収益として計上している。

A株式は、数年前に取得したものであり、取得後元本に異動はない。なお、保有割合は25％未満であり、源泉徴収税額はすべて外国税額である。

銘　柄	区　分	配当等の計算期間	配当等の額	源泉徴収税額
A 株 式	剰余金の配当	令和７年１月１日 ～令和７年12月31日	1,000,000円	150,000円

⑵　当社の当期における所得金額（別表四差引計の金額）は20,000,000円であり、法人税額（別表一差引法人税額）は4,640,000円と計算されている。

答案用紙

（別表四）

（単位：円）

区　分		金　額	留　保	社外流出
加算				
減算				
仮　計		×××	×××	×××

（別表一）

⑴　控除対象外国法人税額

⑵　控除限度額

⑶

解答

（別表四）

（単位：円）

区　　分		金　　額	留　　保	社外流出
加算				
減算				
仮　　　計		×××	×××	×××
控除対象外国法人税額		❷150, 000		❷150, 000

（別表一）

⑴　控除対象外国法人税額

150, 000円❶

⑵　控除限度額

$4,640,000 \times \frac{※1,000,000}{20,000,000} = 232,000$円❶

※　①　(1, 000, 000－150, 000)＋150, 000＝1, 000, 000円❶

②　20, 000, 000×90％＝18, 000, 000円❶

③　①＜②　　∴　1, 000, 000円❶

⑶　⑴＜⑵　　∴　150, 000円❶

解説

控除対象外国法人税額は、控除限度額を限度として法人税額から控除されます。

Ch 1 | Ch 2 | Ch 3 | Ch 4 | Ch 5 | Ch 6 | Ch 7 | Ch 8 | Ch 9 | Ch 10 | Ch 11 | Ch 12 | Ch 13 | Ch 14 | Ch 15 | Ch 16 | Ch 17

Section 3
外国子会社配当等の益金不算入制度

外国子会社から配当等を受けると、国際間で二重課税が生じます。この国際間での二重課税を調整するしくみとして外国税額控除制度が設けられていますが、外国子会社の所得に対して課された外国税を内国法人の計算に取り込もうとすると、制度が複雑なものとなってしまいます。そこで、制度の簡素化を図るとともに、適切に国際間の二重課税が排除できるように、外国子会社からの配当等の額については益金不算入とする制度が設けられています。

このSectionでは、外国子会社配当等の益金不算入制度を学習します。

1 外国子会社配当等の益金不算入（法23の2）

▸▸問題集問題７

１．制度の内容

内国法人が外国子会社から受ける剰余金の配当等の額がある場合には、その剰余金の配当等の額からその剰余金の配当等の額の５％相当額を控除した金額は、各事業年度の益金の額に算入しないこととされています。

したがって、益金不算入額は次のように計算します。

基本算式

⑴　配当等の額

⑵　費用の額

　⑴×５％

⑶　益金不算入額

　⑴－⑵

　　➜ 外国子会社配当等の益金不算入額（減算※社外流出）

なお、外国子会社配当等の益金不算入の対象となる配当等の額は、あくまで外国子会社から受けた配当等の額のみです。つまり、外国子会社以外の外国法人から受けた配当等の額の取扱いは、これまで学習してきたとおり益金の額に算入する（益金不算入の対象としない）ことになります。

2．外国子会社の意義

外国子会社とは、次の要件を満たす外国法人をいいます。

(1) 保有割合	発行済株式等の25%以上を保有していること。
(2) 保有期間	剰余金の配当等の額の支払義務確定日以前６月以上継続して保有していること。

つまり、外国子会社は、原則として保有割合25%以上、かつ、保有期間６月以上の要件を満たす外国法人とされています。

3．益金不算入額の計算

益金不算入額は、次の算式により計算します*01)。

基本算式

外国子会社からの配当等の額*02) －外国子会社からの配当等の額×５%

＜図解＞

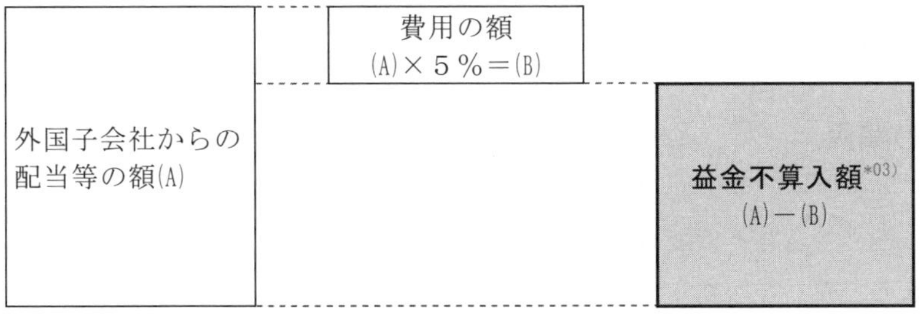

益金不算入額は、配当等の額から費用の額を控除して求めることになります。この費用の額は、本来であれば受取配当等の益金不算入額の計算における控除負債利子のように、その配当等を得るために要した費用を集計すべきですが、法人の事務負担等を考慮して、配当等の額の５%という概算によることとされています。

*01) 外国子会社が複数ある場合には、個々の外国子会社ごとに計算します。

*02) 配当等の額は、受取配当等の益金不算入における配当等の額と同様に、源泉徴収税額控除前の金額です。

*03) 益金不算入額は、結果として外国子会社からの配当等の額の95%相当額となりますが、「配当等の額×95%」とはしません。

2 外国源泉税等の損金不算入（法39の２）

▶▶問題集問題８

1．制度の内容

内国法人が外国子会社配当等の益金不算入の適用を受ける場合には、その剰余金の配当等の額に係る外国源泉税等の額は、各事業年度の損金の額に算入しないこととされています。

したがって、損金不算入となる外国源泉税等の額は、次のようになります。

基本算式

外国子会社配当等に係る外国源泉税等の額を集計

→ 外国源泉税等の損金不算入額（加算社外流出）

外国子会社配当等の益金不算入の適用を受ける場合には、その配当等に係る外国源泉税等の額は、損金の額に算入することはできません。また、外国子会社配当等に係る外国源泉税等の額は、外国税額控除の対象外とされています*01)。

*01) 配当等の額を益金不算入とすることで、既に二重課税は調整されているからです。

2．外国税額控除との関係

⑴ 適用関係

外国法人から受ける配当等及びその配当等に係る外国源泉税についての適用関係は、次のとおりとなります。

区分	配当等の取扱い	外国税額控除の適用	外国源泉税の取扱い
外国子会社配当等	益金不算入	適用不可	損金不算入（注１）
上記以外	益金算入	適用可	損金不算入（注２）

（注１） 外国源泉税等の損金不算入額として加算調整を行います。

（注２） 外国税額控除の対象となるため、控除対象外国法人税額として別表四仮計の下で加算調整を行います。

⑵ 国外所得金額との関係

外国税額控除における控除限度額の計算では「国外所得金額」を使用しますが、この国外所得金額には外国法人から受ける配当等が含まれます。したがって、外国子会社から受ける配当等についても国外所得金額を構成することになります。

外国子会社から受ける配当等の額について益金不算入の適用を受ける場合の国外所得金額は、次のように計算します。

基本算式

手取額＋外国源泉税等の損金不算入額－外国子会社配当等の益金不算入額

→ 国外所得金額に含める

<例>

当社は、A社（外国子会社に該当する。）の株式を所有しているため、剰余金の配当を受けている。その剰余金の配当の額は1,000円であり、当社はその配当の額から外国源泉税100円を控除した差引手取額900円を当期の収益に計上している。

⑴　外国子会社配当等の益金不算入額

①　配当等の額

1,000円

②　費用の額

1,000×５％＝50円

③　益金不算入額

1,000－50＝950円

⑵　外国源泉税等の損金不算入額

100円

⑶　国外所得金額に含まれる金額

900＋100－950＝50円 ➜ 外国税額控除の控除限度額の計算上、国外所得金額に含める。

設例３－１　外国子会社配当等の益金不算入

次の資料により当社の当期における税務上の調整を示しなさい。

⑴　当社は、令和７年８月７日にＸ国に所在する当社の子会社であるＡ社から剰余金の配当として3,150,000円（外国源泉税の額350,000円を控除した後の金額である。）を収受し、当期の収益に計上している。

⑵　⑴の剰余金の配当に係る計算期間は2024年７月１日から2025年６月30日までであり、当社はＡ社の発行済株式の35％を数年前から所有（取得後における異動はない。）している。

解答　１．外国子会社配当等

⑴　配当等の額

3,150,000＋350,000＝3,500,000円

⑵　費用の額

3,500,000×５％＝175,000円

⑶　益金不算入額

3,500,000－175,000＝3,325,000円

２．外国源泉税等

350,000円

（単位：円）

区　　分		金　　額	留　　保	社外流出
加算	外国源泉税等の損金不算入額	350,000		350,000
減算	外国子会社配当等の益金不算入額	3,325,000		※ 3,325,000

解説

①　当社は、Ａ社の発行済株式の35％を継続して所有していることから、Ａ社は当社の外国子会社に該当し、収受した配当等の額は益金不算入とされ、その配当等について源泉徴収された外国税額は、損金不算入とされます。

②　益金不算入額は、配当等の額の95％相当額となりますが、配当等の額からその配当等の額の５％を控除する計算過程としてください（端数処理により計算結果が異なる場合があるためです。）。

Chapter 11

消費税額等

Section 1 消費税の取扱い

消費税は消費者が負担する税金ですが、申告や納税は納税義務者である法人や個人事業者が行います。法人は、預かった又は仮払いした消費税について「税込経理方式」又は「税抜経理方式」により経理を行う必要があります。法人税法では、この経理処理の違いにより、所得金額に差が生じないように必要な措置がとられています。

このSectionでは、消費税の取扱いを学習します。

1 消費税の経理

1．経理方式

消費税（地方消費税*01)を含みます。）は、資産の販売、貸付け又はサービスの提供を行う際に課税される税金です。具体的には、本体価格の10％（軽減税率８％）相当額の消費税額を販売価格に上乗せすることにより課税されます。

*01) 買い物をするときに10%の消費税を支払いますが、そのうち国税部分が7.8%であり、残りの2.2%部分は地方消費税です。法人税の取扱い上は、分けて考える必要はありません。

＜税込経理と税抜経理＞

本体価格30,000円の商品を仕入れ、50,000円で販売した場合の経理処理は、次のとおりです。

（単位：円）

区　分	税抜経理*02)	税込経理*03)
仕入時	（仕　　入）30,000（買 掛 金）33,000 （仮払消費税）　3,000	（仕　　入）33,000（買 掛 金）33,000
売上時	（売 掛 金）55,000（売　　上）50,000 （仮受消費税）　5,000	（売 掛 金）55,000（売　　上）55,000
決算時	（仮受消費税）　5,000（仮払消費税）　3,000 （未払消費税）　2,000	（租税公課）　2,000（未払消費税）　2,000

＜図解＞

未払消費税は、次のように計算します。

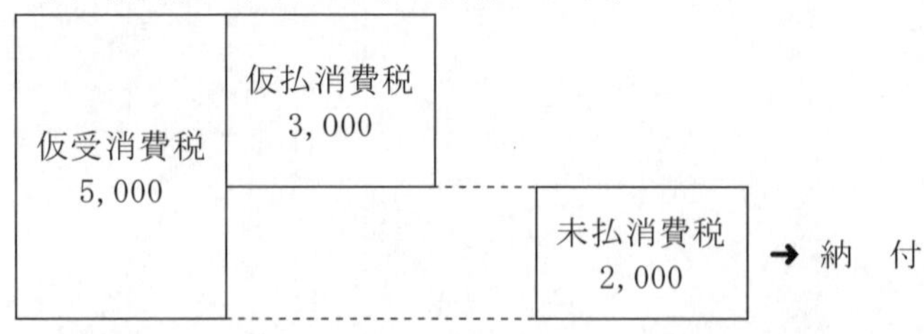

*02) 税抜経理は、消費税部分を仮受消費税又は仮払消費税とするため、法人の損益に直接影響しません。

*03) 税込経理は、消費税を収益や費用等に含めるため、未払消費税は費用に計上されます。

消費税は、製造、卸売、小売の各段階で課税されるため、直前の段階で課税された消費税額を控除しないと、販売価格に転嫁され、最終的には累積された消費税額を消費者が負担することになってしまいます。そこで、販売価格に上乗せして預かった消費税額（仮受消費税）から、仕入れについて仮払いした消費税額（仮払消費税）を控除して国等に納付すべき消費税額（未払消費税）を計算します。

2．経理方式の選択

消費税の経理方法には、税抜経理と税込経理がありますが、いずれの方法によるかは法人が任意に選択することができます。

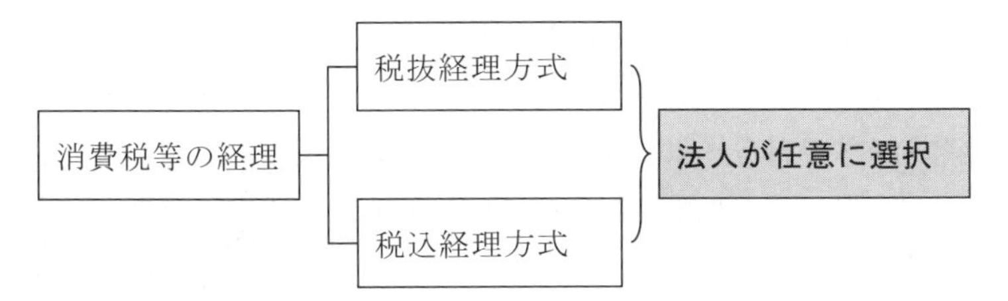

2 消費税の損金算入時期

消費税は、申告納税方式による税金です。税込経理を採用している場合には、決算時に未払消費税に相当する費用が計上されることになりますが、この費用の額は、原則として申告書を提出した日の属する事業年度の損金の額に算入されるため、当期の損金の額に算入することができません。

しかし、税抜経理と税込経理の調整を図るため、この費用については、損金経理により未払金に計上することを要件に、当期の損金の額に算入することが認められています。

＜税込経理の場合の損金算入時期＞

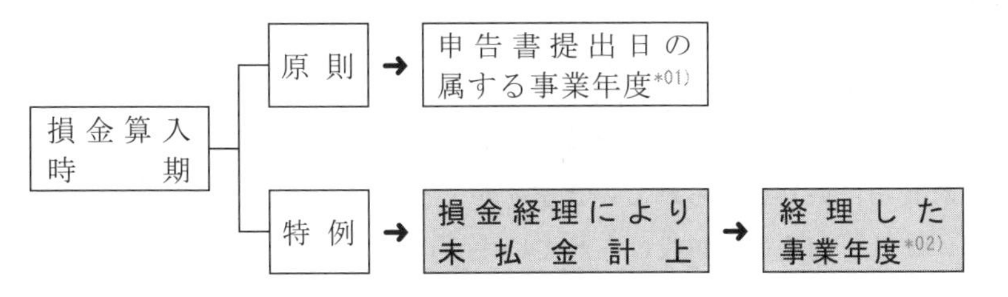

*01) 当期の費用に計上されていないことが前提であり、当期の損金の額に算入することもできないため、別表四上の調整はありません。

*02) 当期の費用に計上されていることが前提であり、当期の損金の額に算入されるため、別表四上の調整はありません。

3 資産の取得価額等

資産の取得価額は、税込経理の場合には税込金額とし、税抜経理の場合には税抜金額とするのが原則です。したがって、少額の減価償却資産、中小企業者等の少額減価償却資産、一括償却資産又は少額の繰延資産等の規定*01)を適用する場合における金額基準の判定は、法人が税抜経理又は税込経理のいずれを採用しているかに応じて、その採用している方法により算定した取得価額等により判定します。

＜金額基準の判定＞

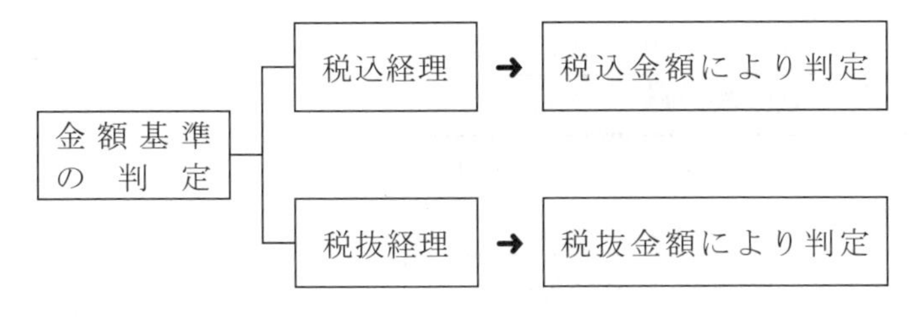

*01) 代表的な規定を列挙しましたが、金額基準の判定が必要なものはすべて同じと考えてください。

4 控除対象外消費税額等の取扱い（令139の4）

1．控除対象外消費税額等とは

消費税について税抜経理を採用している場合において、当課税期間の課税売上高が５億円を超えるとき又は課税売上割合が95％未満であるとき[*01]は、仮受消費税の額から控除できる仮払消費税の額は、その全額ではなく、課税売上割合に対応する部分に限られています。つまり、控除が認められずこのままでは仮払消費税勘定に残ってしまう仮払消費税のことを控除対象外消費税額等といいます。

*01）当課税期間の課税売上高が５億円以下で、かつ、課税売上割合が95％以上であるときは、仮払消費税の額の全額が控除できるため、控除対象外消費税額等は生じません。

＜図解＞

総売上高　100,000,000円

（うち課税売上高60,000,000円、非課税売上高40,000,000円）

仮払消費税　1,500,000円

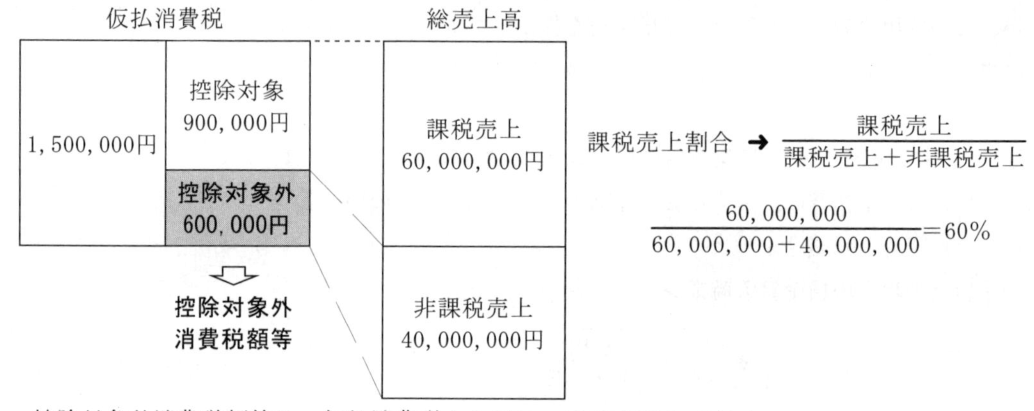

控除対象外消費税額等は、仮払消費税としていつまでも残しておくわけにはいきません。いずれ費用に振り替えられていきますが、その損金算入の時期や方法については、別途規定が設けられています。

2．取扱い

法人税法における控除対象外消費税額等の取扱いは、次の区分に応じて定められています。

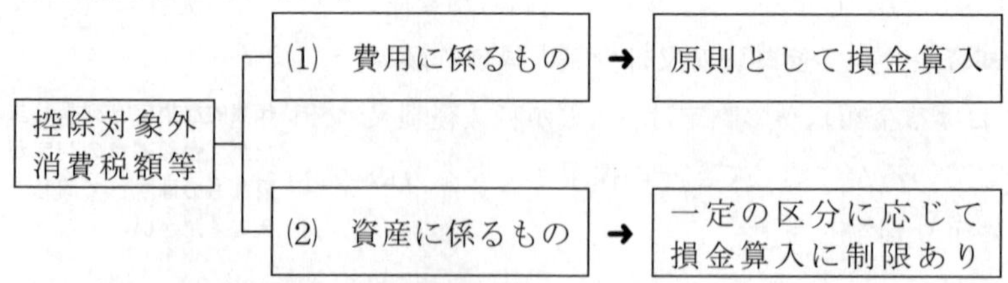

(1) 費用に係る控除対象外消費税額等

費用に係る控除対象外消費税額等の取扱いは、次のとおりです。

区　分	取　扱　い
交際費等に係るもの	支出交際費等の額に含めて、交際費等の損金不算入額の対象とします。
上記以外のもの	損金経理をしているかどうかを問わず、損金の額に算入されます。

費用に係る控除対象外消費税額等のうち、交際費等に係るものについては、支出交際費等の額を計算する際に集計もれとならないように注意が必要です[*02)]。

*02) 接待飲食費に係るものについては、接待飲食費基準の対象になるという点についても留意してください。

(2) 資産に係る控除対象外消費税額等

資産に係る控除対象外消費税額等の取扱いは、次のとおりです。

<table>
<tr><th colspan="2">区　分</th><th>取　扱　い</th></tr>
<tr><td colspan="2">課税売上割合が80％以上</td><td rowspan="4">損金経理をすることにより、損金の額に算入されます。</td></tr>
<tr><td rowspan="4">課税売上割合が80％未満</td><td>棚卸資産に係るもの</td></tr>
<tr><td>特定課税仕入れ[*03)]に係るもの</td></tr>
<tr><td>一の資産に係る金額が20万円未満のもの</td></tr>
<tr><td>上記以外のもの（繰延消費税額等）</td><td>損金経理をした金額のうち、損金算入限度額までの金額が損金の額に算入されます。</td></tr>
</table>

*03) 消費税は売上げについて納税義務が生じるものですが、仕入れについても、納税義務が発生するとされる特別なものです。

課税売上割合が80%以上である場合には、損金経理を要件に損金の額に算入されます。また、課税売上割合が80%未満である場合であっても、棚卸資産に係るもの、特定課税仕入れに係るもの及び一の資産に係る控除対象外消費税額等の額が20万円未満のものは、損金経理を要件に損金の額に算入されます。なお、繰延消費税額等は、資産に係る控除対象外消費税額等のうち上記の規定により損金の額に算入された金額以外の金額をいい、損金算入に制限が設けられています。

5 繰延消費税額等の取扱い（令139の4）

▶▶問題集問題1,2,3,4

1．取扱い

繰延消費税額等については、税込経理の場合との調整を図るため損金算入に制限が設けられています。具体的には、その繰延消費税額等につきその事業年度において損金経理をした金額のうち、損金算入限度額に達するまでの金額が損金の額に算入されることになります。

基本算式

⑴ 判　定

一の資産に係る控除対象外消費税額等≧20万円　∴ 該 当

⑵ 損金算入限度額

⑶ 損金算入限度超過額

損金経理をした金額−⑵

＝ ＋の場合　繰延消費税額等損金算入限度超過額（加算留保）

＝ △の場合

損金算入限度不足額
繰越損金算入限度超過額　}いずれか少ない方

⇩

繰延消費税額等損金算入限度超過額認容（減算留保）

2．損金算入限度額

損金算入限度額は、繰延消費税額等の発生事業年度とその翌事業年度以後に区分して、それぞれ次の金額とされています。

⑴ 発生事業年度

発生事業年度における損金算入限度額は、次の算式により計算します。

基本算式

$$損金算入限度額＝繰延消費税額等\times\frac{当期の月数}{60}\times\frac{1}{2}$$

繰延消費税額等を５年間にわたって均等に配分するのが基本ですが、発生事業年度については、期中に発生したものであることから、すべて期央で発生したものと考えてその２分の１を損金算入限度額とします。

⑵ 翌事業年度以後

翌事業年度以後における損金算入限度額は、次の算式*01)により計算します。

*01) 翌事業年度以後の事業年度の計算では、繰延消費税額等は、前期以前に発生したものであることから２分の１は乗じません。

基本算式

$$損金算入限度額＝繰延消費税額等\times\frac{当期の月数}{60}$$

設例１－１　資産に係る控除対象外消費税額等

次の資料により、当社の当期における税務上の調整を示しなさい。

⑴　租税公課として当期の費用に計上した金額のうち当期に係る控除対象外消費税額等は1,970,000円であり、その内訳は次のとおりである。

①　棚卸資産に係るもの　　　　　1,230,000円

②　固定資産に係るもの　　　　　　450,000円

（機械装置（１基）に係るもの360,000円、車両（１台）に係るもの90,000円）

③　費用に係るもの　　　　　　　　290,000円（交際費等に係るものはない。）

⑵　上記の他、前期において生じた繰延消費税額等が280,000円あり、前期にその全額を租税公課として費用に計上している。なお、前期において28,000円が損金の額に算入されている。

⑶　当社は消費税等の経理方法について税抜経理方式を採用しており、当社の当期における課税売上割合は80％未満である。

解答　１．当期分

⑴　判　定

①　棚卸資産に係るもの　　　　　　∴　損金算入

②　固定資産に係るもの

(イ)　機械装置　360,000円≧200,000円　　∴　該　当

(ロ)　車　両　　90,000円＜200,000円　　∴　損金算入

③　費用に係るもの　　　　　　　　∴　損金算入

⑵　損金算入限度額

$360,000 \times \frac{12}{60} \times \frac{1}{2} = 36,000$円

⑶　損金算入限度超過額

360,000－36,000＝324,000円

２．前期分

⑴　損金算入限度額

$280,000 \times \frac{12}{60} = 56,000$円

⑵　損金算入限度超過額

０－56,000＝△56,000

56,000円＜280,000－28,000＝252,000円　　∴　56,000円（認容）

（単位：円）

区　分		金　額	留　保	社外流出
加算	繰延消費税額等損金算入限度超過額	324,000	324,000	
減算	繰延消費税額等損金算入限度超過額認容	56,000	56,000	

解説

①　当期分の計算について、資料⑶より、課税売上割合が80％未満であるため、繰延消費税額等につい

て損金算入限度額の計算が必要になります。また、資料⑴より、控除対象外消費税額等は租税公課として費用に計上（損金経理）されているため、繰延消費税額等以外の控除対象外消費税額等は、その全額が損金の額に算入されます。

② 繰延消費税額等は、棚卸資産以外の資産に係る控除対象外消費税額等の額が20万円以上のものが該当します。したがって、当期分については、機械装置に係る360,000円が該当します。

③ 資料⑵より、前期についても繰延消費税額等が生じ、全額を費用に計上していることから、当期においては、損金算入限度額相当額の減算調整が必要になります。なお、前期からの繰越損金算入限度超過額は、前期に費用に計上した280,000円から前期の損金算入額28,000円を控除した252,000円です。

次の資料により、当社の当期における税務上の調整を示しなさい。

(1) 当社は、消費税等に関する経理方法として税抜方式を採用しており、当期における消費税法第30条に規定する課税売上割合は70%である。

(2) 当社が当期において取得した資産及び支出した費用に課された消費税額等には、次のものが含まれている。当社は、控除対象外消費税額等の全額を当期の費用に計上している（下記以外のものについては、当期の損金の額に算入されるものである。）。

区分	消費税額等	控除対象消費税額等	控除対象外消費税額等
棚卸資産	3,000,000円	2,100,000円	900,000円
機械装置（1台）	800,000円	560,000円	240,000円
交際費	250,000円	175,000円	75,000円

(3) 当社が当期において支出した租税特別措置法第61条の4に規定する交際費の額は、3,125,000円（税抜金額）であり、接待飲食費に該当するものはない。なお、当社の当期末における資本金の額は2億円である。

答案用紙

1．繰延消費税額等

(1) 判　定

①

②

(2) 損金算入限度額

(3) 損金算入限度超過額

2．交際費等の損金不算入額

（単位：円）

区分		金額	留保	社外流出
加算				
減算				

解 答

1．繰延消費税額等

⑴ 判　定(70%＜80%)

①　棚卸資産に係るもの　∴　損金算入❶

②　機械装置に係るもの　240,000円≧200,000円　∴　該　当❶

⑵ 損金算入限度額

$240,000\times\frac{12}{60}\times\frac{1}{2}=24,000$円❶

⑶ 損金算入限度超過額

240,000－24,000＝216,000円

2．交際費等の損金不算入額

3,125,000＋75,000＝3,200,000円❶

(単位：円)

区　分		金　額	留　保	社外流出
加算	繰延消費税額等損金算入限度超過額	❶216,000	❷216,000	
	交際費等の損金不算入額	❶3,200,000		❷3,200,000
減算				

解 説

①　控除対象外消費税額等のうち費用に係るものは、原則として損金の額に算入されますが、交際費等の額に係るものについては支出交際費等の額に含め、交際費等の損金不算入額の計算の対象となります。

②　棚卸資産に係る控除対象外消費税額等については、損金経理を行っていることから全額が損金の額に算入されます。

③　繰延消費税額等の損金算入限度額は、発生事業年度においては５年間で均等按分した後１/２を乗じた金額となります。

Chapter 12

圧縮記帳

Section 1

圧縮記帳制度の概要

国庫補助金収入や保険差益は、「資本等取引以外の取引に係るその事業年度の収益の額」に該当するため、法人税の課税の対象となります。しかし、これらの収益について、直ちに課税してしまうと、補助金の目的に合った資産の取得を困難にしてしまう等の不都合が生じてしまうことがあります。そこで、法人税においては、これらの収益に対する課税を繰り延べる「圧縮記帳」という制度を設けています。

このSectionでは、圧縮記帳制度の概要を学習します。

1 圧縮記帳とは

法人が固定資産を取得する場合に、国から補助金を受けられるケースがあります。国が政策として、特定の固定資産の取得を促進しているような場合です。圧縮記帳とは、例えば、国から補助金の交付を受けその国庫補助金収入を収益に計上した場合に、その補助金で取得した機械装置の帳簿価額を、その交付を受けた補助金の額だけ減額して、損金の額に算入することを認める制度です。

＜例＞

⑴　機械装置の取得に充てるための国庫補助金5,000,000円の交付を受けた。

仕	訳
（現　金　預　金）5,000,000円	（国庫補助金収入）5,000,000円 ← 相殺

⑵　国庫補助金に自己資金3,000,000円を加えて機械装置を8,000,000円で取得し、令和７年10月１日から事業の用に供した。

仕	訳
（機　械　装　置）8,000,000円	（現　金　預　金）8,000,000円

⑶　交付を受けた国庫補助金を全額機械装置の取得に充て、補助金の返還を要しないことが確定したため、国庫補助金収入に相当する圧縮損を計上する。

仕	訳
（機械装置圧縮損）5,000,000円	（機　械　装　置）5,000,000円

このように圧縮記帳制度は、「国庫補助金収入」と「機械装置圧縮損」が相殺されることにより、法人税が一時に課税されないようにする制度です。

2 圧縮記帳の効果

圧縮記帳は、法人税の課税を一切受けない「課税の免除」という制度ではなく、いずれ課税を受ける「課税の繰延べ」という制度です。

<例>

機械装置の取得価額　　10,000

圧縮損　　　　　　　　 4,000

機械装置の耐用年数　　 5年（定額法償却率 0.200）

	1年目	2年目	3年目	4年目	5年目
圧縮記帳をしない場合[*01]	償却費 2,000	償却費 2,000	償却費 2,000	償却費 2,000	償却費 2,000

圧縮記帳をした場合[*01]	圧縮損 4,000	償却費 1,200	償却費 1,200	償却費 1,200	償却費 1,200	償却費 1,200

圧縮記帳をしない場合には、本来の取得価額である 10,000 を基礎に、減価償却をすることになりますが、圧縮記帳をした資産については、圧縮記帳後の取得価額 6,000（＝本来の取得価額 10,000－圧縮損 4,000）を基礎に減価償却をすることになります。

つまり、圧縮記帳をしない場合と比較して、圧縮記帳をした場合の方が、毎期の償却費が 800 ずつ少なくなり、損金の額が少なくなる分だけ所得金額が多く計算されることになります。このようにして、毎期、課税が取り戻されることになります[*02]。

*01) 実際には、5年目の減価償却は、備忘価額1円を残さなければなりません。

*02) 土地等の非減価償却資産については、圧縮記帳後の取得価額が譲渡原価となるため、譲渡時に課税が取り戻されます。

3 圧縮記帳の経理処理と別表四上の調整

圧縮記帳の経理処理には、次のものがあります。

1．直接控除方式

直接控除方式は、損益計算書に圧縮損を計上し、圧縮記帳の対象とした固定資産の帳簿価額を直接減額する方法です。

仕　訳	
（圧　縮　損）×××	（固　定　資　産）×××

<図解>

補助金収入　5,000

圧縮損　5,000

P／L

補助金収入	5,000
圧　縮　損	5,000
当期純利益	0

別表四（所得金額の計算）

当　期　純　利　益		0
加算		
減算		
所　得　金　額		0

直接控除方式の場合には、圧縮損が損益計算書に計上されます。

2．積立金方式

積立金方式は、株主資本等変動計算書に圧縮積立金の積立額を計上し、損益計算書には計上しない方法です[*01]。

*01) 交換の圧縮記帳は、直接控除方式のみであり、積立金方式の適用はありません。

仕　訳	
（繰越利益剰余金）×××	（圧　縮　積　立　金）×××

<図解>

補助金収入　5,000

圧縮積立金の積立額　5,000

P／L

補助金収入	5,000
圧　縮　損	—
当期純利益	5,000

別表四（所得金額の計算）

当　期　純　利　益		5,000
加算		
減算	圧縮積立金認定損	5,000
所　得　金　額		0

積立金方式の場合には、その積立額[*02]が損益計算書に計上されず、当期純利益の計算では費用となっていないことから、別表四において「圧縮積立金認定損（減算留保）」の調整をして損金の額に算入することになります。

*02) 税効果会計を適用している場合には、圧縮積立金の積立額とその積立金に係る繰延税金負債の額との合計額です。

4 圧縮記帳後の取得価額等

1．圧縮記帳後の取得価額

固定資産について圧縮記帳をした場合には、圧縮記帳による損金算入額は、その固定資産の取得価額に算入されません。なお、直接控除方式又は積立金方式のいずれの経理処理によっている場合であっても、この取扱いは共通して適用されます。

圧縮記帳後の取得価額
本来の取得価額－損金算入圧縮額※

※　会社計上圧縮額と圧縮限度額のいずれか少ない金額となります。

2．圧縮超過額の処理

減価償却資産について直接控除方式により経理した場合の圧縮超過額は、「償却費として損金経理をした金額」に含まれます*01)。

*01) 非減価償却資産については、減価償却との関係はないため、会社計上圧縮額が圧縮限度額を超える部分の金額を別表四で加算します。

区　分	圧縮超過額の処理	税　務　調　整
(1)直接控除方式	償却費に含める	減価償却超過額として加算
(2)積立金方式	償却費に含めない	圧縮積立金積立超過額として加算

＜図解＞

(1)　直接控除方式の場合

①　圧縮記帳

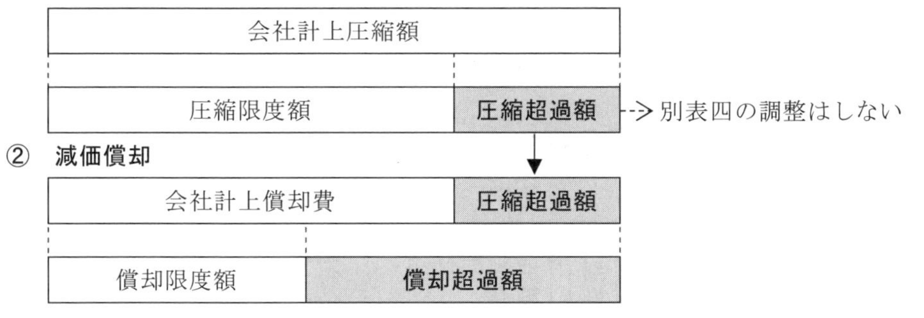

圧縮超過額は、直ちに別表四で加算調整せず、会社計上償却費に加えて償却超過額として加算調整します。

(2)　積立金方式の場合

①　圧縮記帳

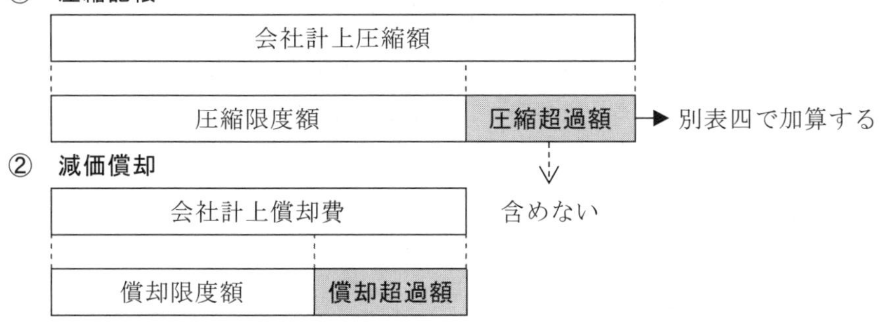

圧縮超過額は、別表四で圧縮積立金積立超過額として加算調整します。償却費として損金経理をした金額に加える処理はありません。

5 特別勘定*01)

*01) 特別勘定の各制度における詳細な内容は、テキスト<応用編>で学習します。

1．特別勘定の設定

譲渡益等が発生した事業年度において資産を取得することができなかった場合には、圧縮記帳によって課税を繰り延べることができません。このままでは、譲渡益等に対して一時に課税が生じてしまいます。

<図解>

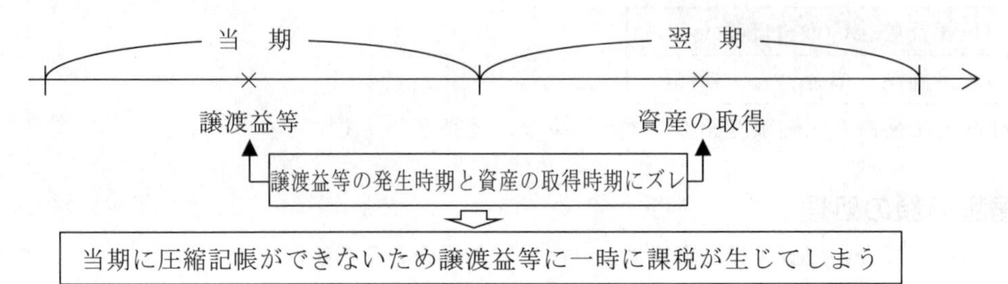

しかし、圧縮記帳制度は直ちに課税することが適当ではない譲渡益等を対象に課税を繰り延べるものです。このような場合でも圧縮記帳ができるようにしておく必要があります。

そこで、資産を取得した段階で圧縮記帳を行うことができるように、特別勘定を設定し、発生した譲渡益等と特別勘定の繰入額とを相殺することにより、譲渡益等に対する課税を一旦保留する制度が設けられています。

<図解>

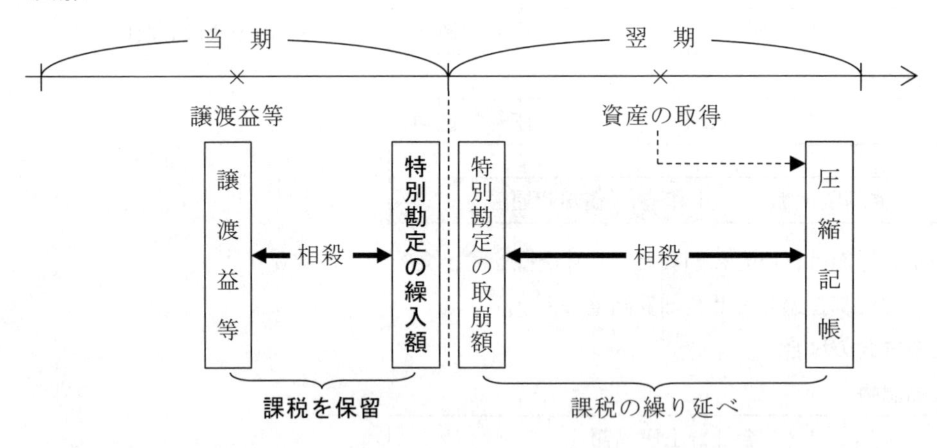

特別勘定は、譲渡益等の発生時期と資産の取得時期のズレを調整するための仮勘定であり、資産を取得し圧縮記帳を行えるようになった段階で、取り崩すことになります。

2. 特別勘定の経理処理と別表四上の調整

特別勘定の経理処理には、次のものがあります。

(1) 損金経理

損金経理の場合には、損益計算書に特別勘定繰入損を計上します。

仕訳			
(特別勘定繰入損)	×××	(特　別　勘　定)	×××

(2) 積立金経理

積立金経理の場合には、株主資本等変動計算書に特別勘定積立金の積立額を計上し、損益計算書には計上しません。

仕訳			
(繰越利益剰余金)	×××	(特別勘定積立金)	×××

圧縮積立金と同様に、特別勘定の積立額*02)は損益計算書に計上されないため、別表四において「特別勘定積立金認定損（減算留保）」の調整をして損金の額に算入することになります。

*02) 税効果会計を適用している場合には、特別勘定積立金の積立額とその積立金に係る繰延税金負債の額との合計額です。

3. 別表四上の調整

特別勘定の繰入額のうち、繰入限度額を超える部分の金額を別表四において「特別勘定繰入超過額（加算留保）」として調整します。なお、資産の取得はされていないため、圧縮超過額のような減価償却との関係は生じません。

4. 圧縮記帳と特別勘定の取崩し

特別勘定を設定した法人が、その設定をした後の事業年度において、圧縮記帳の対象となる資産を取得することができた場合には、その資産について圧縮記帳を行うとともに、特別勘定を取り崩して益金の額に算入することになります。

仕訳			
(資　　　　産)	×××	(現　　　　金)	×××
(圧　　縮　　損)	×××	(資　　　　産)	×××
(特　別　勘　定)	×××	(取　　崩　　益)	×××

Section 2

国庫補助金等の圧縮記帳

国庫補助金収入に対して、法人税を一時に課税してしまうと、せっかく交付を受けた補助金の一部が、税金として吸い上げられる結果となってしまいます。つまり、国庫補助金の交付を受けても十分な設備投資ができないという事態も起こりかねません。
そこで、国庫補助金収入に対して、法人税が一時に課税されないようにするため、課税の繰延べとしての「圧縮記帳」が認められています。
このSectionでは、国庫補助金等の圧縮記帳を学習します。

1 制度の概要（法42①）

内国法人（清算中のものは除きます。*01)）が、次の適用要件を満たす場合において、その固定資産につき、圧縮限度額の範囲内で一定の経理をしたときは、その経理した金額はその事業年度の損金の額に算入することができます。

適用要件

① 固定資産の取得等に充てるための国庫補助金等*02)の交付を受けること。
② その事業年度においてその国庫補助金等をもってその交付目的に適合した固定資産を取得等したこと。
③ 国庫補助金等の返還不要*03)がその事業年度終了時までに確定したこと。

<図解>

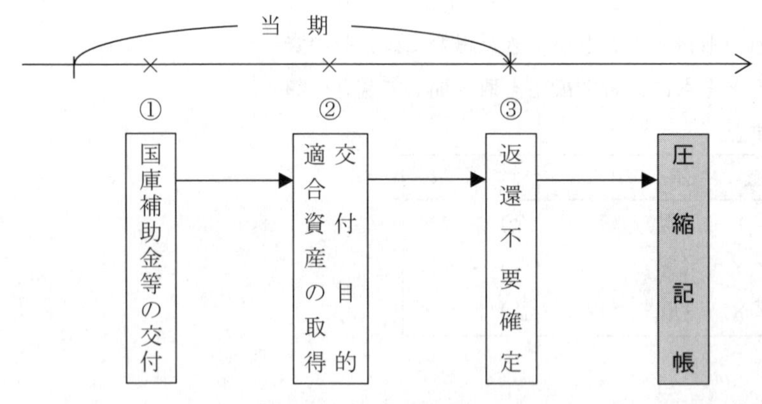

国や地方公共団体から①国庫補助金等の交付を受け、②その国庫補助金等をもって交付目的に適合する固定資産の取得等をした場合において、③その補助金等の返還不要が当期末までに確定した場合には、その固定資産につき圧縮記帳を行うことができます。

*01) 清算中の法人は、近い将来消滅することが予定されており、課税を繰り延べる意味がないため、圧縮記帳の適用対象から除かれています。

*02) 国庫補助金等とは、固定資産の取得又は改良に充てるための国又は地方公共団体から交付を受ける補助金をいいますが、金銭のみではなく土地等の固定資産の交付を受けた場合も含みます。

*03) 国庫補助金は、一般的には条件付国庫補助金と呼ばれ、「交付の目的に適合する資産を取得し、その製品の生産能力が一定割合に達したことが証明されれば、返還不要が確定する」というような返還不要となるための条件が付されています。

2 圧縮限度額の計算（法42①）

▸▸問題集問題1,2

国庫補助金等の圧縮記帳における圧縮限度額は、次のように計算します。

基本算式

① 交付を受けた国庫補助金等の額（返還不要確定額）

② 固定資産の取得又は改良に要した金額

③ ①＜②の場合　∴ ①

①≧②の場合　∴ ②－１円*01)

*01) 圧縮記帳により帳簿価額が１円未満となる場合でも、備忘価額として１円以上の金額を付さなければならないため、このような計算になります。

＜図解＞

国庫補助金等の返還不要確定額	圧縮限度額	固定資産の取得価額
1,000	1,000	1,200

⑴ 国庫補助金等の返還不要確定額

1,000

⑵ 固定資産の取得価額

1,200

⑶ 圧縮限度額

⑴＜⑵　∴ 1,000

圧縮限度額は、交付を受けた国庫補助金等（＝発生利益）の額のうち交付目的に適合した固定資産の取得又は改良に充てられた部分の金額となります。

設例２－１　国庫補助金等の圧縮記帳

次の資料により、当社（期末資本金の額は３億円である。）の当期における税務上の調整を示しなさい。

⑴ 当社は、令和７年６月１日に機械装置の取得を目的とした国庫補助金3,000,000円の交付を受け、令和７年６月10日に自己資金6,000,000円を加えて、交付の目的に適合した機械装置を9,000,000円で取得している（事業供用日は令和７年６月25日である。）。なお、この国庫補助金は、令和７年12月25日に、返還を要しないことが確定している。

⑵ 当社は、交付を受けた国庫補助金について国庫補助金収入として収益に計上するとともに、圧縮損として5,000,000円を損失に計上し、その機械装置の帳簿価額から直接減額している。

なお、機械装置に係る減価償却費として300,000円を費用に計上している。

⑶ 当社は、機械装置の償却方法として定額法を選定しており、この機械装置の耐用年数は10年（定額法償却率0.100）である。

解答 1．圧縮記帳

⑴　圧縮限度額

3,000,000円＜9,000,000円　　∴　3,000,000円

⑵　圧縮超過額

5,000,000－3,000,000＝2,000,000円（償却費）

2．減価償却

⑴　償却限度額

$(9,000,000-3,000,000) \times 0.100 \times \frac{10}{12} = 500,000$円

⑵　償却超過額

(300,000＋2,000,000)－500,000＝1,800,000円

（単位：円）

区　　分		金　　額	留　　保	社外流出
加算	減価償却超過額（機械装置）	1,800,000	1,800,000	
減算				

解説

①　当期中の令和７年12月25日に、国庫補助金の返還不要が確定しているため、当期において圧縮記帳の適用があります。

②　圧縮限度額は、国庫補助金の返還不要確定額と固定資産の取得価額のいずれか少ない方の金額となります。

③　本問の場合、圧縮記帳の経理が直接控除方式によっているため、圧縮超過額は、直ちに別表四で加算せず、償却費として損金経理をした金額に含めて、償却超過額として調整することになります。

④　損金の額に算入された圧縮額は、その固定資産の取得価額に算入しません。つまり、償却限度額を計算する際には、本来の取得価額から損金の額に算入された圧縮額を控除して償却率を適用します。

Try it　　　　国庫補助金等の圧縮記帳

次の資料により、当社の当期における税務上の調整を示しなさい。

⑴　当社は、令和７年４月20日に、機械装置の取得に充てるための国庫補助金60,000,000円の交付を受け、当期の収益に計上している。

⑵　令和７年５月25日に⑴の国庫補助金に自己資金を加えて、当該国庫補助金の交付の目的に適合した機械装置（法定耐用年数10年）を78,000,000円で取得し、翌月から事業の用に供している。

⑶　当該国庫補助金の返還を要しないことが当期末までに確定したため、当該機械装置について機械装置圧縮損72,000,000円を計上し帳簿価額を直接減額している。なお、機械装置に係る減価償却費として1,500,000円を当期の費用に計上している。

⑷　当社の期末資本金は120,000,000円である。

⑸　当社は、減価償却資産について償却方法の選定・届出を行っていない。

なお、償却率等の資料は次のとおりである。

耐用年数	定率法償却率	改定償却率	保証率
10年	0.200	0.250	0.06552

答案用紙

1．圧縮記帳

⑴　圧縮限度額

⑵　圧縮超過額

2．減価償却

⑴　償却限度額

⑵　償却超過額

（単位：円）

区　　分		金　　額	留　　保	社外流出
加算				
減算				

解答

1．圧縮記帳

⑴ 圧縮限度額

60,000,000円＜78,000,000円　∴ 60,000,000円❶

⑵ 圧縮超過額

72,000,000－60,000,000＝12,000,000円❶(償却費)

2．減価償却

⑴ 償却限度額

(78,000,000－60,000,000)×0.200＝3,600,000円≧(78,000,000－60,000,000)×0.06552＝1,179,360円

∴ $3,600,000\times\frac{10}{12}=3,000,000$円❷

⑵ 償却超過額

(1,500,000＋12,000,000)－3,000,000＝10,500,000円

(単位：円)

区分		金額	留保	社外流出
加算	減価償却超過額(機械装置)	❸10,500,000	❸10,500,000	
減算				

Section 3

保険差益の圧縮記帳

建物が火災により焼失した場合に、直ちに代わりの建物を取得することができるように、あらかじめ保険契約を結んでおくことがあります。実際に火災が生じた場合には、保険金の支払を受けることになりますが、保険差益に対して法人税を一時に課税してしまうと、代わりの建物の取得資金が不足する等、災害からのスムーズな復旧を困難にしてしまうことがあります。そこで、保険差益に対して、法人税が一時に課税されないようにするため、課税の繰延べとしての「圧縮記帳」が認められています。
このSectionでは、保険差益の圧縮記帳を学習します。

1 制度の概要（法47①）

内国法人（清算中のものは除きます。）が、次の適用要件を満たす場合において、その代替資産につき、圧縮限度額の範囲内で一定の経理をしたときは、その経理した金額は、その事業年度の損金の額に算入することとされています。

適用要件

① 所有固定資産が滅失又は損壊したこと。
② 保険金等*01)の支払いを受けること。
③ その事業年度においてその保険金等をもって代替資産*02)の取得等をしたこと。

*01) 保険金、共済金又は損害賠償金で、滅失等のあった日から３年以内に支払いが確定したものをいいます。

*02) 滅失等した資産と同一種類の固定資産をいいます。なお、固定資産を対象とするため、棚卸資産等他の種類の資産については適用がありません。

＜図解＞

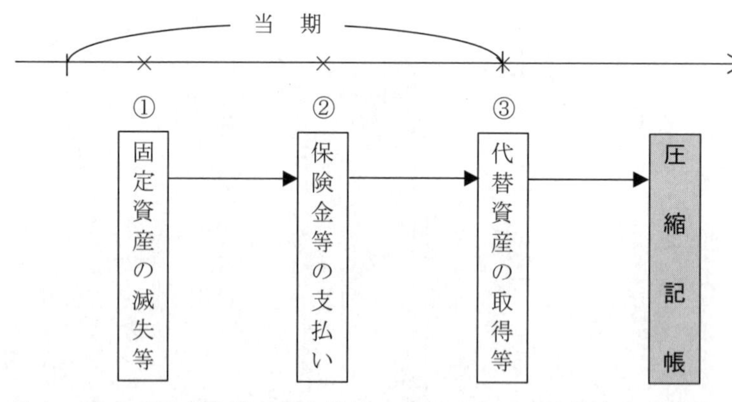

法人の有する固定資産が①火災等により滅失し、②保険金を取得した場合において、その保険金の交付事業年度において、その保険金により③代替資産を取得したときは、圧縮記帳を行うことができます。

2 圧縮限度額の計算

▸▸問題集問題3,4,5

1．圧縮限度額（令85）

保険差益の圧縮記帳における圧縮限度額は、次のように計算します。

基本算式

(1) 減失経費の額

(2) 差引保険金等の額

保険金等の額－減失経費の額

(3) 保険差益金の額

差引保険金等の額－被災資産の被災直前の帳簿価額

(4) 圧縮限度額

$$\text{保険差益金の額} \times \frac{\text{代替資産の取得等に充てた保険金等の額（※）}}{\text{差引保険金等の額}}$$

※ 代替資産の取得価額と差引保険金等の額のいずれか少ない金額

＜図解＞

保険金等の額	1,000
減失経費の額	100
被災直前の帳簿価額	300
代替資産の取得価額	750

保険金等の額 1,000

減失経費の額 100

保険差益金の額 600

被災直前の帳簿価額 300

差引保険金等の額 900

圧縮限度額

$600 \times \frac{750}{900} = 500$

代替資産の取得価額 750

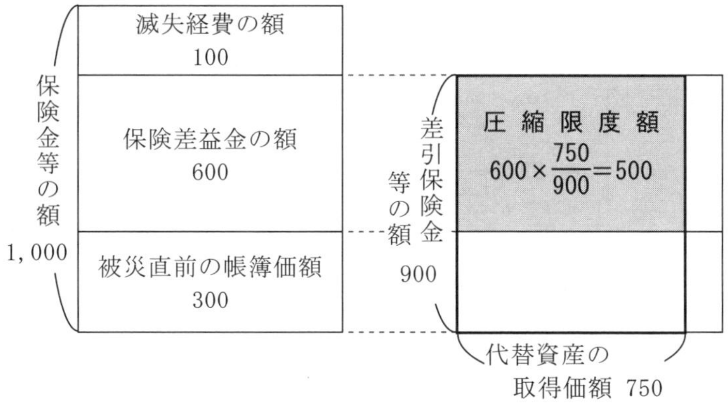

圧縮限度額は、保険差益金の額（＝発生利益）に差引保険金等の額のうち代替資産の取得に充てた金額（代替資産の取得価額）の割合を乗じて計算します。

2. 滅失経費

⑴ 範 囲（基通10－５－５）

滅失経費とは、固定資産の滅失等に直接関連して支出される経費をいいます。

滅失経費に含まれるもの	滅失経費に含まれないもの
固定資産の取壊し費	類焼者賠償金
焼跡の整理費	けが人への見舞金
消防費等	被災者への弔慰金
	新聞謝罪広告費　等

⑵ 共通経費の按分（基通10－５－６）

滅失経費の額が、２以上の種類の資産の滅失等に共通して支出される場合には、保険金等の額の比により配賦します。

基本算式

$$\text{共通経費の額} \times \frac{\text{個々の資産に係る保険金等の額}}{\text{取得した保険金等の額の合計額}}$$

＜図解＞

建物について取得した保険金　1,000
商品について取得した保険金　250
滅失経費（共通経費）の額　75

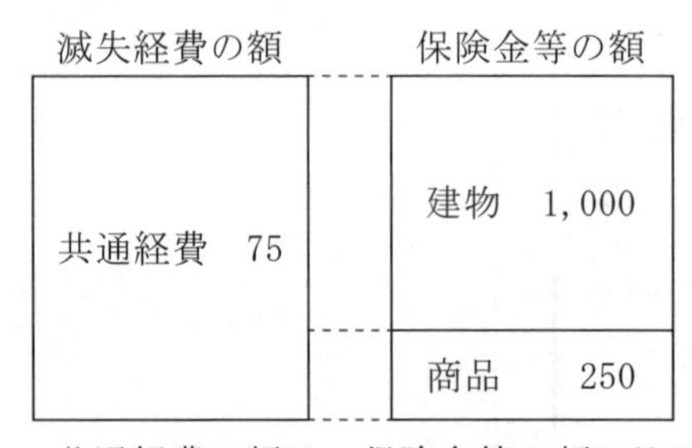

→ $75 \times \frac{1,000}{1,000+250} = 60$

→ 圧縮記帳の対象外

共通経費の額は、保険金等の額の比により按分します。なお、商品（棚卸資産）は、圧縮記帳の対象とはなりませんが、滅失経費（共通経費）を按分する際の分母の金額には、商品に係る保険金等の額が含まれます。

3. 被災資産の被災直前の帳簿価額

被災資産の被災直前の帳簿価額は、税務上の帳簿価額によります。したがって、被災資産に繰越償却超過額がある場合には、会社計上の帳簿価額と繰越償却超過額の合計額となります。

＜図解＞

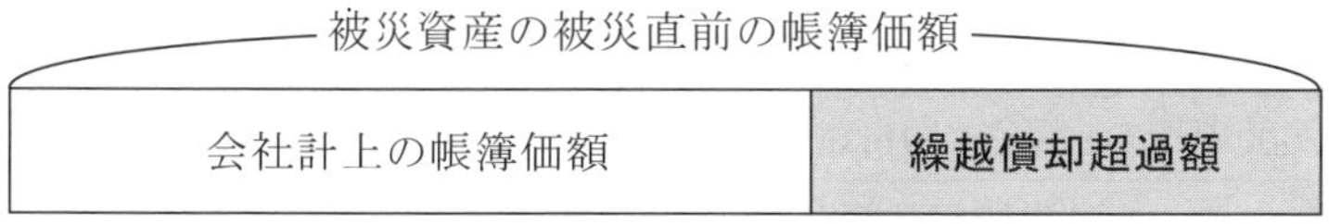

被災資産の被災直前の帳簿価額

会社計上の帳簿価額	**繰越償却超過額**

税務上は、被災資産の被災直前の帳簿価額により、損失を計上しなければなりませんが、会社は、会社計上の帳簿価額に基づいて、損失を計上するため、税務上の損失額に対し、会社計上の損失額が少なく計上されてしまいます。

そこで、繰越償却超過額を別表四で減算し、損失額を追加計上しなければなりません[*01]。

*01) 繰越償却超過額がある資産を譲渡した場合にも、譲渡原価の過少計上が生じるため、同様の調整が必要となります。

＜図解＞

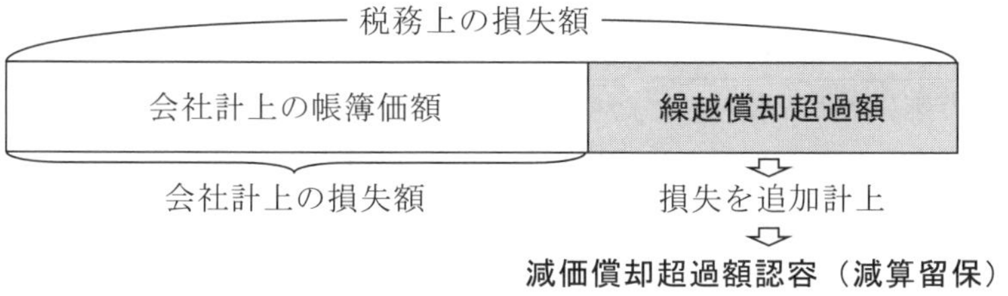

税務上の損失額

会社計上の帳簿価額	**繰越償却超過額**
会社計上の損失額	損失を追加計上

⇩

減価償却超過額認容（減算留保）

したがって、保険差益の圧縮記帳にあたって、被災資産に繰越償却超過額がある場合には、次の2点に注意が必要です。

① 繰越償却超過額を別表四で減算し、会社計上の損失額を修正する。

② 圧縮限度額の計算上、会社計上の帳簿価額に繰越償却超過額を加えて被災資産の被災直前の帳簿価額とする。

設例３－１　保険差益の圧縮記帳

次の資料により、当社の当期における税務上の調整を示しなさい。

⑴　当社は、令和７年５月８日に建物を火災により焼失し、次の保険金の支払いを受けている。なお、取得した保険金の額と焼失した建物の被災直前の帳簿価額との差額を保険差益として当期の収益に計上している。

種　類	保険金の額	被災直前の帳簿価額
建　物	30,000,000円	16,000,000円

（注）上記の他、焼失した建物には、繰越償却超過額が800,000円ある。

⑵　上記の建物の焼失により支出した経費は次のとおりであり、当期の損失に計上している。

①　建物の取壊費　　　1,200,000円

②　焼跡の整理費　　　　800,000円

③　被災者への弔慰金　1,800,000円

⑶　当社は、令和７年７月28日に、焼失した建物に代替する次の建物を取得し、直ちに事業の用に供している。

種　類	取得価額	減価償却費	圧縮積立金
建　物	26,600,000円	300,000円	12,000,000円

（注）圧縮積立金は、剰余金の処分により積み立てたものである。

⑷　取得した建物の法定耐用年数は50年であり、定額法償却率は0.020である。

解答　1．圧縮記帳

⑴　滅失経費の額

1,200,000＋800,000＝2,000,000円

⑵　差引保険金等の額

30,000,000－2,000,000＝28,000,000円

⑶　保険差益金の額

28,000,000－(16,000,000＋800,000)＝11,200,000円

⑷　圧縮限度額

$$11,200,000\times\frac{{}^{※}26,600,000}{28,000,000}=10,640,000円$$

※　26,600,000円＜28,000,000円　　∴　26,600,000円

⑸　圧縮超過額

12,000,000－10,640,000＝1,360,000円

2．減価償却

⑴　償却限度額

$$(26,600,000-10,640,000)\times0.020\times\frac{9}{12}=239,400円$$

⑵　償却超過額

300,000－239,400＝60,600円

（単位：円）

区　分		金　額	留　保	社外流出
加算	圧縮積立金積立超過額（建物）	1,360,000	1,360,000	
	減価償却超過額（建物）	60,600	60,600	
減算	減価償却超過額認容（建物）	800,000	800,000	
	圧縮積立金認定損（建物）	12,000,000	12,000,000	

解説

① 当期中に保険金の支払いを受け、代替資産の取得をしているため、当期において圧縮記帳の適用があります。

② 滅失経費の額は、固定資産の滅失等に直接関連して支出される経費をいうため、固定資産に係る支出ではない被災者への弔慰金は、滅失経費の額に含まれません。

③ 焼失した建物には、繰越償却超過額があるため、被災資産の被災直前の帳簿価額は、被災直前の帳簿価額16,000,000円と繰越償却超過額800,000円の合計額となります。なお、繰越償却超過額については、別表四で減算調整が必要です。

④ 本問の場合、圧縮記帳の経理を積立金方式によっているため、圧縮超過額は、直ちに別表四で加算します。なお、圧縮積立金積立超過額は、償却費として損金経理をした金額に含まれません。

⑤ 損金の額に算入された圧縮額は、その固定資産の取得価額に算入しません。取得価額の改訂は、経理を問わず、本来の取得価額から損金の額に算入された圧縮額を控除することになります。

Try it 保険金等の圧縮記帳

次の資料により、当社の当期における税務上の調整を示しなさい。

⑴　令和７年５月15日に、当社所有の工場建物が火災により全焼した。この火災に伴い令和７年12月10日に、保険会社から保険金の支払いを受けており、火災により焼失した資産の被災直前の帳簿価額及び保険会社から支払いを受けた保険金の額は、次のとおりである。

　なお、Ａ工場建物には、前期から繰り越された償却超過額が258,000円ある。

種　類	被災直前の帳簿価額	保険金の額
Ａ工場建物	6,000,000円	19,200,000円

⑵　当社は、焼失した資産の被災直前の帳簿価額及び火災に伴って支出した焼跡整理費用1,020,000円、新聞謝罪広告費600,000円及び近隣の類焼者に対する賠償金1,500,000円を損金経理するとともに、取得した保険金の額を収益に計上している。

⑶　令和８年２月５日に、上記の保険金をもって焼失したＡ工場建物に代替するＢ工場建物（法定耐用年数は31年である。）を22,800,000円で取得し、直ちに事業の用に供している。

⑷　Ｂ工場建物については、法人税法第47条《保険金等で取得した固定資産等の圧縮額の損金算入》の規定の適用を受けることとし、建物圧縮積立金18,000,000円を積立てるとともに、減価償却費として158,000円を費用に計上している。

⑹　当社は、減価償却資産の償却方法として定額法を選定し届け出ている。なお、耐用年数31年の場合の定額法償却率は0.033である。

答案用紙

1．圧縮記帳

⑴　差引保険金等の額

⑵　保険差益金の額

⑶　圧縮限度額

⑷　圧縮超過額

2．減価償却

⑴　償却限度額

⑵　償却超過額

（単位：円）

区　　分		金　　額	留　　保	社外流出
加算				
減算				

解答

1．圧縮記帳

⑴　差引保険金等の額

19, 200, 000－1, 020, 000＝18, 180, 000円❶

⑵　保険差益金の額

18, 180, 000－（6, 000, 000＋258, 000）＝11, 922, 000円❶

⑶　圧縮限度額

$11,922,000 \times \frac{※18,180,000}{18,180,000} = 11,922,000$円❶

※　22, 800, 000円＞18, 180, 000円　　∴　18, 180, 000円

⑷　圧縮超過額

18, 000, 000－11, 922, 000＝6, 078, 000円❶

2．減価償却

⑴　償却限度額

$(22,800,000 - 11,922,000) \times 0.033 \times \frac{2}{12} = 59,829$円❶

⑵　償却超過額

158, 000－59, 829＝98, 171円❶

（単位：円）

区　　分		金　　額	留　　保	社外流出
加算	圧縮積立金積立超過額（B工場建物）	6, 078, 000	❶6, 078, 000	
	減価償却超過額（B工場建物）	98, 171	❶98, 171	
減算	圧縮積立金認定損（B工場建物）	18, 000, 000	❶18, 000, 000	
	減価償却超過額認容（A工場建物）	258, 000	❶258, 000	

Section 4

交換の圧縮記帳

法人税では交換を譲渡取引と考えて、交換により譲渡した資産の交換時の時価と交換直前の帳簿価額との差額である交換差益に対して、法人税が課税されます。しかし、交換取引は通常金銭の授受を伴わないものであり、その譲渡益は計算上生じる名目的な利益にすぎません。そこで、交換差益に対して、法人税が一時に課税されないようにするため、課税の繰延べとしての「圧縮記帳」が認められています。

このSectionでは、交換の圧縮記帳を学習します。

1 制度の概要（法50①②）

内国法人（清算中のものは除きます。）が、次の適用要件を満たす固定資産の交換をした場合において、その取得資産につき、圧縮限度額の範囲内でその帳簿価額を損金経理により減額したとき*01)は、その減額した金額は、その事業年度の損金の額に算入することができます。

適用要件*02)

① 互いに1年以上有していた固定資産の交換であること。

② 譲渡資産と取得資産は、一定の区分において同一種類のものであること。

③ 取得資産は交換のために取得したと認められるものでないこと。

④ 取得資産を譲渡資産の譲渡の直前の用途と同一の用途に供したこと。

⑤ 交換時における取得資産の価額と譲渡資産の価額との差額が、これらのうちいずれか多い価額の20％相当額を超えないこと。

*01) 交換の圧縮記帳の経理は、直接控除方式のみとなります。積立金方式はありません。

*02) この制度が対象としている交換は、同種資産の等価交換であり、実質的に同一資産を継続して所有しているのと変わらない状況を前提とする要件が付されています。

<図解>

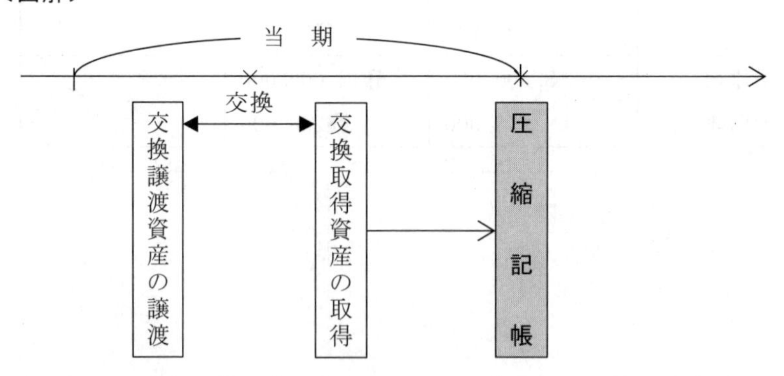

内国法人が適用要件を満たす交換をした場合には、交換取得資産につき、直接控除方式による圧縮記帳を行うことができます*03)。

*03) 交換取引は、譲渡益の発生時期と資産の取得時期がズレることはないため、特別勘定の制度はありません。

2 適用判定

交換の圧縮記帳は、同種資産の等価交換を前提として適用されますが、その適用判定にあたって、次の点に注意が必要です。

1．同一の種類であるかどうかの判定

譲渡資産と取得資産は、次の区分において同一種類のものであることが必要です。なお、同一種類のものであるかどうかについては、問題を解く際に、問題文から読み取ることになります。

(1) **土地**（建物又は構築物の所有を目的とする地上権等[*01]を含む。）
(2) **建物**（建物附属設備及び構築物を含む。）
(3) 機械及び装置
(4) 船　舶
(5) 鉱業権

*01) 借地権のことです。

＜図解＞

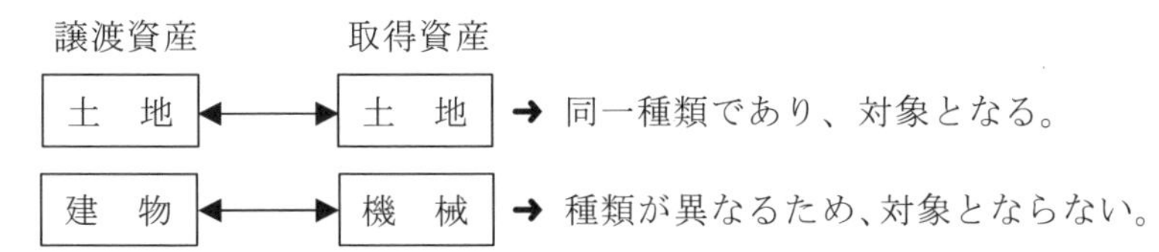

2．同一の用途に供したかどうかの判定

取得資産を譲渡資産の譲渡直前の用途と同一の用途に供したかどうかは、次の資産の種類に応じて、それぞれ次の区分により判定します。なお、問題文から読み取ることになります。

資産の種類	区　　分
土　　地	宅地、田畑、鉱泉地、池沼、山林、牧場又は原野、その他
建　　物	居住用、**店舗又は事務所用**[*02]、工場用、倉庫用、その他
機械及び装置	旧耐用年数省令別表第二の設備の種類
船　　舶	漁船、運送船、作業船、その他

*02) 店舗用と事務所用は、同一の用途の区分となります。土地の牧場と原野も同様です。

＜図解＞

① **土地の場合**

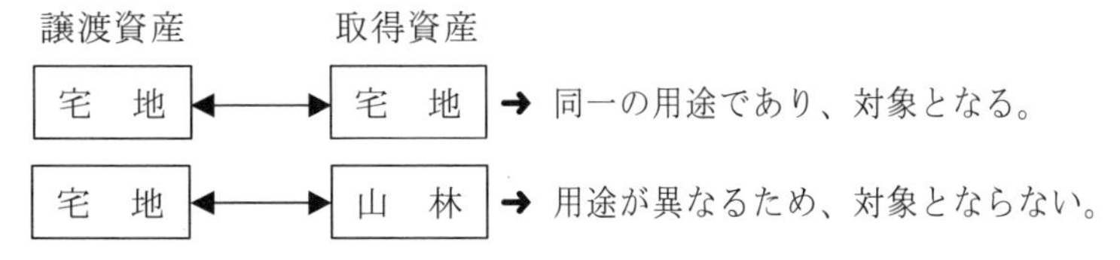

② **建物の場合**

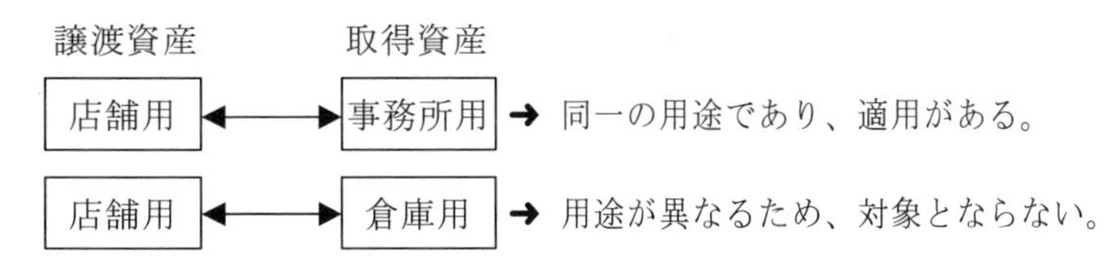

3．等価交換の判定

交換の圧縮記帳は、同種資産の等価交換を前提としています。厳密には、等価のものを対象とすべきですが、現実的には、若干の幅を持たせています。

つまり、交換時における取得資産の時価と譲渡資産の時価との差額が、これらのうちいずれか多い時価の20%以下である場合には、その交換を税務上は等価交換と認め、圧縮記帳の適用を受けることができます。

基本算式

取得資産の時価
譲渡資産の時価 ｝の差額≦いずれか多い時価×20%　∴　適用あり

設例４－１　等価交換の判定

次の資料により、等価交換の判定を示しなさい。

当社は、当期において、次に掲げるＡ土地とＣ土地、Ｂ建物とＤ建物の交換をしている。

譲渡資産			取得資産	
種　類	交換時の時価	帳簿価額	種　類	交換時の時価
Ａ　土　地	52,000,000円	24,000,000円	Ｃ　土　地	42,000,000円
Ｂ　建　物	38,000,000円	32,000,000円	Ｄ　建　物	48,000,000円

解答　判　定

(1)　土　地

52,000,000－42,000,000＝10,000,000円≦52,000,000×20%＝10,400,000円

∴　適用あり

(2)　建　物

48,000,000－38,000,000＝10,000,000円＞48,000,000×20%＝9,600,000円

∴　適用なし

解説

等価交換の判定は、「取得資産の時価と譲渡資産の時価との差額」と「いずれか多い時価×20%」の比較を行います。

3 圧縮限度額の計算（令92）

▸▸問題集問題６

交換の圧縮記帳における圧縮限度額は、次の区分に応じ、それぞれ次のように計算します。

1．交換差金等がない場合（等価交換）

基本算式

取得資産の取得時の時価（A）－｛譲渡資産の譲渡直前の帳簿価額（B）＋譲渡経費の額（C）｝

＜図解＞

取得資産の時価	1,000
譲渡資産の時価	1,000
譲渡資産の譲渡直前の簿価	500
譲渡経費の額	100

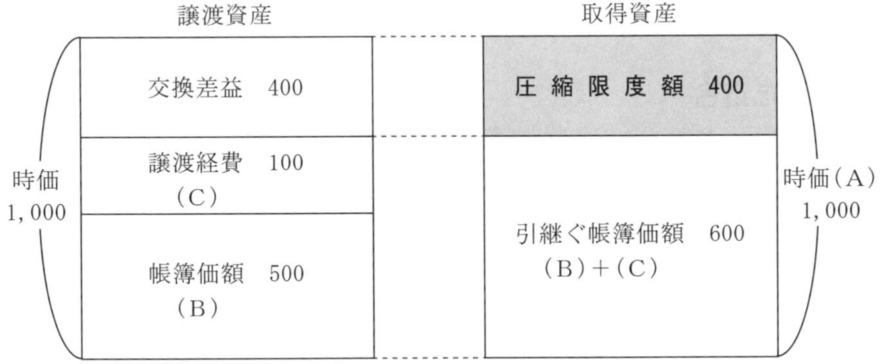

等価交換の場合の圧縮限度額は、交換差益の全額となります。

2．交換差金等を取得した場合

基本算式

取得資産の取得時の時価（A）－｛譲渡資産の譲渡直前の帳簿価額（B）＋譲渡経費の額（C）｝×$\frac{(A)}{(A)+交換差金等の額(D)}$

＜図解＞

取得資産の時価	1,200
譲渡資産の時価	1,500
交換差金等の額	300
譲渡資産の譲渡直前の簿価	500
譲渡経費の額	100

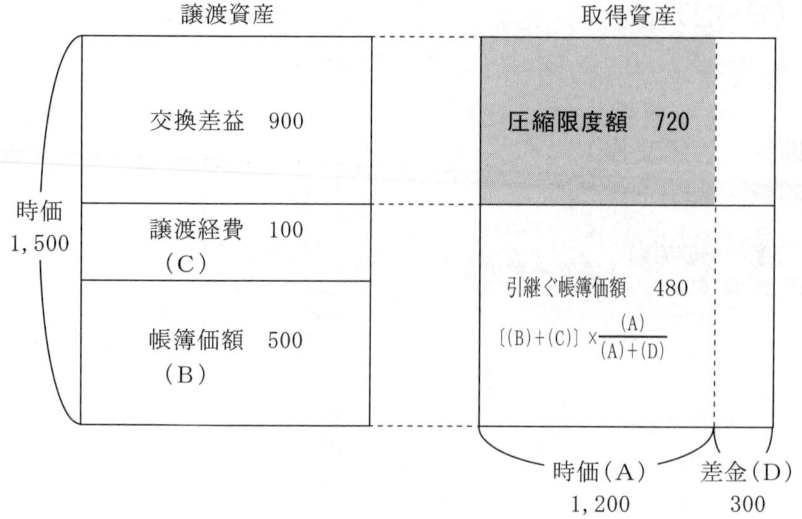

交換差金等を取得した場合の圧縮限度額は、交換差益のうち、取得資産に係る部分の金額となります。

3．交換差金等を交付した場合

基本算式

取得資産の取得時の時価（A）－｛譲渡資産の譲渡直前の帳簿価額（B）＋譲渡経費の額（C）＋交換差金等の額（D）｝

＜図解＞

取得資産の時価	1,500
譲渡資産の時価	1,200
交換差金等の額	300
譲渡資産の譲渡直前の簿価	500
譲渡経費の額	100

譲渡資産　取得資産

交換差益　600　圧縮限度額　600

時価 1,200

譲渡経費　100（C）

帳簿価額　500（B）

交換差金等　300（D）

引継ぐ帳簿価額　900　(B)＋(C)＋(D)

時価（A） 1,500

交換差金等を交付した場合の圧縮限度額は、交換差益の全額となります。

4．譲渡資産の譲渡直前の帳簿価額

譲渡資産の譲渡直前の帳簿価額は、税務上の帳簿価額によります。したがって、譲渡資産に繰越償却超過額等の税務上の否認額がある場合には、会社計上の帳簿価額と繰越償却超過額等の合計額となります。

また、譲渡原価の額が過少に計上されているため、繰越償却超過額等の税務上の否認額を別表四で減算し、譲渡原価の額を追加計上しなければなりません。

<図解>

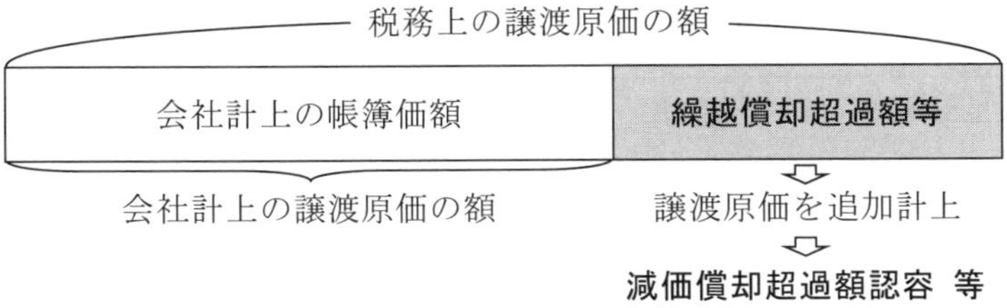

税務上の譲渡原価の額

会社計上の帳簿価額

繰越償却超過額等

会社計上の譲渡原価の額

譲渡原価を追加計上

減価償却超過額認容 等

5．譲渡経費の額（基通10−6−9）

交換の圧縮記帳における譲渡経費の額は、交換に当たり支出した譲渡資産に係る次の金額が該当します。

譲渡経費の範囲	
仲介手数料、取りはずし費、荷役費、運送保険料　等	
土地の交換に関する契約により、譲渡する土地の上に存する建物を取壊した場合*01)	①　建物の取壊し直前の帳簿価額 ②　取壊し費用

*01) 交換により譲渡する土地を、更地で引き渡す契約になっている場合などです。

設例４－２　圧縮限度額の計算

次の資料により、当社の当期における税務上の調整を示しなさい。

⑴　当社は、令和７年８月16日にＥ社との間で当社所有の土地とＥ社所有の土地とを交換した。その交換資産の明細は次のとおりである。

区　　分	交換譲渡資産		交換取得資産の時価
	譲渡直前の帳簿価額	時　　価	
土　　地	7,000,000円	35,000,000円	30,000,000円
交換差金	—	—	5,000,000円
合　　計	7,000,000円	35,000,000円	35,000,000円

（注）交換譲渡資産及び交換取得資産はいずれも両社が10年以上前に取得したものであり、交換のために取得したものではない。なお、交換取得資産は交換譲渡資産の譲渡直前の用途と同一の用途に供されている。

⑵　当社は、交換取得資産の時価及び取得した現金の合計額と交換譲渡資産の譲渡直前の帳簿価額との差額を固定資産売却益として当期の収益に計上している。

⑶　当社は、交換に当たり仲介手数料350,000円を支出し費用に計上している。

⑷　当社は、この交換により取得した土地について、圧縮損として28,000,000円を当期の損失に計上している。

解答

⑴　判　定

35,000,000－30,000,000＝5,000,000円≦35,000,000×20％＝7,000,000円　　∴　適用あり

⑵　圧縮限度額

$$30{,}000{,}000-(7{,}000{,}000+350{,}000)\times\frac{30{,}000{,}000}{30{,}000{,}000+5{,}000{,}000}=23{,}700{,}000\text{円}$$

⑶　圧縮超過額

28,000,000－23,700,000＝4,300,000円

（単位：円）

区　　分		金　　額	留　　保	社外流出
加算	圧縮超過額（土地）	4,300,000	4,300,000	
減算				

解説

①　まず、等価交換の判定から行います。判定の結果、適用要件を満たすため、当期において圧縮記帳の適用があります。

②　圧縮限度額の計算は、交換取得資産とあわせて交換差金を取得しているため、「交換差金等を取得した場合」の計算となります。なお、仲介手数料は、譲渡経費に該当します。

③　本問の場合、対象資産が土地であるため、圧縮超過額は、別表四で直ちに加算留保の調整をします。

4　２以上の種類の資産を同時に交換した場合

▸▸問題集問題７,８,９

１．取扱い（基通10－６－４）

交換の圧縮記帳は、同種資産の交換が前提となります。したがって、法人が２以上の種類の固定資産を同時に交換した場合には、同一種類の固定資産ごとに、それぞれ交換したものと考えて、等価交換の判定を行い、圧縮記帳を適用することになります。

＜図解＞

－建物及び土地を同時に交換した場合－

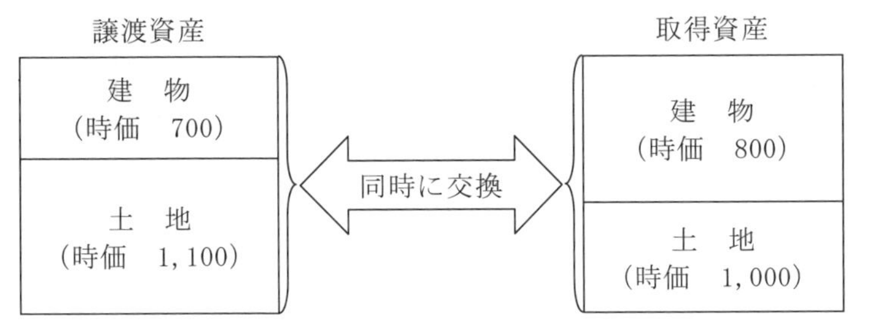

上記の交換は、土地と建物を合わせた全体の取引でみた場合には、いずれも時価が1,800と等価ですが、交換の圧縮記帳は、同種資産の交換を前提とするため、建物は建物と、土地は土地と交換したものと考えます。

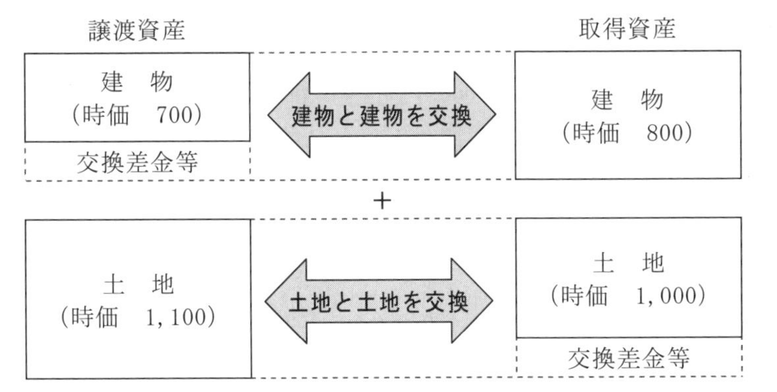

それぞれの取得資産の時価と譲渡資産の時価との差額について、実際には金銭の収受はありませんが、この差額を交換差金等として、圧縮限度額を計算することになります。

なお、上記のケースでは、建物は「交換差金等を交付した場合」、土地は「交換差金等を取得した場合」にそれぞれ該当します。

２．共通経費の按分

譲渡経費の額が、２以上の種類の資産の交換に共通して支出される場合には、譲渡資産の時価の比により配賦します。

基本算式

$$\text{共通経費の額} \times \frac{\text{個々の譲渡資産に係る時価}}{\text{譲渡資産の時価の合計額}}$$

次の資料により、当社の当期における税務上の調整を示しなさい。

⑴　当社は、令和７年６月24日にＦ社との間で次に掲げる固定資産の交換している。その交換譲渡資産及び交換取得資産の明細は、次のとおりである。

区　分	交換譲渡資産		交換取得資産の時価
	譲渡直前の帳簿価額	時　価	
土　地	39,000,000円	130,000,000円	117,000,000円
建　物	28,200,000円	60,000,000円	70,000,000円
交換差金	—	—	3,000,000円
合　計	67,200,000円	190,000,000円	190,000,000円

⑵　交換譲渡資産である土地及び建物は、当社が数年前から倉庫として事業の用に供していたものである。

⑶　交換取得資産である土地及び建物は、Ｆ社が数年前から倉庫として事業の用に供していたもので、当社における耐用年数は20年（定額法償却率は0.050である。）である。なお、当社は、取得後ただちに倉庫として事業の用に供している。

⑷　当社は、交換に当たり仲介手数料3,800,000円を支出し、当期の費用に計上している（各資産への按分は、譲渡資産の時価の比により行うものとする。）。

⑸　当社は、上記の交換により、交換差金及び交換取得資産の時価と交換譲渡資産の譲渡直前の帳簿価額との差額122,800,000円を交換差益として収益に計上するとともに、土地について80,000,000円、建物について33,000,000円をそれぞれ圧縮損として当期の費用に計上し、帳簿価額から直接減額している。なお、建物については、減価償却費として1,500,000円を当期の費用に計上している。

解答　１．圧縮記帳

⑴　土　地

①　判　定

130,000,000－117,000,000＝13,000,000円≦130,000,000×20％＝26,000,000円

∴　適用あり

②　譲渡経費の額

$3,800,000\times\frac{130,000,000}{190,000,000}=2,600,000$円

③　圧縮限度額

$117,000,000-(39,000,000+2,600,000)\times\frac{117,000,000}{117,000,000+{}^{※}13,000,000}=79,560,000$円

※　130,000,000－117,000,000＝13,000,000円

④　圧縮超過額

80,000,000－79,560,000＝440,000円

(2) 建　物

① 判　定

70,000,000－60,000,000＝10,000,000円≦70,000,000×20%＝14,000,000円

∴　適用あり

② 譲渡経費の額

$3,800,000\times\frac{60,000,000}{190,000,000}=1,200,000$円

③ 圧縮限度額

70,000,000－(28,200,000＋1,200,000＋※10,000,000)＝30,600,000円

※　70,000,000－60,000,000＝10,000,000円

④ 圧縮超過額

33,000,000－30,600,000＝2,400,000円（償却費）

2．減価償却

(1) 償却限度額

$(70,000,000-30,600,000)\times0.050\times\frac{10}{12}=1,641,666$円

(2) 償却超過額

(1,500,000＋2,400,000)－1,641,666＝2,258,334円

（単位：円）

区分		金額	留保	社外流出
加算	圧縮超過額(土地)	440,000	440,000	
	減価償却超過額(建物)	2,258,334	2,258,334	
減算				

解説

① 土地及び建物を同時に交換した場合には、土地は土地と、建物は建物と交換したものとして、計算することになります。

② 譲渡経費の額は、問題の指示にあるとおり、交換譲渡資産の時価の比により按分します。指示がない場合も同じです。

③ 土地の交換は、交換差金を取得した場合に該当し、建物の交換は、交換差金を交付した場合に該当します。

5 経理の特例（基通10－6－10）

▸▸問題集問題10

交換の圧縮記帳における経理は、原則として直接控除方式によることとされています。しかし、企業会計上は、交換取得資産の取得価額は、交換譲渡資産の帳簿価額を引き継ぐこととされていることから、税務上もこの処理を受け入れています*01)。

*01) このように、企業会計上は、利益の発生を前提としていないため、交換については、積立金方式による経理は認められていません。

(1) 経理方法

交換の圧縮記帳における経理方法は、次のいずれかの方法によります。

区分	経　理　方　法
原則	直接控除方式（損金経理により帳簿価額を減額する方法）
特例	交換譲渡資産の帳簿価額を引き継ぐ方法

(2) 会社計上の圧縮損とされる金額

経理の特例による場合には、交換差益と圧縮損が相殺されているため、圧縮損として経理された金額はありませんが、交換取得資産の時価と会社が計上した取得価額との差額を、会社が計上した圧縮損として取り扱います。

基本算式

会社計上の圧縮損＝交換取得資産の時価－会社計上の取得価額

<図解>

取得資産の時価　1,000
譲渡資産の時価　1,000
譲渡資産の譲渡直前の簿価　600

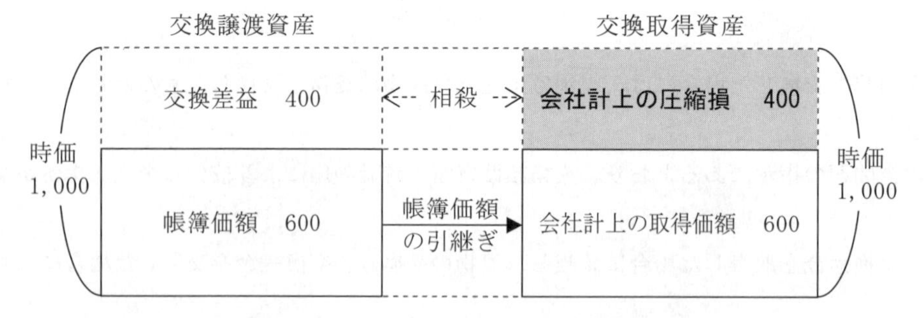

会社計上の圧縮損は、交換取得資産の時価 1,000 と会社計上の取得価額 600 との差額 400 となります。

次の資料により、当社の当期における税務上の調整を示しなさい。

⑴　当社は、令和7年9月15日にG社との間で次に掲げる土地の交換をしている。その交換資産の明細は、次のとおりである。

区　分	交換譲渡資産		交換取得資産の時価
	譲渡直前の帳簿価額	時　価	
土　地	12,000,000円	30,000,000円	35,000,000円
交換差金	—	5,000,000円	—
合　計	12,000,000円	35,000,000円	35,000,000円

⑵　交換譲渡資産及び交換取得資産は、当社及びG社が数年前に取得したものであり、交換取得資産は交換譲渡資産の譲渡直前の用途と同一の用途に供されている。

⑶　交換に当たり仲介手数料850,000円を支出し、当期の費用に計上している。

⑷　当社は、交換取得資産である土地について、交換譲渡資産である土地の譲渡直前の帳簿価額と交付した交換差金との合計額を土地の取得価額としている。

解答

⑴　判　定

35,000,000－30,000,000＝5,000,000円≦35,000,000×20％＝7,000,000円　∴　適用あり

⑵　圧縮限度額

35,000,000－(12,000,000＋850,000＋5,000,000)＝17,150,000円

⑶　会社計上の圧縮損の額

35,000,000－(12,000,000＋5,000,000)＝18,000,000円

⑷　圧縮超過額

18,000,000－17,150,000＝850,000円

(単位：円)

区	分	金　額	留　保	社外流出
加算	圧縮超過額（土地）	850,000	850,000	
減算				

解説

①　資料⑷より、経理の特例を採用していることがわかります。経理の特例が出題された場合、会社計上の圧縮損の額さえ求められれば、通常の計算と同様です。

②　会社計上の圧縮損の額は、交換取得資産の時価と会社計上の取得価額との差額になります。

Try it 交換の圧縮記帳

次の資料により、当社の当期における税務上の調整を示しなさい。

⑴　当社は、令和7年8月1日に乙社との間で次に掲げる資産の交換を行い、交換取得資産を直ちに事業の用に供している。当該交換における交換譲渡資産と交換取得資産の内訳は、次のとおりである。

区　分	交 換 譲 渡 資 産		交換取得資産
	交換直前の帳簿価額	時　価	時　価
土　地	12,976,000円	32,000,000円	30,400,000円
建　物	5,200,000円	8,000,000円	9,600,000円
合　計	18,176,000円	40,000,000円	40,000,000円

（注1）　交換譲渡資産及び交換取得資産は、いずれも当社及び乙社がそれぞれ数年前より保有していたものであり、交換取得資産は交換のために取得したものではない。

（注2）　交換取得資産は、当社において、それぞれ交換譲渡資産の譲渡直前の用途と同一の用途に供している。

⑵　当社は、譲渡経費1,040,000円（土地に係るもの704,000円及び建物に係るもの336,000円の合計額である。）を支出し、当期の費用に計上している。

⑶　当社は、交換譲渡資産の譲渡直前の帳簿価額を、交換取得資産の取得価額に付している。

⑷　当社は、交換により取得した建物（法定耐用年数50年、定額法償却率0.020）に係る減価償却費を88,000円計上している。なお、減価償却資産について償却方法の選定・届出は行っていない。

答案用紙

(1) 判　定

① 土　地

② 建　物

(2) 譲渡経費の額

① 土　地

② 建　物

(3) 圧縮限度額

① 土　地

② 建　物

(4) 圧縮超過額

① 土　地

② 建　物

2．減価償却

(1) 償却限度額

(2) 償却超過額

（単位：円）

区　分		金　額	留　保	社外流出
加算				
減算				

解答

1．圧縮記帳

⑴ 判　定

① 土　地

32,000,000－30,400,000＝1,600,000円≦32,000,000×20％＝6,400,000円　∴ 適用あり❶

② 建　物

9,600,000－8,000,000＝1,600,000円≦9,600,000×20％＝1,920,000円　∴ 適用あり❶

⑵ 譲渡経費の額

① 土　地

704,000円

② 建　物

336,000円

⑶ 圧縮限度額

① 土　地

$30,400,000-(12,976,000+704,000)\times\frac{30,400,000}{30,400,000+1,600,000}=17,404,000$円❶

② 建　物

9,600,000－(5,200,000＋336,000＋1,600,000)＝2,464,000円❶

⑷ 圧縮超過額

① 土　地

(30,400,000－12,976,000)－17,404,000＝20,000円

② 建　物

(9,600,000－5,200,000)－2,464,000＝1,936,000円❶（償却費）

2．減価償却

⑴ 償却限度額

$(9,600,000-2,464,000)\times0.020\times\frac{8}{12}=95,146$円❶

⑵ 償却超過額

(88,000＋1,936,000)－95,146＝1,928,854円

（単位：円）

区	分	金　額	留　保	社外流出
加算	圧縮超過額（土地）	❶20,000	❶20,000	
	減価償却超過額（建物）	❶1,928,854	❶1,928,854	
減算				

解説

① 土地の交換は交換差金を取得した場合に該当し、建物の交換は交換差金を交付した場合に該当します。

② 帳簿価額を引き継ぐ方法により経理されていることから、交換取得資産の時価から会社計上の取得価額を控除して会社計上の圧縮損を算定することが必要となります。

Section 5 特定資産の買換えの圧縮記帳

資産の買換えは、単なる資産の譲渡及び資産の取得に過ぎません。したがって、そこで生じた譲渡益に法人税を一時に課税することに、何の問題もありません。しかし、産業の合理的な分散配置を促進することや、土地の有効利用を促進するといった社会政策を税制の面から支援するため、租税特別措置法において圧縮記帳を認めています。買換えの圧縮記帳は、いわゆる「優遇税制」のひとつとして規定されています。
このSectionでは、買換えの圧縮記帳を学習します。

1 制度の概要（措法65の7①）

法人（清算中のものは除きます。）が、次の要件を満たす場合において、その買換資産につき、圧縮限度額の範囲内で一定の経理をしたときは、その経理した金額は、その事業年度の損金の額に算入することができます。

適用要件

① 特定の譲渡資産（棚卸資産を除きます。）の譲渡をしたこと。
② その譲渡日を含む事業年度において特定の買換資産を取得したこと。
③ その取得日から１年以内に事業の用に供したこと又は供する見込みであること。

<図解>

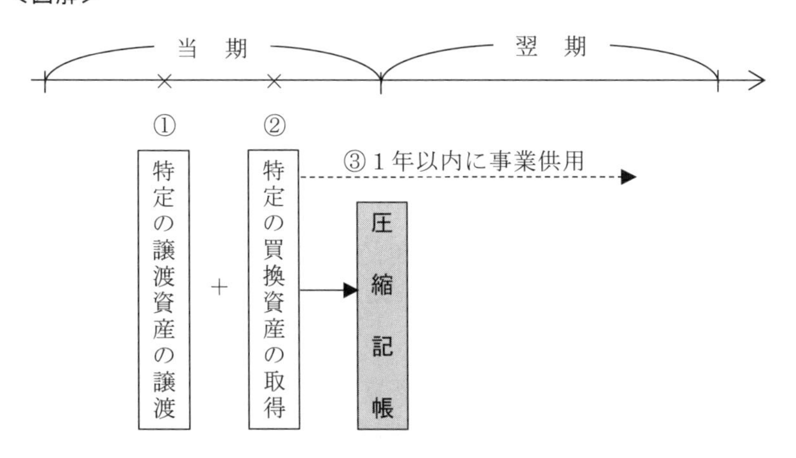

①特定の譲渡資産の譲渡をし、その譲渡対価等により②特定の買換資産の取得をし、かつ、③取得日から１年以内に事業供用した又はする見込みの場合には、その買換資産について圧縮記帳を行うことができます。

2 譲渡資産と買換資産の範囲（措法65の7①一～四）

買換えの圧縮記帳における譲渡資産及び買換資産は、その政策目的別に4種類のケースが定められています。それぞれのケースごとに、要件を満たす資産を譲渡し、要件を満たす資産を取得する必要があります。

これらのケースのうち、学習上重要な租税特別措置法第65条の7第1項第二号及び第三号の買換えにおける譲渡資産及び買換資産の範囲は、次のとおりです。

区分		内容
第二号	譲渡資産	既成市街地等[*01)]内にある次の資産 ⑴ 土地等 ⑵ 建物（附属設備を含みます。） ⑶ 構築物
	買換資産	既成市街地等内にある次の資産[*02)] ⑴ 土地等 ⑵ 建物（附属設備を含みます。） ⑶ 構築物 ⑷ 機械装置
第三号	譲渡資産	国内にある次の資産で、所有期間が10年を超えるもの ⑴ 土地等 ⑵ 建物（附属設備を含みます。） ⑶ 構築物
	買換資産	国内にある次の資産 ⑴ 土地等 ⑵ 建物（附属設備を含みます。） ⑶ 構築物

*01) すでに市街地を形成している地域をいいます。首都圏、近畿圏及び中部圏の大都市等（東京、大阪、名古屋等）が該当します。

*02) 土地等、建物、構築物、機械及び装置に限定されているため、備品や車両を取得しても適用がありません。

(注) 1　第二号の買換資産は、都市再開発法による市街地再開発事業（その施行される土地の区域の面積が五千平方メートル以上であるものに限ります。）に関する都市計画の実施に伴うものです。買換資産からは、次のもの（その敷地の用に供される土地等を含みます。）が除かれます。

・中高層耐火建築物（地上階数4階以上）以外の建物

・住宅の用に供される部分が含まれる建物（住宅の用に供される部分に限ります。）

2　第三号の買換資産となる土地等は、事務所、事業所等の施設（特定施設といいます。）の敷地の用に供されるもので、300㎡以上のものとされています。

3　第三号に規定する所有期間は、取得日の翌日から譲渡した日の属する年（暦年）の1月1日までの期間をいいます。したがって、当期において譲渡資産に該当するものは、次のものに限られます。

区　分	譲　渡　資　産
令和７年中の譲渡	平成26年12月31日以前に取得したもの
令和８年中の譲渡	平成27年12月31日以前に取得したもの

<図解>－第三号の買換え－

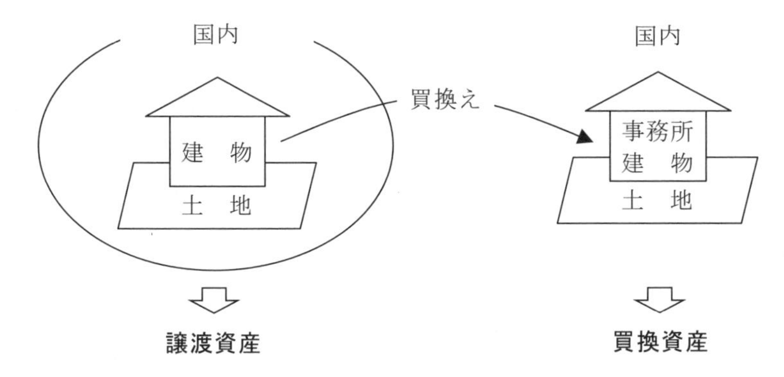

譲渡資産　　**買換資産**

第三号買換えは、景気対策や土地の流動化を図る目的で設けられた制度です。

3 圧縮限度額の計算

1．圧縮限度額（措法65の7①⑭）

買換えの圧縮記帳における圧縮限度額は、次のように計算します。

基本算式

圧縮基礎取得価額×差益割合×80%

圧縮限度額は、買換資産の取得に充てた譲渡対価の額（圧縮基礎取得価額）に利益率（差益割合）を乗じて買換資産に係る譲渡益を算定し、その譲渡益の80%相当額とされています*01)。ただし、一定の場合は、次のとおりとなります。

*01) 譲渡益の80%は圧縮記帳が可能ですが、譲渡益の20%部分は、直ちに課税されることになります。

区　分		圧縮限度額割合
第三号で譲渡資産が集中地域以外の地域内に所在	東京23区への買換え	70%
	東京23区への買換え（譲渡資産及び買換資産のいずれもが本店資産である場合）	60%
	買換資産が集中地域に所在	75%
第三号で譲渡資産が東京23区内に所在する本店資産	買換資産が集中地域以外の地域に所在する本店資産	90%
上記以外		80%

<図解>

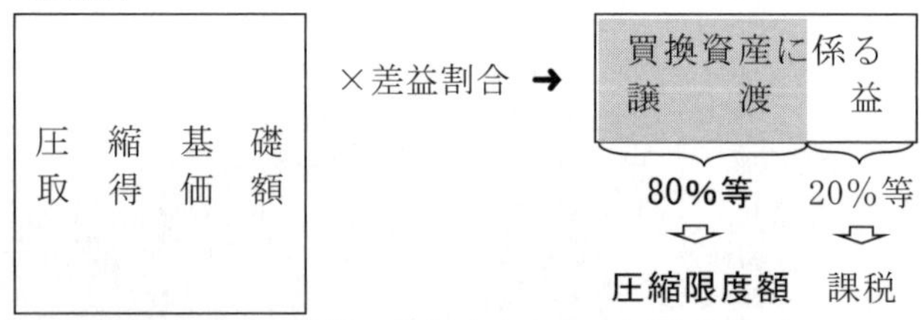

2．差益割合の計算（措法65の7⑯四）

(1) 基本算式

差益割合は、次の算式により計算します*02)。

*02) 差益割合に、端数処理はありません。割り切れない場合は分数のまま使用します（試験問題の場合、通常は割り切れます。）。

基本算式

$$\frac{\text{譲渡対価の額}-(\text{譲渡資産の譲渡直前の帳簿価額}+\text{譲渡経費の額})}{\text{譲渡対価の額}}$$

<図解>

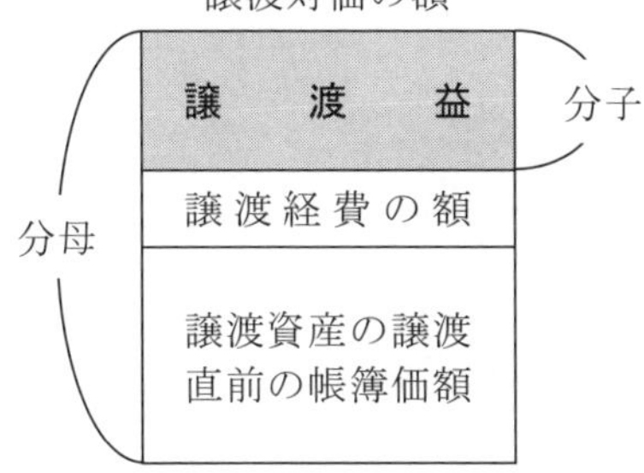

差益割合は、譲渡資産の譲渡に係る利益率です。差益割合を圧縮基礎取得価額に乗ずることによって、買換資産に係る譲渡益が算定されることになります。

⑵　譲渡資産の譲渡直前の帳簿価額

譲渡資産の譲渡直前の帳簿価額は､税務上の帳簿価額によります。したがって、譲渡資産に繰越償却超過額等の税務上の否認額がある場合には、会社計上の帳簿価額と繰越償却超過額等の合計額となります。

また、譲渡原価の額が過少に計上されているため、繰越償却超過額等の税務上の否認額を別表四で減算し、譲渡原価の額を追加計上しなければなりません。

<図解>

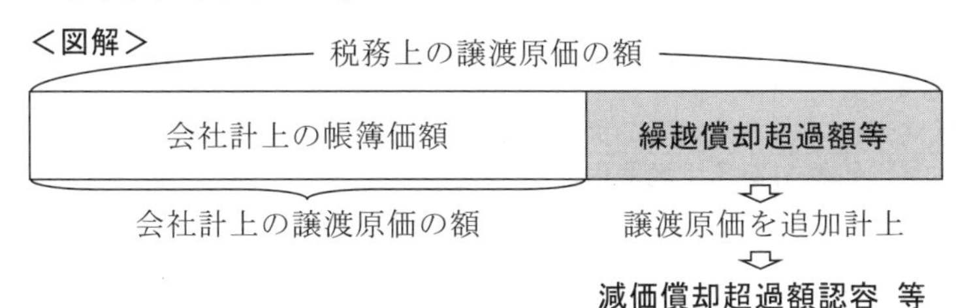

⑶　譲渡経費の範囲（措通65の7⑶－５、６）

買換えの圧縮記帳における譲渡経費とは、買換えにあたり支出した譲渡資産の譲渡に係る次の経費をいいます。

<table>
<tr><th colspan="2">譲渡経費の範囲</th></tr>
<tr><td colspan="2">①　譲渡に要したあっ旋手数料、謝礼
②　譲渡資産が建物である場合の借家人に対して支払った立退料
③　譲渡資産の測量、所有権移転に伴う諸手続等、譲渡資産を相手方に引き渡すために支出したもの</td></tr>
<tr><td>④　土地の譲渡に関する契約により､譲渡する土地の上に存する建物を取壊した場合</td><td>(イ)　建物の取壊し直前の帳簿価額
(ロ)　取壊し費用</td></tr>
</table>

Ch 1 | Ch 2 | Ch 3 | Ch 4 | Ch 5 | Ch 6 | Ch 7 | Ch 8 | Ch 9 | Ch 10 | Ch 11 | Ch 12 | Ch 13 | Ch 14 | Ch 15 | Ch 16 | Ch 17

3．圧縮基礎取得価額の計算

⑴　基本算式

圧縮基礎取得価額は、次のように計算します。

基本算式

譲渡対価の額
買換資産の取得価額 ｝いずれか少ない金額

＜図解＞

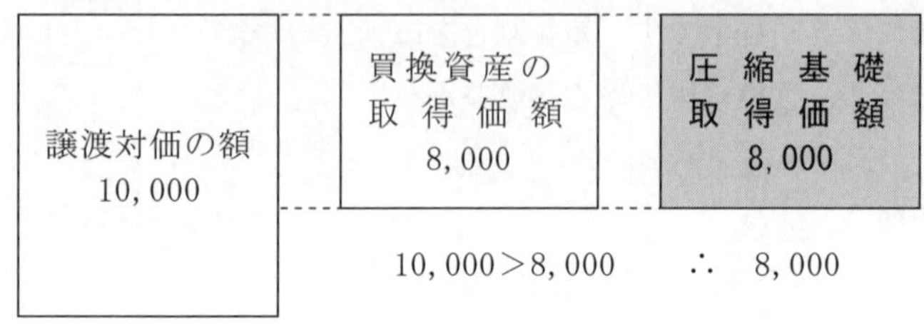

譲渡資産の譲渡対価の額のうち、買換資産の取得に充てた部分の金額を求めています。

⑵　面積制限（措法 65 の 7 ②）

買換資産である土地等の面積が、譲渡資産である土地等の面積の5倍を超えるときは、その超える部分の面積に対応する土地等は、買換資産に該当しません。つまり、圧縮記帳の対象となりません*03)。

*03) 買換えの圧縮記帳が、土地投機等に利用されることを防止するため、移転する通常の規模（5倍以内）を超える部分の土地等については、圧縮記帳を認めていません。

基本算式

$$買換資産である土地等の取得価額 \times \frac{譲渡資産である土地等の面積 \times 5}{買換資産である土地等の面積}$$

＜図解＞

譲渡した土地の面積　100㎡
取得した土地の取得価額　36,000,000円
取得した土地の面積　600 ㎡

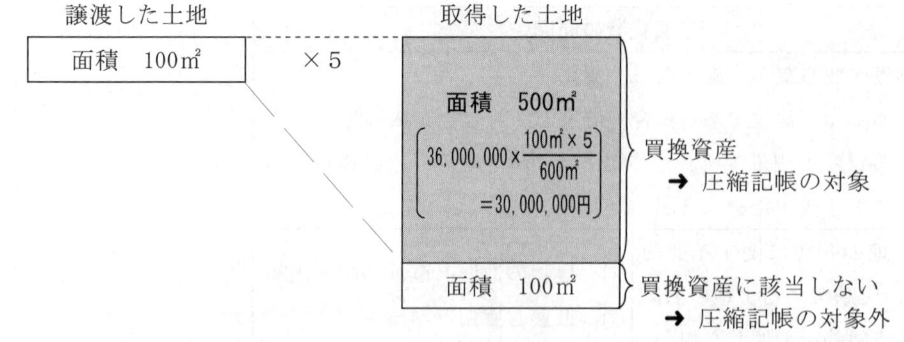

取得した土地のうち、譲渡した土地の面積の5倍を超える部分は、買換資産に該当せず、圧縮記帳の対象となりません。

設例５－１　買換えの圧縮記帳

⑴　当社は、令和７年10月３日に国内の集中地域以外の地域に所在する次の土地を譲渡している。当社は、譲渡対価の額と譲渡直前の帳簿価額との差額を当期の収益に計上している。

種　類	取　得　日	譲渡対価の額	譲渡直前の帳簿価額	面　積
土　地	平成20年10月１日	120,000,000円	57,600,000円	200㎡

⑵　当社はこの譲渡に伴い、契約の一環として土地の上に存していた建物を取壊している。その取壊した建物の取壊し直前の帳簿価額18,000,000円及び支出した取壊し費用1,500,000円については当期の費用に計上している。

⑶　当社は、令和８年２月15日に東京都千代田区に所在する土地（面積は1,200㎡である。）を150,000,000円で取得し、直ちに建物の建設に着手している。なお、建物は令和８年５月20日から事業の用に供する見込みである。

⑷　当社は、取得した土地について損金経理により35,000,000円の圧縮損を計上し、帳簿価額を直接減額している。

⑸　譲渡資産及び買換資産は、いずれも本店資産に該当する。

解答

⑴　差益割合

$$\frac{120,000,000-(57,600,000+18,000,000+1,500,000)}{120,000,000}=0.3575$$

⑵　圧縮限度額

$$120,000,000円<150,000,000\times\frac{200㎡\times5}{1,200㎡}=125,000,000円\qquad\therefore\quad120,000,000円$$

$$120,000,000\times0.3575\times60\%=25,740,000円$$

⑶　圧縮超過額

35,000,000－⑵＝9,260,000円

（単位：円）

区　分		金　額	留　保	社外流出
加算	圧縮超過額（土地）	9,260,000	9,260,000	
減算				

解説

①　買換えにより取得した資産が土地であるため、面積制限を考慮しなければなりません。譲渡した土地の面積200㎡の５倍を超える面積に対応する部分は、圧縮記帳の対象になりません。

②　契約の一環として取壊した建物の取壊し直前の帳簿価額18,000,000円及び支出した取壊し費用1,500,000円の合計額は、譲渡経費に該当します。

③　買換えの圧縮記帳は、譲渡益の100％の圧縮記帳を行うことはできません。本問の場合は、第三号買換えで、譲渡資産及び買換資産は、いずれも本店資産に該当し、集中地域以外の地域から東京23区への買換であるため、圧縮限度額の計算上、圧縮割合60％を乗ずる必要があります。

4 買換資産が複数ある場合

▶▶問題集問題11,12

1．譲渡対価の充当順位

買換資産が複数ある場合には、どの資産から順に取得したかによって、得られる効果に有利不利が生じます。したがって、圧縮基礎取得価額を計算する際には、譲渡対価の額は、次のように買換資産に充当したものと考えて、圧縮記帳を適用することになります。

充　当　順　位	
第１順位	非減価償却資産
第２順位	減価償却資産のうち耐用年数の長いもの
第３順位	減価償却資産のうち耐用年数の短いもの

＜図解＞

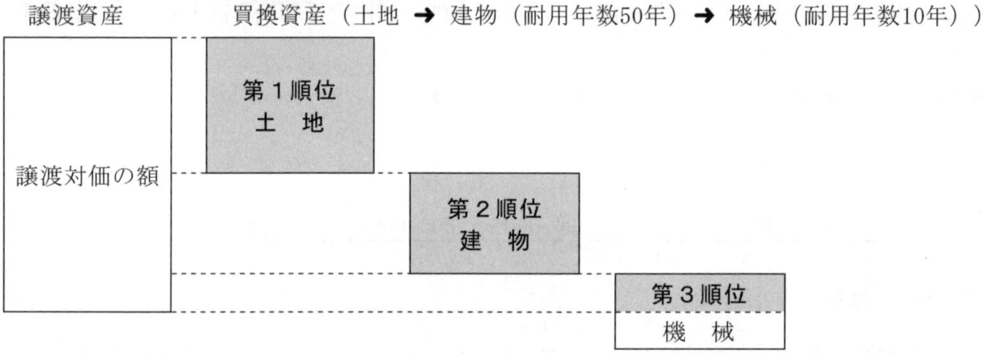

圧縮記帳が課税の繰延べという制度である点に着目すると、非減価償却資産は譲渡するまで課税が繰り延べられ、減価償却資産は減価償却を通じて耐用年数にわたって課税が繰り延べられることになります。納税者にとっては、より長く課税の繰り延べの効果を得られる方が有利な取扱いとなるため、上記のように取扱います*01)。

*01) このように充当したと考えることにより、当期の償却限度額もより多く計算されることになります。

2．圧縮基礎取得価額の計算

圧縮基礎取得価額は、譲渡対価の額と買換資産の取得価額のいずれか少ない金額となりますが、買換資産が複数ある場合には、次のように計算します。

基本算式

譲渡対価の額－既に他の買換資産の取得に充てた金額
買換資産の取得価額
} いずれか少ない金額

譲渡対価の額は、既に他の買換資産の取得に充てられている場合には、その買換資産の取得価額（土地等については面積制限考慮後の金額）を控除した残額によることになります。

次の資料により、当社の当期における圧縮限度額を計算しなさい。

⑴　当社は、令和７年10月３日に集中地域（東京23区以外の地域）に所在する次の土地を譲渡している。当社は、譲渡対価の額と譲渡直前の帳簿価額との差額を当期の収益に計上している。

種　類	取　得　日	譲渡対価の額	譲渡直前の帳簿価額	面　積
土　地	平成20年８月10日	150,000,000円	51,000,000円	100㎡

⑵　当社はこの譲渡に伴い、譲渡経費として2,910,000円を支出し、当期の費用に計上している。

⑶　当社は、令和８年２月15日に集中地域以外の地域に所在する土地（面積は600㎡である。）及び建物を180,000,000円（土地120,000,000円、建物60,000,000円の合計額である。）で取得し、直ちに事業の用に供している。

解答

⑴　差益割合

$$\frac{150,000,000-(51,000,000+2,910,000)}{150,000,000}=0.6406$$

⑵　圧縮限度額

①　土　地

$$150,000,000円>120,000,000\times\frac{100㎡\times5}{600㎡}=100,000,000円\qquad\therefore\quad 100,000,000円$$

100,000,000×0.6406×80％＝51,248,000円

②　建　物

150,000,000－100,000,000＝50,000,000円＜60,000,000円　　∴　50,000,000円

50,000,000×0.6406×80％＝25,624,000円

解説

①　本問では、複数の資産（土地と建物）を買換資産として取得しています。課税延期の効果がより長く得られるように、非減価償却資産である土地を優先的に取得し、次に減価償却資産である建物を取得したものと考えて、圧縮限度額を計算することになります。

②　圧縮基礎取得価額を求める際に、土地については面積制限を考慮しなければなりません。譲渡対価の額と比較を行う買換資産の取得価額は、面積制限を考慮した後の金額となります。

③　建物に係る圧縮基礎取得価額を算定する際に、建物の取得価額と比較を行う譲渡対価の額は、既に他の買換資産である土地（面積制限考慮後）の取得に充てた100,000,000円を控除した50,000,000円となります。

④　第三号買換えで、譲渡資産が集中地域の東京23区以外の地域に所在していたものである場合の圧縮割合は80％となります。

Ch 1 Ch 2 Ch 3 Ch 4 Ch 5 Ch 6 Ch 7 Ch 8 Ch 9 Ch 10 Ch 11 Ch 12 Ch 13 Ch 14 Ch 15 Ch 16 Ch 17

5 譲渡資産が複数ある場合

▶▶問題集問題13

1．差益割合の計算

複数の譲渡資産を譲渡している場合の差益割合は、原則として譲渡資産ごとに個別に計算することになります。ただし、実務的な簡便性を考慮して、複数の譲渡資産を区別せず、差益割合を一括して計算することも認められています。

区分	差益割合の計算	判断基準
原則	譲渡資産ごとに個別に計算する。	指示がない場合
特例	譲渡資産を一括して計算することができる*01)。	指示がある場合

*01) 特例は、一括して計算することが「できる」という規定です。簡便的ですが、納税者にとっては不利な取扱いとなるため、問題に指示がある場合に適用することになります。

差益割合を個別に計算する場合には、買換資産の取得に充てる譲渡対価の額を差益割合の大小により順位を付けて区別する必要があります。つまり、買換資産の取得に充てる譲渡対価の額にも有利不利が生じてしまうということです。

＜図解＞

差益割合を個別に計算する場合の考え方

譲渡対価の額――→使用順位

土地の譲渡対価 差益割合 0.3	第１順位 差益割合 大
建物の譲渡対価 差益割合 0.1	第２順位 差益割合 小

⇨ 差益割合の大きい方から優先的に買換資産の取得に使用したと考えます。

差益割合が大きいものから順次使用していくと、圧縮限度額が多く計算されるため、納税者にとって有利な取扱いとなります。なお、譲渡資産も買換資産も複数ある場合には、譲渡対価の使用順位と充当順位の両方を考慮して、圧縮限度額を計算することになります*02)。

*02) 例えば、差益割合の大きい譲渡対価を優先的に使用し、課税延期効果の長い非減価償却資産に優先的に充てたと考えて計算するということです。

2．譲渡経費の按分

差益割合を個別に計算する場合において、譲渡経費の額が２以上の資産の買換えに共通して支出されたときは、その譲渡経費の額は、譲渡資産の譲渡対価の額の比により配賦することになります。

基本算式

$$\text{共通経費の額} \times \frac{\text{個々の譲渡資産に係る譲渡対価の額}}{\text{譲渡対価の額の合計額}}$$

なお、差益割合を一括して計算する場合には、個々の譲渡資産に配賦する必要がないため、この計算をする必要はありません。

設例5－3　差益割合を一括して計算する場合

次の資料により、当社の当期における圧縮限度額を計算しなさい。

⑴　当社は、令和７年10月３日に集中地域に所在する次の土地及び建物（本店資産に該当せず、いずれも、所有期間は10年を超えている。）を譲渡している。当社は、譲渡対価の額と譲渡直前の帳簿価額との差額を当期の収益に計上している。

種　類	譲渡対価の額	譲渡直前の帳簿価額	面　積
土　地	150,000,000円	115,050,000円	150㎡
建　物	50,000,000円	38,000,000円	—
合　計	200,000,000円	153,050,000円	—

⑵　当社はこの譲渡に伴い、仲介手数料として5,970,000円を支出し、当期の費用に計上している。

⑶　当社は、令和７年11月15日に集中地域以外の地域に所在する土地（面積は1,000㎡である。）を160,000,000円で取得し、その土地の上に60,000,000円で建物を建設し、令和８年３月20日より事業の用に供している。なお、上記の他に買換資産を取得する見込みはない。

⑷　差益割合は、一括して計算するものとする。

解答

⑴　差益割合

$$\frac{200,000,000-(153,050,000+5,970,000)}{200,000,000}=0.2049$$

⑵　圧縮限度額

①　土　地

$$200,000,000円>160,000,000\times\frac{150㎡\times 5}{1,000㎡}=120,000,000円 \qquad \therefore\ 120,000,000円$$

120,000,000×0.2049×80％＝19,670,400円

②　建　物

200,000,000－120,000,000＝80,000,000円＞60,000,000円　　∴　60,000,000円

60,000,000×0.2049×80％＝9,835,200円

解説

譲渡資産が複数ありますが、差益割合を一括して計算する指示（問題⑷の資料）があるため、その指示に従って解答することになります。このように、差益割合を一括して計算する場合には、譲渡資産が複数あっても、買換資産が複数ある場合の計算と同様の計算になります。

設例5－4　差益割合を個別に計算する場合

次の資料により、当社の当期における圧縮限度額を計算しなさい。

⑴　当社は、令和７年10月３日に集中地域に所在する次の土地及び建物（本店資産に該当せず、いずれも、所有期間は10年を超えている。）を譲渡している。当社は、譲渡対価の額と譲渡直前の帳簿価額との差額を当期の収益に計上している。

種　類	譲渡対価の額	譲渡直前の帳簿価額	面　積
土　地	150,000,000円	115,050,000円	150㎡
建　物	50,000,000円	38,000,000円	—
合　計	200,000,000円	153,050,000円	—

⑵　当社はこの譲渡に伴い、仲介手数料として5,970,000円を支出し、当期の費用に計上している。

⑶　当社は、令和７年11月15日に集中地域以外の地域に所在する土地（面積は1,000㎡である。）を160,000,000円で取得し、その土地の上に60,000,000円で建物を建設し、令和８年３月20日より事業の用に供している。なお、上記の他に買換資産を取得する見込みはない。

解答

⑴　譲渡経費の額

①　土　地

$$5,970,000\times\frac{150,000,000}{150,000,000+50,000,000}=4,477,500円$$

②　建　物

$$5,970,000\times\frac{50,000,000}{150,000,000+50,000,000}=1,492,500円$$

⑵　差益割合

①　土　地

$$\frac{150,000,000-(115,050,000+4,477,500)}{150,000,000}=0.20315$$

②　建　物

$$\frac{50,000,000-(38,000,000+1,492,500)}{50,000,000}=0.21015$$

⑶　圧縮限度額

①　土　地

(イ)　$50,000,000円<160,000,000\times\frac{150㎡\times5}{1,000㎡}=120,000,000円$　　∴　50,000,000円

50,000,000×0.21015×80％＝8,406,000円

(ロ)　150,000,000円＞120,000,000－50,000,000＝70,000,000円　　∴　70,000,000円

70,000,000×0.20315×80％＝11,376,400円

(ハ)　8,406,000＋11,376,400＝19,782,400円

②　建　物

150,000,000－70,000,000＝80,000,000円＞60,000,000円　　∴　60,000,000円

60,000,000×0.20315×80％＝9,751,200円

解説

① 差益割合を一括して計算する指示がないため、原則どおり差益割合は個別に計算することになります。

② 差益割合の計算の結果、建物の差益割合の方が大きいため、建物の譲渡対価の額を優先的に使用することになります。なお、買換資産は、土地と建物ですが、非減価償却資産である土地を優先して取得したものと考えます。

③ 圧縮限度額は、次のように計算されています。

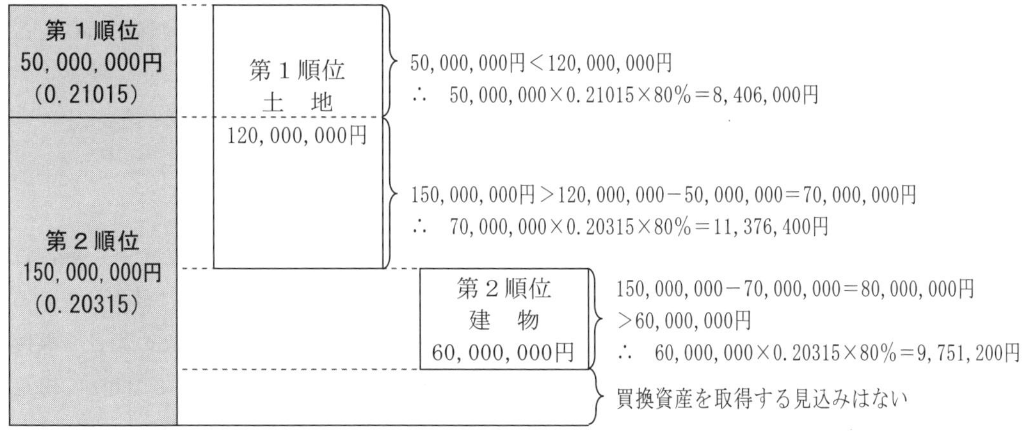

*01) 土地の取得価額は面積制限考慮後の金額です。

④ 設例５－３と設例５－４は、同じ数値を使った設例です。異なるのは、設例５－３は差益割合を一括して計算するケースであり、設例５－４は差益割合を個別に計算するケースであるという点のみです。

それぞれの設例における買換資産である土地と建物の圧縮限度額の合計額は、次のとおりです。

> 設例５－３（差益割合を一括して計算）
> 19,670,400＋9,835,200＝29,505,600 円
> 設例５－４（差益割合を個別に計算）
> 19,782,400＋9,751,200＝29,533,600 円

したがって、同じ条件である場合には、差益割合を個別に計算した方が、圧縮限度額は多く計算されることになるため、特に指示がない場合には、差益割合は個別に計算することになります。

Try it 買換えの圧縮記帳

次の資料により、当社の当期における税務上の調整を示しなさい。

⑴　当社は、令和８年２月17日に集中地域に所在する当社所有の次の土地（本店資産に該当しない。）を不動産会社に譲渡している。

種　類	取　得　日	譲渡対価の額	譲渡直前の帳簿価額	面　積
土　地	平成18年４月15日	81,000,000円	40,500,000円	1,000㎡

⑵　当社は、この土地の譲渡に伴い、この土地の上に存していた倉庫用建物を取り壊しており、その帳簿価額及び取壊費用その他譲渡に要した経費の合計額2,025,000円を当期の費用に計上している。

⑶　当社は令和８年３月10日に⑴の譲渡代金に手持資金を加えて、集中地域以外の地域に所在する次の土地及びその上に存する倉庫用建物を取得し、直ちに事業の用に供している。

種　類	取　得　日	購入代価の額	面　積
土　　地	令和８年３月 10 日	67,500,000円	6,000㎡
倉庫用建物	令和８年３月 10 日	34,200,000円	—

⑷　当社は上記の買換えに伴い、取得資産の購入代価の額を取得価額として付すとともに、譲渡資産の譲渡対価の額と譲渡直前の帳簿価額との差額を固定資産売却益として当期の収益に計上している。また、当社は、この買換えについて租税特別措置法第65条の７《特定の資産の買換えの場合の課税の特例》の規定の適用を受けることとし、損金経理により圧縮損として土地について31,500,000円及び倉庫用建物について9,000,000円計上するとともに、倉庫用建物について償却費として88,200円を計上している

⑸　当社は、減価償却資産の償却方法につき、定額法を選定し届け出ている。なお、償却率等の資料は次のとおりである。

耐用年数	定額法償却率
24年	0.042

答案用紙

1．圧縮記帳

(1) 差益割合

(2) 圧縮限度額

① 土　地

② 倉庫用建物

(3) 圧縮超過額

① 土　地

② 倉庫用建物

2．減価償却

(1) 償却限度額

(2) 償却超過額

（単位：円）

区　分		金　額	留　保	社外流出
加算				
減算				

解答

1．圧縮記帳

⑴ 差益割合

$$\frac{81,000,000-(40,500,000+2,025,000)}{81,000,000}=0.475$$❶

⑵ 圧縮限度額

① 土　地

81,000,000円❶＞67,500,000×$\frac{1,000m^2 \times 5}{6,000m^2}$＝56,250,000円❶　∴　56,250,000円

56,250,000×0.475×80％＝21,375,000円❶

② 倉庫用建物

81,000,000－56,250,000＝24,750,000円＜34,200,000円❶　∴　24,750,000円

24,750,000×0.475×80％＝9,405,000円❶

⑶ 圧縮超過額

① 土　地

31,500,000－21,375,000＝10,125,000円❶

② 倉庫用建物

9,000,000－9,405,000＝△405,000円 → 0

2．減価償却

⑴ 償却限度額

(34,200,000－9,000,000)×0.042×$\frac{1}{12}$＝88,200円❶

⑵ 償却超過額

88,200－88,200＝0（調整なし）

（単位：円）

区　分		金　額	留　保	社外流出
加算	土地圧縮超過額	❶10,125,000	❶10,125,000	
減算				

解説

① 買換資産が複数ある場合には、非減価償却資産である土地から優先的に取得したものとして圧縮限度額を計算していきます。

② 倉庫用建物の償却限度額の計算上、取得価額から控除する金額は、損金の額に算入された圧縮額であるため、会社計上圧縮額と圧縮限度額のいずれか少ない金額となります。

Chapter 13

棚卸資産等

Section 1 棚卸資産

法人税法では、損金の額に算入すべき売上原価の額は、「収益に係る」原価の額と規定されています。しかし、取引が複雑化した今日では、個々の取引ごとに売上原価を把握することは困難であり、当期の総売上に対する総売上原価として確定するという考え方を採っています。その売上原価の算定の基礎となるのが取得価額であり、期末評価額です。

このSectionでは、棚卸資産の期末評価を学習します。

1 概　要

1．企業会計と税務の比較

法人税法上の棚卸資産の範囲は、企業会計上の棚卸資産の範囲とほぼ同様のものとなっていますが、トレーディング目的で保有するものについては、棚卸資産とは別の種類の資産（短期売買商品）として、その取扱いが規定されています。

企業会計上の区分	税務上の区分	税務上の評価方法
通常の販売目的で保有する棚卸資産	棚　卸　資　産	原価法又は低価法
トレーディング目的で保有する棚卸資産	短期売買商品	時価法

棚卸資産についての企業会計上の処理と税務上の処理が著しく異なることになると、法人の事務負担が増大し、好ましくありません。したがって、法人税法においても、基本的には企業会計と同様の処理となるように規定が整備されています。

2．基本的な考え方

法人税法では、損金の額に算入すべき原価の額は、「その事業年度の収益に係る」売上原価等の額と規定しています。したがって、棚卸資産については、売上原価の額が損金の額に算入されることになります。

この売上原価の額は、個々の売上に対応する個々の売上原価を日々把握していくことが困難であることから、棚卸資産の期末評価を通じて、当期の売上に対応する売上原価を確定させていくことになります。

この考え方を算式で示すと、次のようになります。

基本算式[*01)]

当期の売上原価の額＝期首棚卸資産＋当期仕入高－期末棚卸資産
　　　　　　　　　　前期末評価額　取得価額　当期末評価額

*01) 算式上、期首棚卸高は、前期の期末評価により確定しており、当期仕入高は基本的に外部取引ですから、金額は確定します。つまり、当期の期末棚卸高を決定すれば、売上原価の額も確定するという関係になっているということです。

売上原価の額は、費用収益対応の原則に基づいて当期の売上との対応関係により、当期の損金の額に算入されるものです。その売上原価の額の決定は、棚卸資産の期末評価を基礎に行うことになります。

<図解>

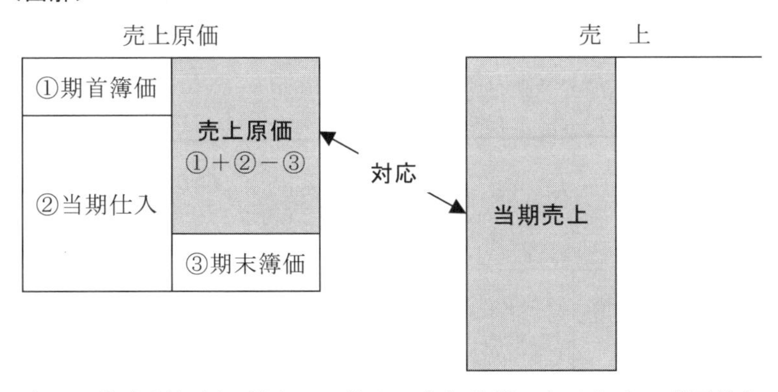

なお、期末評価額の算定は、法人の内部計算であるため、意図的な操作も容易にできてしまいます。そこで、課税の公平を図るため、法人税法では、期末評価額の計算やその算定の基礎となる取得価額について規定を設けています。

2 棚卸資産の意義（法2二十、令10）

棚卸資産とは、商品、製品、半製品、仕掛品、原材料その他の資産で棚卸しをすべきものとして次のもの（有価証券及び短期売買商品、暗号資産は除きます。）をいいます*01)。

範　囲

⑴　商品又は製品（副産物及び作業くずを含む。）
⑵　半製品
⑶　仕掛品（半成工事を含む。）
⑷　主要原材料
⑸　補助原材料
⑹　消耗品で貯蔵中のもの
⑺　⑴から⑹までの資産に準ずるもの

*01) 企業会計における通常の販売目的で保有する棚卸資産の概念とほぼ一致していますが、有価証券については、たとえ商品としての有価証券であっても含まれません（有価証券の評価の規定が適用されます。）。

3 棚卸資産の期末評価（法29、令28①）

▸▸問題集問題1,2

1．取扱い

その事業年度の損金の額に算入する売上原価の額の算定の基礎となる期末棚卸資産の価額は、その内国法人が選定した評価方法により評価した金額とされています。

<図解>

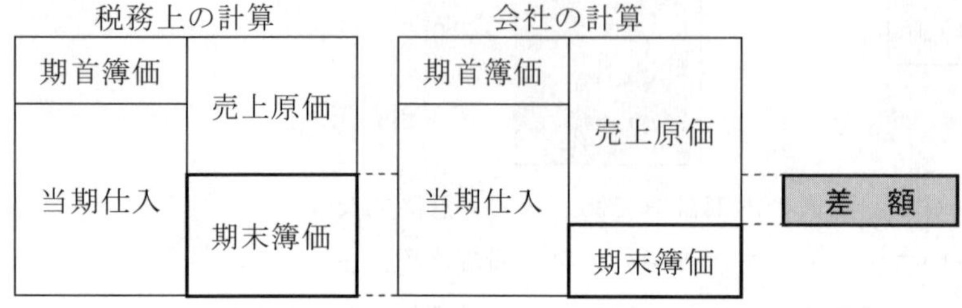

このように、税務上の期末帳簿価額と会社計上の期末帳簿価額との間に差額が生じている場合には、その差額は、売上原価の額の差となっているため、別表四において次の税務調整が必要となります。

基本算式

⑴　会社計上の簿価

⑵　税務上の簿価

⑶　過大計上又は計上もれ

⑴－⑵ ➜ 棚卸資産過大計上（減算留保）

⑵－⑴ ➜ 棚卸資産計上もれ（加算留保）

2．評価方法

棚卸資産の期末評価額は、次の方法のうち内国法人が選定した評価方法により評価した金額とされます。なお、内国法人が評価方法を選定しなかった場合又は選定した評価方法により評価しなかった場合には、最終仕入原価法により算出した取得価額による原価法（法定評価方法）で評価します。

⑴　**原価法**

期末棚卸資産につき次の方法のうちいずれかの方法によって算出した取得価額をもって期末棚卸資産の評価額とする方法をいいます。

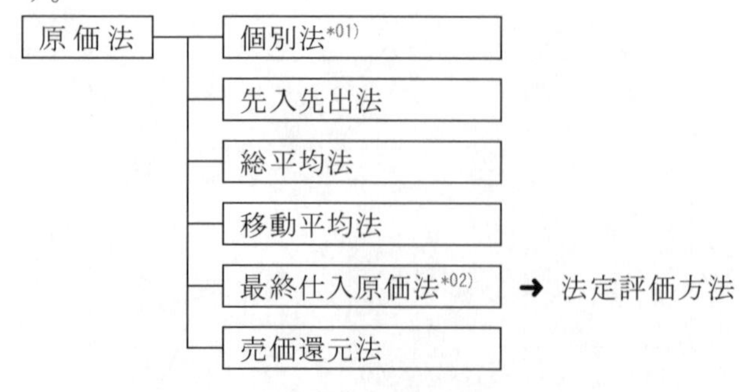

*01) 個々の取得価額をそのまま期末評価額とする方法で、不動産販売業者の土地や宝石、書画、骨とう等に用いられます。

*02) 期末に最も近い時に取得したものの単価をその一単位当たりの取得価額として評価する方法です。

⑵ 低価法

期末棚卸資産をその種類等の異なるごとに区別し、その種類等の同じものについて、原価法評価額と期末時価[*03]とのうちいずれか低い価額をもって期末棚卸資産の評価額とする方法をいいます。

*03) 棚卸資産を商品又は製品として売却するものとした場合の売却可能価額から見積販売直接経費等を控除した「正味売却価額」によります。

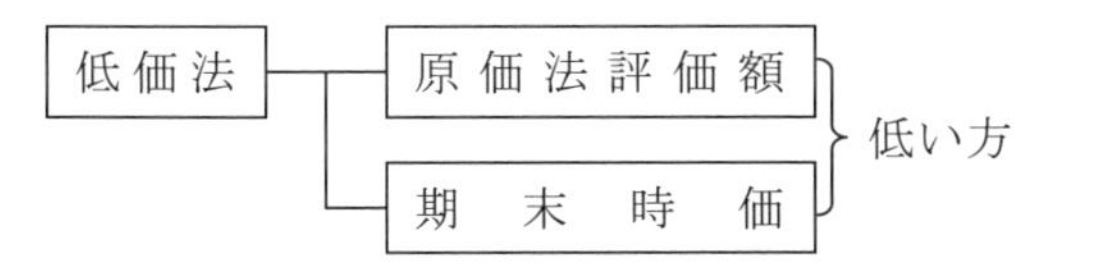

設例1－1　棚卸資産の期末評価

次の資料により、当社の当期における税務上の調整を示しなさい。

⑴ A商品の当期における受払の状況は、次のとおりである。

摘要	受入			払出	残高
	数量	単価	金額	数量	数量
前期繰越	500個	1,800円	900,000円		500個
仕入	150個	1,600円	240,000円		650個
売上				100個	550個
仕入	250個	1,500円	375,000円		800個
売上				200個	600個
仕入	100個	1,750円	175,000円		700個
売上				150個	550個

⑵ 当期末におけるA商品の帳簿価額は880,000円であり、1個当たりの時価は1,730円である。

⑶ 当社は、棚卸資産の評価方法について、選定の届出を行っていない。

解答

⑴ 会社計上の簿価

880,000円

⑵ 税務上の簿価

1,750×550＝962,500円

⑶ 計上もれ

962,500－880,000＝82,500円

(単位：円)

区分		金額	留保	社外流出
加算	A商品計上もれ	82,500	82,500	
減算				

解説

① 当社は、評価方法を選定していないため、法定評価方法である最終仕入原価法により算出した取得価額による原価法で評価します。したがって、最終の仕入単価である1,750円で期末残高である550個を評価することになります。

② 本問では、会社計上の簿価が税務上の簿価より少ない（売上原価が過大に計上されている。）ため、別表四で加算調整が必要になります。

3．評価方法の選定と変更

⑴ 評価方法の選定

棚卸資産の評価方法は原価法と低価法があり、原価法はさらに6種類に分かれていますが、いずれの方法によるかは、法人が任意に選定することができます。選定した評価方法は、通常、設立事業年度の確定申告書の提出期限までに納税地の所轄税務署長に届け出ることとされています。

⑵ 評価方法の変更

① 申　請

評価方法を変更しようとするときは、新たな評価方法を採用しようとする事業年度開始日の前日までに「変更承認申請書」を納税地の所轄税務署長に提出し、承認を受けなければなりません。

② 自動承認

変更承認申請書を期限までに提出し、新たな評価方法を採用しようとする事業年度終了日までに処分の通知がないときは、その日に承認があったものとみなされ、評価方法の変更が認められます。

＜図解＞

当期から変更しようとする場合

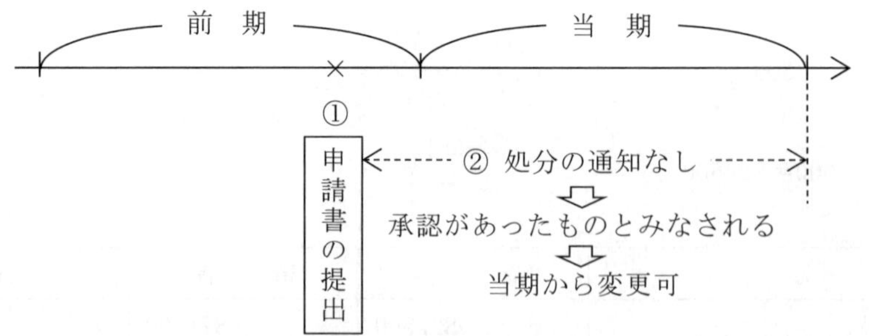

①前期末までに申請書を提出し、②当期末までに処分の通知がなかった場合には、当期より変更後の評価方法により評価することが認められます。

4 棚卸資産の取得価額（令32）

棚卸資産の取得価額は、期末評価額の計算の基礎となるものであるため、その取得形態に応じて規定が設けられています。

棚卸資産の取得価額は、原則として、次のそれぞれの金額とその資産を消費し又は販売の用に供するために直接要した費用の額の合計額となります。

取得形態	取得価額
購入した場合	購入代価＋購入費用
自己が製造等した場合	原材料費＋労務費＋経費の額
交換、贈与等により取得した場合	取得時における取得のために通常要する価額

次の資料により、当社の当期における税務上の調整を示しなさい。

(1)　当期中のA商品の受入れ及び払出しの状況は、次のとおりである。

年　月　日	受入			払出	残高
	数　量	単　価	金　額	数　量	数　量
前期繰越	3,000個	1,100円	3,300,000円		3,000個
令和7年4月15日	2,000個	980円	1,960,000円		5,000個
令和7年8月12日				2,750個	2,250個
令和7年11月20日	1,500個	1,110円	1,665,000円		3,750個
令和8年1月16日				1,960個	1,790個
令和8年2月14日	2,200個	1,160円	2,552,000円		3,990個

(2)　当社は、A商品の期末帳簿価額として4,700,000円を付している。なお、A商品の当期末における時価は@1,000円である。

(3)　当社は、棚卸資産について、評価方法の選定の届出を行っていない。

答案用紙

(1)　期末評価方法

(2)　期末評価

①　会社計上の簿価

②　税務上の簿価

③　過大計上

(単位：円)

区　分		金　額	留　保	社外流出
加算				
減算				

解答

⑴　期末評価方法

最終仕入原価法による原価法❶

⑵　期末評価

①　会社計上の簿価

4,700,000円❶

②　税務上の簿価

1,160×3,990個＝4,628,400円❶

③　過大計上

①－②＝71,600円❶

(単位：円)

区　分		金　額	留　保	社外流出
加算				
減算	棚卸資産過大計上	❸71,600	❸71,600	

解説

評価方法の選定の届出を行っていないことから、法定評価方法である最終仕入原価法により算出した取得価額による原価法で評価します。

Section 2

短期売買商品等

企業会計では、トレーディング目的で保有する棚卸資産は、時価で評価され、評価差額は当期の損益として処理することとされています。このような棚卸資産を法人税法では短期売買商品といい、企業会計と同様に時価評価をすることになります。
このSectionでは、短期売買商品の譲渡損益等の取扱いを学習します。

1 短期売買商品の意義（法61①）

短期的な価格の変動を利用して利益を得る目的で取得した資産として次のもの（有価証券を除く。）をいいます。

範　囲

⑴　内国法人が取得した金、銀、白金その他の資産のうち、短期売買目的で行う取引に専ら従事する者が短期売買目的でその取得の取引を行ったもの*01)（専担者売買商品）

⑵　取得日において短期売買目的で取得したものである旨を帳簿書類に記載したもの*02)（⑴を除く。）

短期売買商品は、当初から加工や販売の努力を行うことなく単に市場価格の変動により利益を得る目的で保有する資産です*03)。譲渡損益の計算に加え、期末においては時価評価を行うこととなります。

したがって、税務上は「譲渡損益」及び「期末評価」の取扱いについて、規定を置いています。

*01) トレーディング業務を日常的に行う専門の担当者や専門部署により運用されている場合の金銀等が該当します。

*02) 専門の担当者や専門部署がない法人であっても、勘定科目を「投資棚卸資産」とするなど、他の目的で取得した資産と区分して帳簿書類に記載したものについては短期売買商品に該当します。

*03) 具体的には、トレーディング目的で保有する金、銀、白金及びパラジウム等が該当します。

2 短期売買商品等*01)の譲渡損益（法61①）

1．取扱い（法61①）

内国法人が短期売買商品等の譲渡をした場合には、その譲渡に係る譲渡利益額又は譲渡損失額は、その譲渡契約日の属する事業年度の益金の額又は損金の額に算入します。

*01) 暗号資産も短期売買商品と同じ取扱いであり、暗号資産も含めて、短期売買商品等と定義づけされています。

2．譲渡損益の計算

⑴　計上時期

短期売買商品等の譲渡損益は、原則としてその譲渡契約日の属する事業年度の益金の額又は損金の額に算入します。

⑵　譲渡利益額又は譲渡損失額

短期売買商品等に係る譲渡利益額又は譲渡損失額は、次のように計算します。

基本算式

譲渡利益額＝譲渡対価の額－譲渡原価の額　➜　益金算入

譲渡損失額＝譲渡原価の額－譲渡対価の額　➜　損金算入

短期売買商品等に係る譲渡損益は、譲渡対価の額[*02]と譲渡原価の額の差額として計算しますが、譲渡原価の額の計算は内部計算であるため、その計算方法等について次のように規定されています。

*02) 正確には、その短期売買商品等の譲渡時の有償によるその譲渡により通常得べき対価の額となります。

⑶ 譲渡原価の額の計算

① 譲渡原価の額

その譲渡原価の額は、次の算式により計算します。

> **基本算式**
> **1単位当たりの帳簿価額×譲渡数量**

② 帳簿価額の算出方法

1単位当たりの帳簿価額は、次の方法のうち、法人が選定した方法により算出することになります。なお、法人が帳簿価額の算出方法を選定しなかった場合又は選定した算出方法により算出しなかった場合には移動平均法（法定算出方法）により算出した金額によります。

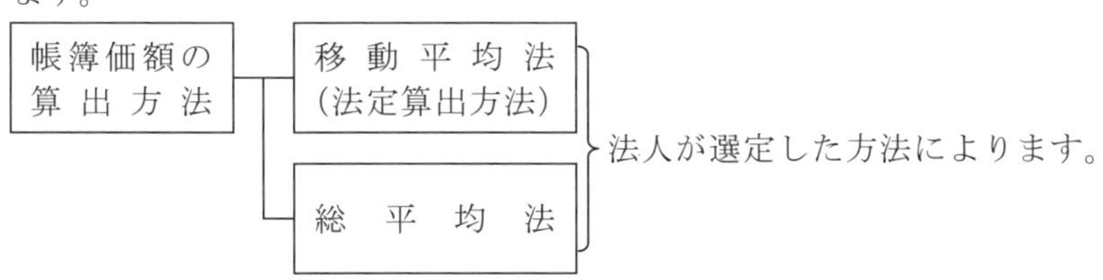

⑷ 別表四上の調整

譲渡原価の額が確定すると、同時に期末帳簿価額も確定します。法人税の計算では、期末帳簿価額が正しく計算されていれば、譲渡原価の額も正しく計算されていると考えます。したがって、会社計上の期末帳簿価額と税務上の期末帳簿価額との間に差額が生じている場合には、その差額は、譲渡原価の額の差となっています。

<図解>

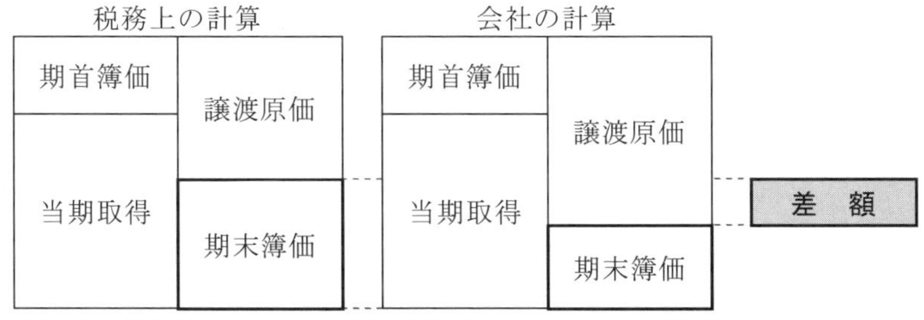

この差額については、別表四において、正しい譲渡原価の額に修正する次の税務調整が必要となります。

> **基本算式**
> ⑴ 会社計上の簿価
> ⑵ 税務上の簿価
> ⑶ 過大計上又は計上もれ
> ⑴−⑵ ➜ 短期売買商品（等）過大計上（減算留保）
> ⑵−⑴ ➜ 短期売買商品（等）計上もれ（加算留保）

3 短期売買商品等の期末評価

▶▶問題集問題3,4

1．期末評価（法61②）

内国法人が事業年度終了時において有する短期売買商品等については、時価法により評価した金額をもって、期末評価額とします*01)。

*01) トレーディング目的で保有する棚卸資産について、時価評価する企業会計との調整上、法人税法でも時価法により評価することとされています。なお、暗号資産については、活発な市場が存在するものに限り、時価評価（一定の暗号資産については、原価法と時価法の選択又は原価法による評価）を行っていきます。

2．時価法の意義

時価法とは、期末に有する短期売買商品等をその種類等の異なるごとに区別し、その種類等ごとに、期末時の価額をもって期末評価額とする方法です。

時価法を適用する場合の「期末時の価額（時価）」は、原則として次の価格によります。

⑴ **原　則** 期末日の最終の売買の価格*02) ⑵ **⑴がない場合** 期末日の最終の気配相場の価格*03) ⑶ **⑴⑵のいずれもない場合** 期末日前で、その期末日に最も近い日の最終の売買の価格又は最終の気配相場の価格を基礎とした合理的な方法により計算した金額

*02) 期末日の最後に売買された実際の取引価格です。

*03) 売り手が売りたい価格（売り気配）と買い手が買いたい価格（買い気配）を反映した人気相場のことをいいます。売り気配と買い気配の両方がある場合には、売り気配と買い気配の中値とされます。

<図解>

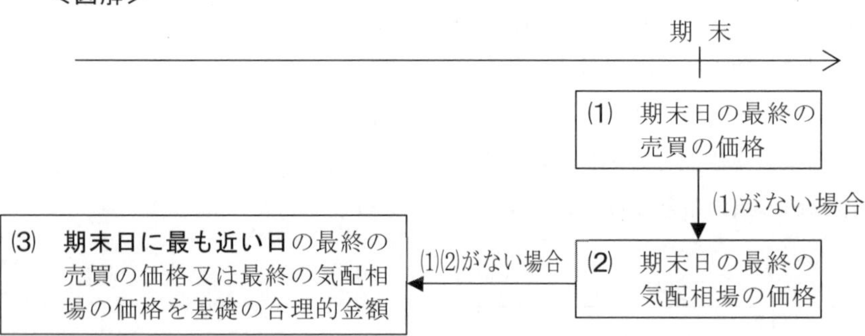

3．評価損益の計算（法61③）

⑴ **取扱い**

内国法人が事業年度終了時において短期売買商品等を有する場合には、その短期売買商品等に係る評価益又は評価損は、その事業年度の益金の額又は損金の額に算入します。

⑵ **評価損益**

短期売買商品等に係る評価益又は評価損は、次のように計算します。

基本算式

評価益＝時価評価金額－期末帳簿価額 ➔ 益金算入

評価損＝期末帳簿価額－時価評価金額 ➔ 損金算入

譲渡損益の計算を行った後、時価評価をすることになりますが、税務上の期末帳簿価額と期末時価との差額が評価損益となるため、税務調整は次のように行います。

基本算式
(1) 税務上の簿価
(2) 時価評価金額
(3) 計上もれ
(1)−(2) ➔ 短期売買商品（等）評価損計上もれ（減算留保）
(2)−(1) ➔ 短期売買商品（等）評価益計上もれ（加算留保）

＜図解＞

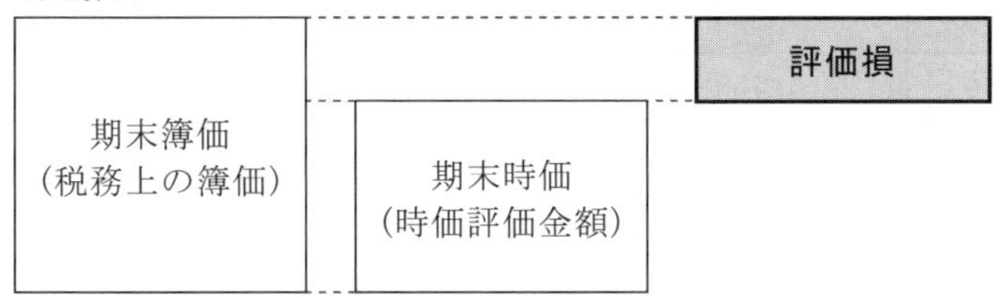

(3) 翌事業年度の処理

(1)によりその事業年度の益金の額又は損金の額に算入した評価益又は評価損は、その事業年度の翌事業年度の損金の額又は益金の額に算入します。

つまり、時価法による評価損益は、翌期において洗替え処理を行うことになります。

＜図解＞

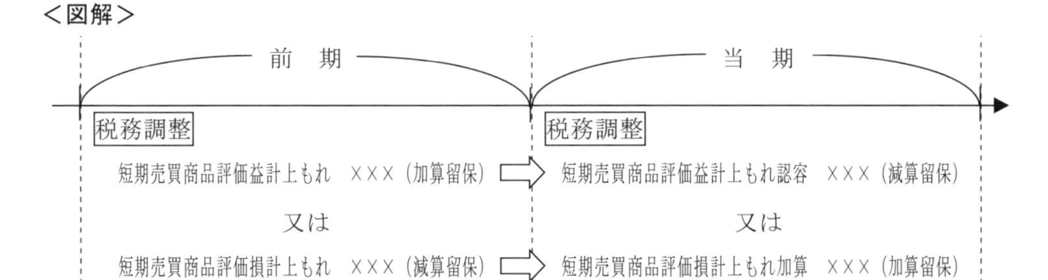

4 短期売買商品等の取得価額（令118の5）

短期売買商品等の取得価額は、その取得形態に応じて次のように規定されています。

取得形態	取得価額
購入した場合	購入代価＋購入費用
交換、贈与等により取得した場合	取得時における取得のために通常要する価額

設例２－１　　短期売買商品

次の資料により、当社の当期における税務上の調整を示しなさい。

⑴　当社は、以前より金の売買取引を行っているが、当期における取得・譲渡の状況は次のとおりである。

日　付	取　得			譲　渡	残　高
	数　量	単　価	金　額		
令和７年４月１日	2,000 g	4,180円	8,360,000円		2,000 g
令和７年５月18日				1,000 g	1,000 g
令和７年８月12日	3,000 g	4,140円	12,420,000円		4,000 g
令和７年11月25日				2,000 g	2,000 g
令和８年２月10日	1,000 g	4,500円	4,500,000円		3,000 g
令和８年３月25日	2,000 g	4,450円	8,900,000円		5,000 g

（注）当期末における時価は、１ｇ当たり4,300円となっている。

⑵　当社は、上記の資産について「投資棚卸資産」勘定で処理しており、当期末における同勘定の残高は20,900,000円を計上している。なお、期末における評価損益の計上は行っていない。

⑶　当社は、短期売買商品の１単位当たりの帳簿価額の算出方法について、何ら選定の届出を行っていない。

解答　１．譲渡損益

⑴　会社計上の簿価

20,900,000円

⑵　税務上の簿価

①　$\frac{4,180 \times 1,000 + 12,420,000}{1,000 + 3,000} = 4,150$円

②　4,150×2,000＋4,500,000＋8,900,000＝21,700,000円

⑶　計上もれ

21,700,000－20,900,000＝800,000円

２．評価損益

⑴　税務上の簿価

21,700,000円

⑵　時価評価金額

4,300×5,000＝21,500,000円

⑶　計上もれ

21,700,000－21,500,000＝200,000円

（単位：円）

区　　分		金　　額	留　　保	社外流出
加算	短期売買商品計上もれ	800,000	800,000	
減算	短期売買商品評価損計上もれ	200,000	200,000	

解説

① 当社は、金の売買取引を「投資棚卸資産」勘定で処理していることから、この金は、短期売買商品に該当します。

② 当社は、1単位当たりの帳簿価額の算出方法を選定していないため、法定算出方法である移動平均法により帳簿価額を計算します。

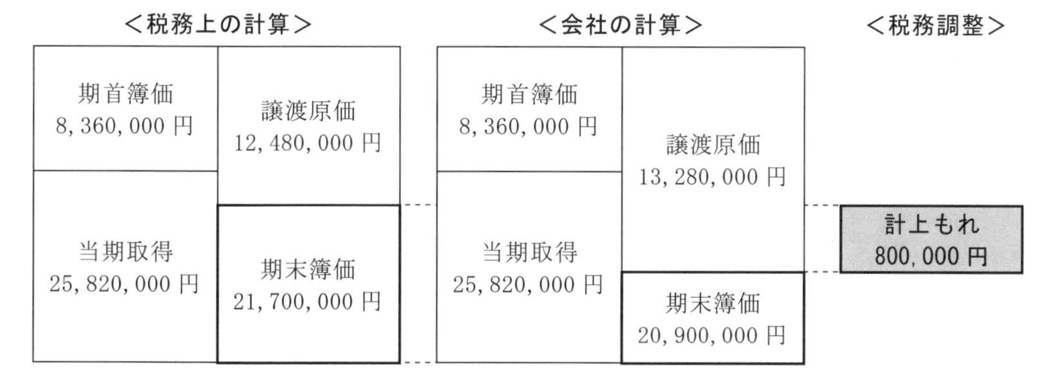

税務上の期末帳簿価額と会社計上の期末帳簿価額との差額は、譲渡原価の額の差額であることから、別表四で、正しい譲渡原価の額に修正する税務調整を行います。

③ 短期売買商品は、時価法により評価します。

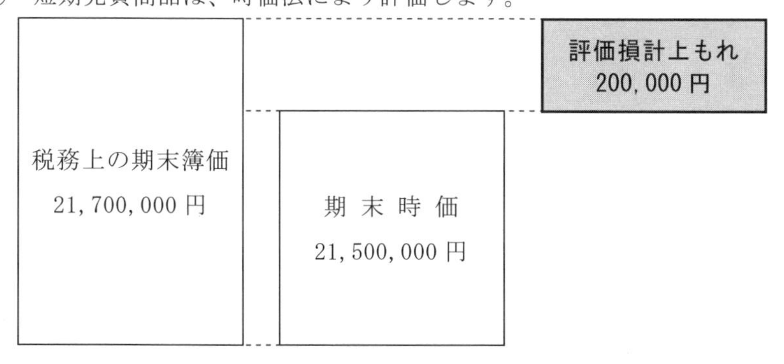

税務上の期末帳簿価額と時価評価金額の差額が、税務上の評価損となりますが、当社は評価損益の計上を行っていないため、別表四で、評価損益を認識する税務調整を行います。

④ 本問では、別表四において、短期売買商品計上もれ（譲渡損益に関する調整）と短期売買商品評価損計上もれ（評価損益に関する調整）の税務調整が行われていますが、前者は翌期において洗替え処理はないものであり、後者は翌期に洗替え処理が必要なものです。取扱いが異なる調整であるため、加算調整と減算調整を相殺することはできません。

Chapter 14

有価証券等

Section 1 有価証券の譲渡損益

有価証券の譲渡を行った場合には、その譲渡損益は、益金又は損金の額に算入されます。その際に、譲渡原価を算定することになりますが、その算定は法人の内部計算であり、課税の公平を図るため譲渡原価の算出方法やその基礎となる取得価額について規定が設けられています。

このSectionでは、有価証券の譲渡損益の取扱いを学習します。

1 有価証券の意義（法２二十一）

有価証券とは、金融商品取引法に規定する有価証券その他これに準ずるもので次のもの（自己株式等及びデリバティブ取引に係るものは除きます。）をいいます[*01]。

*01) 具体的には、国債証券、地方債証券、社債券、日銀等の発行する出資証券、株券、証券投資信託の受益証券、貸付信託の受益証券、抵当証券等をいい、企業会計における有価証券の範囲とほぼ同じです。

範　囲

⑴　金融商品取引法に掲げる有価証券に表示されるべき権利（その有価証券が発行されていないものに限ります。）

⑵　銀行法に規定する譲渡性預金証書をもって表示される金銭債権

⑶　合名会社等の社員の持分、協同組合等の組合員等の持分その他法人の出資者の持分

⑷　株主又は投資主となる権利、優先出資者となる権利、特定社員又は優先出資社員となる権利その他法人の出資者となる権利

2 有価証券の譲渡損益（法61の２①）

▸▸問題集問題１

1．取扱い（法61の２①）

内国法人が有価証券の譲渡をした場合には、その譲渡に係る譲渡利益額又は譲渡損失額は、その譲渡契約日（一定の事由によるものである場合には、一定の日）の属する事業年度の益金の額又は損金の額に算入します。

2．譲渡損益の計算

⑴　計上時期

有価証券の譲渡損益は、原則として譲渡契約日の属する事業年度において益金の額又は損金の額に算入します。

⑵　譲渡利益額又は譲渡損失額

有価証券に係る譲渡利益額又は譲渡損失額は、次のように計算します。

基本算式

譲渡利益額＝譲渡対価の額－譲渡原価の額　➜　益金算入

譲渡損失額＝譲渡原価の額－譲渡対価の額　➜　損金算入

有価証券に係る譲渡損益は、譲渡対価の額[*01]と譲渡原価の額との差額として計算しますが、譲渡原価の額の計算は内部計算であるため、その計算方法等について次のように規定されています。

*01) 正確には、その有価証券の譲渡時の有償によるその譲渡により通常得べき対価の額となります。

(3) 譲渡原価の額の計算

① 譲渡原価の額

有価証券に係る譲渡原価の額は、次の算式により計算します。

> **基本算式**
> **１単位当たりの帳簿価額×譲渡元本数**

② 帳簿価額の算出方法

１単位当たりの帳簿価額は、次の方法のうち、法人が選定した方法により算出することになります。なお、法人が帳簿価額の算出方法を選定しなかった場合又は選定した算出方法により算出しなかった場合には移動平均法（法定算出方法）により算出した金額によります。

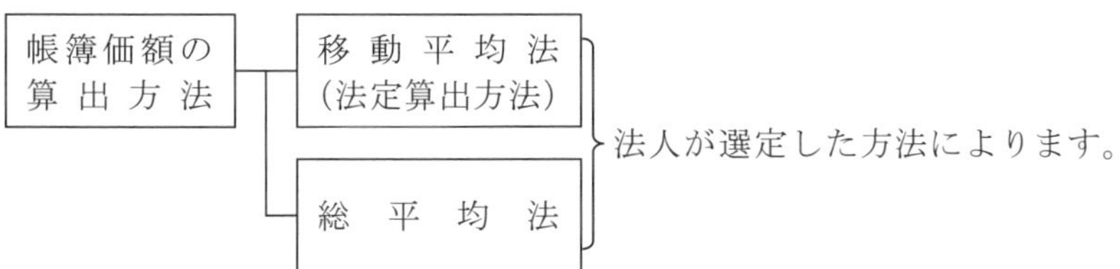

(4) 別表四上の調整

譲渡原価の額が確定すると、同時に期末帳簿価額も確定します。法人税の計算では、期末帳簿価額が正しく計算されていれば、譲渡原価の額も正しく計算されていると考えます。したがって、会社計上の期末帳簿価額と税務上の期末帳簿価額との間に差額が生じている場合には、その差額は、譲渡原価の額の差となっています。

<図解>

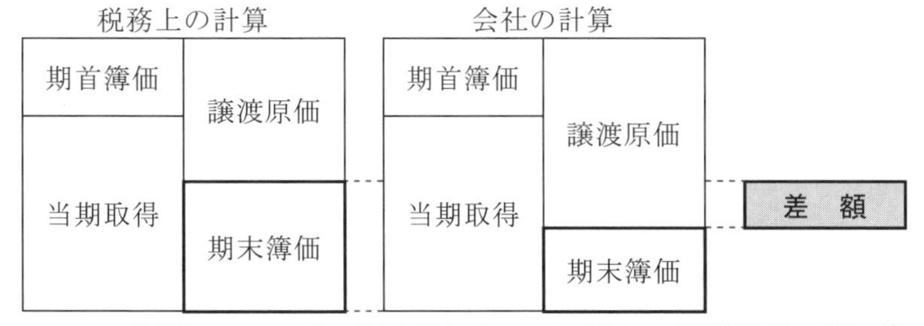

この差額については、別表四において、正しい譲渡原価の額に修正する次の税務調整が必要となります。

> **基本算式**
> **(1) 会社計上の簿価**
> **(2) 税務上の簿価**
> **(3) 過大計上又は計上もれ**
> **(1)－(2) ➜ 有価証券過大計上（減算留保）**
> **(2)－(1) ➜ 有価証券計上もれ（加算留保）**

設例1－1 有価証券の譲渡損益

次の資料により、当社の当期における税務上の調整を示しなさい。

⑴　A株式の異動状況は次のとおりである。

日　付	摘　要	株　数	単　価	金　額
令和７年４月１日	繰　越	30,000株	960円	28,800,000円
令和７年６月18日	売　却	20,000株	940円	18,800,000円
令和７年７月12日	取　得	40,000株	915円	36,600,000円
令和７年９月23日	売　却	25,000株	950円	23,750,000円
令和８年２月10日	取　得	20,000株	918円	18,360,000円
令和８年３月31日	期末残高	45,000株	―	―

⑵　当社は当期末におけるA株式の帳簿価額として41,235,000円を計上している。

⑶　当社は有価証券の帳簿価額の算出方法について、所轄税務署長に選定の届出を行っていない。

⑷　有価証券の期末評価については、考慮する必要はない。

解答　⑴　会社計上の簿価

41,235,000円

⑵　税務上の簿価

①　$\dfrac{960\times(30,000-20,000)+36,600,000}{(30,000-20,000)+40,000}=924$円

②　924×※25,000＋18,360,000＝41,460,000円

※　30,000－20,000＋40,000－25,000＝25,000株

⑶　計上もれ

41,460,000－41,235,000＝225,000円

（単位：円）

区　分		金　額	留　保	社外流出
加算	A株式計上もれ	225,000	225,000	
減算				

解説

当社は、帳簿価額の算出方法を選定していないため、法定算出方法である移動平均法により帳簿価額を計算します。

<税務上の計算>

期首簿価 28,800,000円	譲渡原価 42,300,000円
当期取得 54,960,000円	期末簿価 41,460,000円

<会社の計算>

期首簿価 28,800,000円	譲渡原価 42,525,000円
当期取得 54,960,000円	期末簿価 41,235,000円

<税務調整>

計上もれ 225,000円

3 有価証券の取得価額（令119①）

▸▸問題集問題2

1．原　則

有価証券の取得価額は、譲渡原価の額の計算の基礎となるものであるため、その取得形態に応じて規定が設けられています。

有価証券の取得価額は、原則として、次のそれぞれの金額となります。

取　得　形　態	取　得　価　額
①　購入した場合	購入代価＋購入費用
②　金銭の払込みによる場合（③を除きます。）	払込金額＋取得費用
③　有利発行に係る払込みによる場合（株主等として取得したもの等を除きます。）	払込期日の価額
④　交換、贈与等により取得した場合	取得時における取得のために通常要する価額

2．付随費用の取扱い

購入した有価証券の取得価額には、購入に要した付随費用を含めることになりますが、一定の費用については取得価額に含めないことが認められています。

区　分		取　扱　い
購入に要した付随費用	購入手数料	取得価額に含めなければなりません。
	通信費 名義書換料	取得価額に含めないことができます。

4 特別分配金の取扱い

▸▸問題集問題3

1．特別分配金とは

元本の追加信託をすることができる証券投資信託[*01]に係る分配額のうち、その追加信託者から払い込まれた収益調整金（プレミアム部分）にのみ係る収益として分配された額をいいます。

*01）オープン型証券投資信託といいます。逆に追加信託をすることができない証券投資信託をユニット型証券投資信託といいます。

＜図解＞

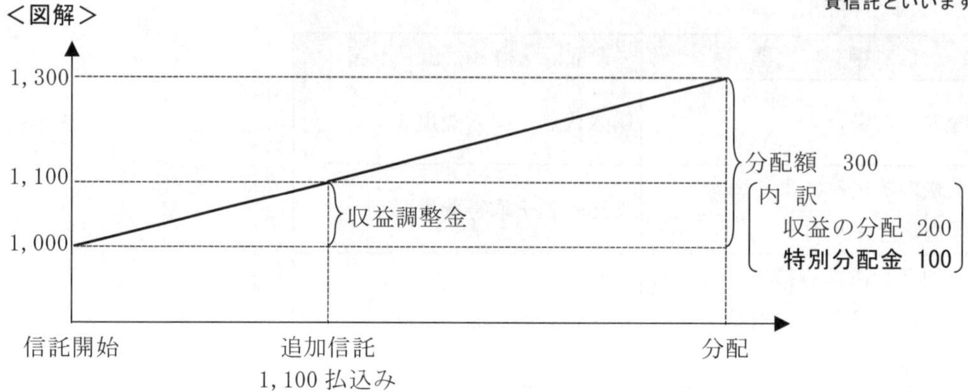

つまり、特別分配金は元本の払戻しに相当する金銭の分配額であり、収益ではなく、証券投資信託の帳簿価額を減額すべきものということになります。したがって、特別分配金は、受取配当等の益金不算入額を計算する際の配当等の額には含まれません。

2．取扱い

特別分配金は、元本の払い戻しに相当する金銭の交付額であることから、次のように取扱います。

(1) 証券投資信託の帳簿価額

特別分配金の額は、証券投資信託の帳簿価額から控除します。したがって、特別分配金の額を含めて収益に計上してしまっている場合には、次の税務調整が必要になります。

経理処理	税務調整
特別分配金を含めて収益計上	受益権過大計上（減算留保）

(2) 配当等の額

受取配当等の益金不算入額を計算する場合において、特定株式投資信託の収益分配金のうちに、特別分配金が含まれているときは、次の算式により計算した金額を、配当等の額として取扱うことになります。

基本算式

収益分配金の額－特別分配金の額

設例1－2　特別分配金

次の資料により、当社の当期における税務上の調整を示しなさい。

当社が当期中に支払を受けた収益分配金の額は、次のとおりである。当社は収益分配金の額から源泉徴収税額を控除した金額を収益に計上している。なお、源泉徴収税額には復興特別所得税額が1,953円含まれている。

銘　柄	区　分	計　算　期　間	収益分配金の額	源泉徴収税額
B特定株式投資信託	収益分配金	令6.10.1～令7.9.30	720,000円	94,953円

（注）当社はB特定株式投資信託を数年前より所有しており、収益分配金の額のうち100,000円は特別分配金の額である。

解答

1．B受益権過大計上

100,000円

2．受取配当等の益金不算入

(1) 配当等の額

720,000－100,000＝620,000円

(2) 益金不算入額

620,000×20%＝124,000円

3．法人税額控除所得税額

94,953円

（単位：円）

区　分		金　額	留　保	社外流出
加算				
減算	B受益権過大計上	100,000	100,000	
	受取配当等の益金不算入額	124,000		※　124,000
仮　計				
法人税額控除所得税額		94,953		94,953

解説

① 当社は、特別分配金の額を含めて収益に計上してしまっていることから、別表四で受益権過大計上（減算留保）の税務調整が必要になります。

② 受取配当等の益金不算入額の計算上、特別分配金の額は、配当等の額に含まれません。

③ B証券投資信託は、数年前より所有されていることから、源泉徴収税額（復興特別所得税額を含む。）は全額が所得税額控除の対象となります。

Section 2

有価証券の期末評価

売買目的有価証券については、企業会計上、時価評価することとされていることから法人税法においても、企業会計と同様に時価法により評価することとされています。
しかし、償還有価証券やその他有価証券については、企業会計とは異なる取扱いが規定されています。
このSectionでは、有価証券の期末評価の取扱いを学習します。

1 評価方法

1．有価証券の区分

有価証券の期末評価額の計算上、有価証券を次のように区分し、それぞれの評価方法により評価することになります。

区　　分		評価方法
売買目的有価証券		時価法
売買目的外有価証券	償還有価証券*01)	償却原価法*02)
	上記以外の有価証券	原価法

*01) 償還期限及び償還金額の定めのある有価証券（社債等）をいいます。

*02) 償却原価法とは、帳簿価額と償還金額との差額を毎期一定の方法により帳簿価額に加算又は減算する方法をいいます。

2．売買目的有価証券の範囲

売買目的有価証券とは、短期的な価格の変動を利用して利益を得る目的で取得した有価証券として次のもの等をいいます。

範　囲

⑴ 内国法人が取得した有価証券のうち、短期売買目的で行う取引に専ら従事する者が短期売買目的でその取得の取引を行ったもの*03)（専担者売買有価証券）

⑵ 取得日において短期売買目的で取得したものである旨を帳簿書類に記載したもの*04)（⑴を除きます。）

*03) トレーディング業務を日常的に行う専門の担当者や専門部署により運用されている場合の有価証券が該当します。

*04) 専門の担当者や専門部署がない法人であっても、勘定科目を「投資有価証券」とするなど、他の目的で取得した有価証券と区分して帳簿書類に記載したものについては売買目的有価証券に該当します。

2 売買目的有価証券の期末評価（法61の3①）

▶▶問題集問題4

1. 取扱い

内国法人が事業年度終了時において有する売買目的有価証券については、時価法により評価した金額をもって、期末評価額とします。

2. 時価法の意義

時価法とは、期末に有する有価証券を銘柄の異なるごとに区別し、その銘柄ごとに、期末時の価額をもって期末評価額とする方法です。

時価法を適用する場合の「期末時の価額（時価）」は、次の価格によります（取引所売買有価証券の場合）。

> **(1) 原　則**
>
> 期末日の最終の売買の価格
>
> **(2) (1)がない場合**
>
> 期末日の最終の気配相場の価格
>
> **(3) (1)(2)のいずれもない場合**
>
> 期末日前で、その期末日に最も近い日の最終の売買の価格又は最終の気配相場の価格を基礎とした合理的な方法により計算した金額

＜図解＞

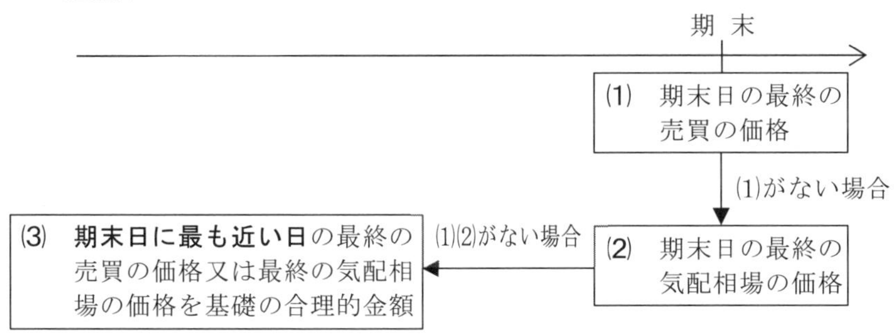

3. 評価損益の計算（法61の3②）

(1) 取扱い

内国法人が事業年度終了時において売買目的有価証券を有する場合には、その売買目的有価証券に係る評価益又は評価損は、その事業年度の益金の額又は損金の額に算入します。

(2) 評価損益

売買目的有価証券に係る評価益又は評価損は、次のように計算します。

> **基本算式**
>
> **評価益＝時価評価金額－期末帳簿価額 ➜ 益金算入**
>
> **評価損＝期末帳簿価額－時価評価金額 ➜ 損金算入**

譲渡損益の計算を行った後、時価評価をすることになりますが、税務上の期末帳簿価額と期末時価との差額が評価損益となるため、税務調整は次のように行います。

基本算式

⑴　税務上の簿価

⑵　時価評価金額

⑶　計上もれ

⑴－⑵ ➜ 有価証券評価損計上もれ（減算留保）

⑵－⑴ ➜ 有価証券評価益計上もれ（加算留保）

＜図解＞

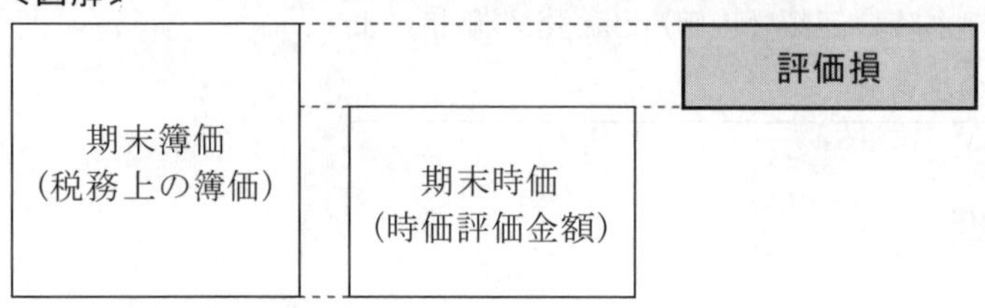

⑶　翌事業年度の処理

⑴によりその事業年度の益金の額又は損金の額に算入した評価益又は評価損は、その事業年度の翌事業年度の損金の額又は益金の額に算入します。

つまり、時価法による評価損益は、翌期において洗替え処理を行うことになります。

＜図解＞

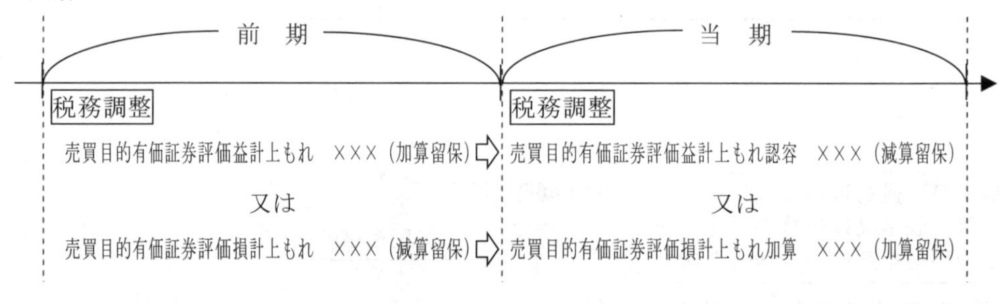

設例２−１　売買目的有価証券の期末評価

次の資料により、当社の当期における税務上の調整を示しなさい。

(1)　当社は、以前よりＣ社株式（売買目的有価証券に該当する。）を保有しているが、当期におけるＣ社株式の異動状況は、次のとおりである。なお、当社は、有価証券の１単位当たりの帳簿価額の算出方法として総平均法を選定し所定の届出を行っている。

日　　付	取　　得		譲　　渡	残　　高
令和７年４月１日	10,000株	10,800,000円		10,000株
令和７年８月７日	40,000株	40,400,000円		50,000株
令和７年12月14日			30,000株	20,000株
令和８年２月23日	50,000株	57,500,000円		70,000株

（注）令和７年12月14日の譲渡に係る譲渡損益は、税務上の適正額が計上されている。

(2)　Ｃ社株式の当期末における時価は1,120円であるが、当社は評価損益の計上を行っていない。

解答

(1)　税務上の簿価

$$\frac{10,800,000+40,400,000+57,500,000}{10,000+40,000+50,000}=1,087円$$

1,087×70,000＝76,090,000円

(2)　時価評価金額

1,120×70,000＝78,400,000円

(3)　計上もれ

(2)−(1)＝2,310,000円

（単位：円）

区　　分		金　　額	留　　保	社外流出
加算	Ｃ株式評価益計上もれ	2,310,000	2,310,000	
減算				

解説

Ｃ社株式は、売買目的有価証券に該当することから、時価法により評価します。なお、税務上の期末帳簿価額は、１単位当たりの帳簿価額の算出方法として総平均法を選定していることから、総平均法により計算します。

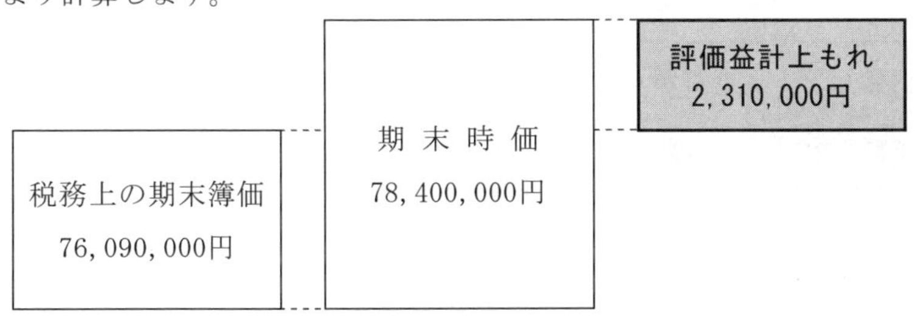

税務上の期末帳簿価額と時価評価金額の差額が、税務上の評価益となりますが、当社は評価損益の計上を行っていないため、別表四で、評価損益を認識する税務調整を行います。

3 償還有価証券の期末評価（法61の3①二）

▶▶問題集問題5,6

1．取扱い（令119の14、令139の2）

内国法人が事業年度終了時において有する償還有価証券については、その償還有価証券の当期末調整前帳簿価額*01)に調整差益又は調整差損を加算し又は減算した金額をもって、期末評価額とします。

*01) 調整前帳簿価額とは、償却原価法を適用する前の帳簿価額をいいます。

また、その償還有価証券に係る調整差益又は調整差損は、その事業年度の益金の額又は損金の額に算入します。

なお、学習上の重要性から、以下割引発行により取得したケースを前提に説明します。

<図解>

割引発行の場合

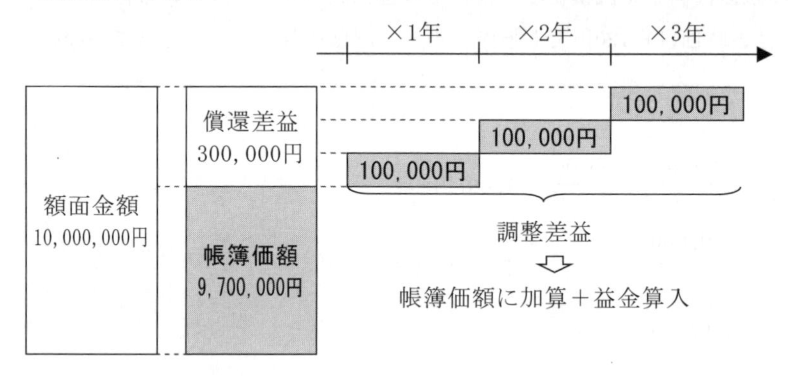

2．調整差益の計算

償還有価証券を割引発行により額面金額より低い価額で取得した場合には、額面金額と帳簿価額との差額（償還差益）について、償還期限までの各事業年度に帰属する金額（調整差益）を計算し、その調整差益を償却原価法により償還有価証券の帳簿価額に加算して評価するとともに、益金の額に算入することになります。

(1) 取得事業年度

① 原　則

原則として、調整差益は次の算式により計算します。

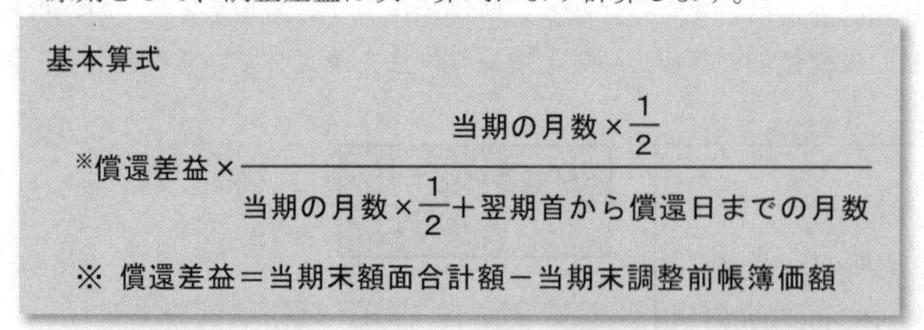

基本算式

$$
{}^{※}\text{償還差益}\times\frac{\text{当期の月数}\times\frac{1}{2}}{\text{当期の月数}\times\frac{1}{2}+\text{翌期首から償還日までの月数}}
$$

※ 償還差益＝当期末額面合計額－当期末調整前帳簿価額

（注）月数は暦に従って計算し、１月未満の端数は切上げます。

期中に増加した元本を、すべて期央に取得したものとして計算します。

② 特　例

当期において初めて取得し、かつ、その取得が1回のみである場合には、次の算式により計算します。

基本算式

$$償還差益\times\frac{^{※}当期の月数\times\frac{1}{2}}{^{※}当期の月数\times\frac{1}{2}+翌期首から償還日までの月数}$$

※　当期の月数×$\frac{1}{2}$
取得日から期末までの月数
} いずれか少ない方

当期において初めて取得し、かつ、その取得が1回のみである場合には、原則の算式中「当期の月数×$\frac{1}{2}$」とあるところについて、実際の所有月数を用いて計算することが認められています。法人にとって有利な期間を適用して計算するため、いずれか少ない月数を使用して計算することになります。

(2) 取得事業年度の翌事業年度以後

調整差益は、次の算式により計算します。

基本算式

$$償還差益\times\frac{当期の月数}{当期の月数+翌期首から償還日までの月数}$$

前期以前に取得したものを当期中継続して所有している場合には、当期の月数に対応する額を計算することになります。

〈元本が増加している場合〉

取得事業年度の翌事業年度以後において、元本が増加した場合の調整差益は、次の算式により計算します。

基本算式

$$償還差益\times\left[\frac{分母の額-前期末額面合計額}{当期末額面合計額}\times\frac{当期の月数\times\frac{1}{2}}{当期の月数\times\frac{1}{2}+翌期首から償還日までの月数}+\frac{前期末額面合計額}{当期末額面合計額}\times\frac{当期の月数}{当期の月数+翌期首から償還日までの月数}\right]$$

上記の $\frac{分母の額-前期末額面合計額}{当期末額面合計額}$ は当期に増加した元本を意味し、$\frac{前期末額面合計額}{当期末額面合計額}$は前期から引き続き所有している元本を意味しています。当期に増加した元本については、期央で取得したものと考え、当期の月数×$\frac{1}{2}$に対応する額を、前期から引き続き所有している元本については、当期の月数に対応する額を計算しようとしています。

3．期末評価額と別表四上の調整

(1) 期末評価額

償還有価証券の期末評価額は、次の金額となります。

基本算式

当期末調整前帳簿価額＋調整差益

(2) 別表四上の調整

別表四上の調整は、次のとおりです。

基本算式（調整差益：割引取得の場合）

(1) 会社計上の簿価

(2) 税務上の簿価

① 当期末調整前帳簿価額

② 調整差益

③ ①＋②

(3) 過大計上又は計上もれ

(1)－(2) ➜ 有価証券過大計上（減算留保）

又は

(2)－(1) ➜ 有価証券計上もれ（加算留保）

〈その他有価証券の期末評価〉

企業会計上、「その他有価証券」のうち、市場価格のあるものについては、時価評価をすることになりますが、法人税法では「その他有価証券」の評価方法は原価法とされています。したがって、企業会計上時価評価した際に生じた評価差額は、益金の額及び損金の額に算入されません。このように、企業会計と法人税法上の評価方法が異なることから、法人が採用している経理処理に応じて、次の税務調整が必要になります。

経理処理		税務調整
全部純資産直入法	評価益	損益計算書に計上されないため、別表四上の調整はありません。
	評価損	
部分純資産直入法	評価益	
	評価損	投資有価証券評価損否認（加算留保）

設例２－２　　償還有価証券

次の資料により、当社の当期における税務上の調整を示しなさい。

⑴　当社が当期末において有する有価証券には次のものが含まれている。

区　分	額面金額	取得価額	当期末帳簿価額	取得年月日	償還期限
Ｄ社債	50,000,000円	48,000,000円	48,000,000円	令和７年９月１日	令和12年８月31日

⑵　当社は、Ｄ社債について発行価額である48,000,000円を払込み、取得価額として付している。

⑶　Ｄ社債は、当期において初めて取得したものである。

解答

⑴　会社計上の簿価

48,000,000円

⑵　税務上の簿価

①　当期末調整前帳簿価額

48,000,000円

②　調整差益

$$(50,000,000-48,000,000)\times\frac{※6}{※6+53}=203,389円$$

※　$12\times\frac{1}{2}=6月<7月$　　∴　６月

③　①＋②＝48,203,389円

⑶　計上もれ

⑵－⑴＝203,389円

（単位：円）

区　分		金　額	留　保	社外流出
加算	Ｄ社債計上もれ	203,389	203,389	
減算				

解説

Ｄ社債は、当期において初めて取得しており、かつ、その取得回数が１回のみであるため、調整差益の計算は、特例計算も認められます。したがって、当期の月数×$\frac{1}{2}$と取得日から期末までの月数の比較を示す必要があります。

次の資料により、当社の当期における税務上の調整を示しなさい。

⑴ 当社は、A株式（売買目的有価証券に該当する。）を有しているが、当期中におけるA株式の異動の状況は、次のとおりである。

年　月　日	摘　要	受		入	払出株数	残　高
		株　数	単　価	金　額		
令和7年4月1日	繰　越					16,000株
令和7年8月21日	購　入	32,000株	1,900円	60,800,000円		48,000株
令和7年11月5日	譲　渡				17,000株	31,000株
令和8年2月3日	購　入	12,000株	1,800円	21,600,000円		43,000株

（注1） 期首繰越高（16,000株）の帳簿価額は、28,000,000円であり、期首の戻入れは適正に行われている。

（注2） 令和7年11月5日の譲渡に係る譲渡対価の額は34,320,000円であり、当社は880,000円を有価証券売却益として収益に計上している。

⑵ 当社はA株式の期末帳簿価額として76,960,000円を計上している。なお、A株式の当期末における時価は1株当たり1,800円である。

⑶ 当社は、有価証券の帳簿価額の算出方法について選定の届出をしていない。

答案用紙

1．譲渡損益

⑴ 会社計上の簿価

⑵ 税務上の簿価

①

②

⑶ 計上もれ

2．期末評価

⑴ 税務上の簿価

⑵ 時価評価金額

⑶ 評価損計上もれ

(単位：円)

区　　分		金　　額	留　　保	社外流出
加算				
減算				

解答

1．譲渡損益

(1) 会社計上の簿価

76,960,000円

(2) 税務上の簿価

① $\dfrac{28,000,000+60,800,000}{16,000+32,000}=1,850$円

② 1,850×※31,000＋21,600,000＝78,950,000円❷

※　16,000＋32,000－17,000＝31,000株

(3) 計上もれ

(2)－(1)＝1,990,000円

2．期末評価

(1) 税務上の簿価

78,950,000円

(2) 時価評価金額

1,800×43,000＝77,400,000円❷

(3) 評価損計上もれ

(1)－(2)＝1,550,000

(単位：円)

区　　分		金　　額	留　　保	社外流出
加算	A株式計上もれ	❶1,990,000	❷1,990,000	
減算	A株式評価損計上もれ	❶1,550,000	❷1,550,000	

解説

①　1単位当たりの帳簿価額の算出方法を選定していないため、法定算出方法である移動平均法により1単位当たりの帳簿価額を計算します。

②　時価評価損益は、毎期洗替処理が必要であり譲渡損益の取扱いとは異なるため、A株式計上もれ（加算留保）の調整と、A株式評価損計上もれ（減算留保）の調整を相殺することはできません。

Section 3 デリバティブ取引

デリバティブとは、金利、通貨、商品等の値動きに連動して、その価格が決定される金融商品の総称です。企業会計では、時価評価されることになりますが、法人税法においても、デリバティブ取引を利用した課税回避を防止する観点から、規定が設けられています。

このSectionでは、デリバティブ取引の取扱いを学習します。

1 デリバティブ取引の意義

デリバティブ取引とは、金利、通貨の価格、商品の価格その他の指標の数値としてあらかじめ当事者間で約定された数値と将来の一定の時期における現実のその指標の数値との差に基づいて算出される金銭の授受を約する取引又はこれに類似する取引であって、一定のものをいいます。

具体的には、先物取引、先渡取引、オプション取引、スワップ取引等が該当します。

学習上の重要性から、以下先物取引*01)について、その取扱いを確認します。

*01) 先物取引とは、将来の特定の期日に、特定の資産をあらかじめ契約した価格で売買することを約する契約です。その決済は反対売買を行うことにより売買価格の差額のみを受け払いする、いわゆる「差金決済」の方法で行われるのが一般的です。

▸▸問題集問題7

2 未決済デリバティブ取引の取扱い

1．取扱い（法61の5①）

内国法人がデリバティブ取引を行った場合において、事業年度終了時において未決済デリバティブ取引があるときは、その時においてその未決済デリバティブ取引を決済したものとみなして算出した利益の額又は損失の額は、その事業年度の益金の額又は損金の額に算入します。

2．経理処理と別表四上の調整

未決済デリバティブ取引について期末に法人が損益の認識をしていない場合であっても、税務上は期末において決済したものとみなして、みなし決済損益を認識しなければなりません。

<図解>

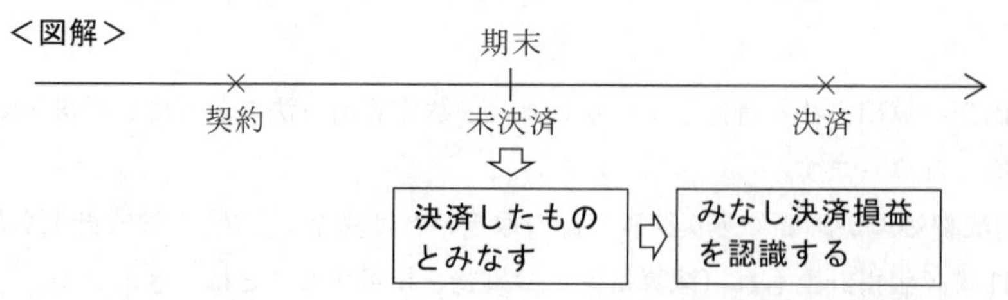

このように、契約額と期末時の時価との差額を、みなし決済損益として認識することになります*01)。なお、当期の益金の額又は損金の額に算入したみなし決済損益は、翌期に洗替えの処理を行い、損金の額又は益金の額に算入することになります。

*01) 経理処理上認識していない場合には、別表四上で税務調整を行うことにより認識します。

設例3－1　デリバティブ取引

次の資料により、当社の当期における税務上の調整を示しなさい。

⑴　当社は、令和７年12月１日に証券会社Ｅ社に委託して長期国債先物（額面総額100,000,000円、１口当たりの額面100円）を単価96円で買建てし、委託証拠金として3,000,000円を差し入れ、次の仕訳を行っている。

（委託証拠金）　3,000,000　　（現　　　金）　3,000,000

⑵　当期末における⑴の長期国債先物相場は単価97円となっているが、当社はこの取引について⑴の経理以外の経理処理は行っていない。

⑶　⑴の契約は、法人税法第61条の５《デリバティブ取引に係る利益相当額又は損失相当額の益金又は損金算入等》第１項に規定するデリバティブ取引に該当するものであり、当期末現在決済されていない。

解答　先物利益計上もれ

$(97-96) \times 100,000,000 \times \frac{1}{100} = 1,000,000$円

（単位：円）

区　分		金　額	留　保	社外流出
加算	先物利益計上もれ	1,000,000	1,000,000	
減算				

解説

先物取引は、デリバティブ取引に該当します。当期末現在決済されていないことから、税務上は、期末に決済したものとみなして、買建てした単価96円と期末の時価の単価97円との差額の先物利益を認識することになります。なお、委託証拠金は、契約に際し将来の決済を保証するものとして差し入れることとされているもので、損益は構成しません。

········ *Memorandum Sheet* ········

Chapter 15

資産の評価損益

Section 1

資産の評価損益

資産の評価損益は、資本等取引から生じたものではありません。したがって、所得計算の原則的な考え方からは課税所得を構成してしまうことになります。しかし、資産の評価益は、未実現の利益であり担税力を伴いません。また、評価損は、企業の内部計算により計上されるものですから、意図的な操作を排除する必要があります。このような理由から、資産の評価損益は、その計上が特定の場合に限られています。このSectionでは、資産の評価損益の取扱いを学習します。

1 原則的な取扱い

法人税法における評価損益の原則的な取扱いは、次のとおりです。

1．評価損益（法25①、33①）

資産の評価換えをしてその帳簿価額を増額又は減額した場合には、その増額又は減額した部分の金額は、各事業年度の益金の額又は損金の額に算入されません。

税　務　調　整
⑴　**評価益** 帳簿価額を増額した部分の金額 ➜　評価益益金不算入額（減算留保） ⑵　**評価損** 帳簿価額を減額した部分の金額 ➜　評価損損金不算入額（加算留保）

2．帳簿価額（法25⑤、33⑥）

1．の評価換えにより増額又は減額された金額を益金の額又は損金の額に算入されなかった資産については、その事業年度以後の帳簿価額は、その増額又は減額がされなかったものとみなされます。

したがって、評価換え後における帳簿価額は、次のようになります。

税務上の帳簿価額
⑴　**評価益が益金不算入とされた場合** ➜　会社計上の帳簿価額－評価益益金不算入額 ⑵　**評価損が損金不算入とされた場合** ➜　会社計上の帳簿価額＋評価損損金不算入額

このように、会社計上の帳簿価額と税務上の帳簿価額に差額が生じるため、これらの資産を譲渡等した場合には、税務調整が必要になります。

設例1－1　原則的な取扱い

次の資料により、当社の前期及び当期における税務上の調整を示しなさい。

(1)　当社は、前期において、当社が所有するA土地及びB土地について、次のとおり評価損益を計上している。

区分	評価換え直前の帳簿価額	期末時価	評価益計上額	評価損計上額
A土地	20,000,000円	25,000,000円	5,000,000円	—
B土地	30,000,000円	28,000,000円	—	2,000,000円

(注1)　A土地の評価益は、地価の上昇により計上したものである。

(注2)　B土地の評価損は、地価の下落により計上したものである。

(2)　当社は、当期において、当社が所有する次の土地を不動産会社に譲渡し、それぞれ譲渡対価の額と譲渡直前の帳簿価額との差額を当期の収益に計上している。

区分	譲渡直前の帳簿価額	譲渡対価の額
A土地	25,000,000円	23,000,000円
B土地	28,000,000円	29,000,000円

解答　1．前　期

(単位：円)

	区　分	金　額	留　保	社外流出
加算	B土地評価損損金不算入額	2,000,000	2,000,000	
減算	A土地評価益益金不算入額	5,000,000	5,000,000	

2．当　期

(単位：円)

	区　分	金　額	留　保	社外流出
加算	A土地評価益益金不算入額加算	5,000,000	5,000,000	
減算	B土地評価損損金不算入額認容	2,000,000	2,000,000	

解説

① A土地の評価益は、単なる時価の上昇により計上されたものであり、前期の益金の額に算入することはできません。当期に譲渡した際には、前期の評価益益金不算入額の分だけ、譲渡原価が過大に計上され、譲渡益の計上額が不足するため、別表四で加算調整が必要になります。

<図解>

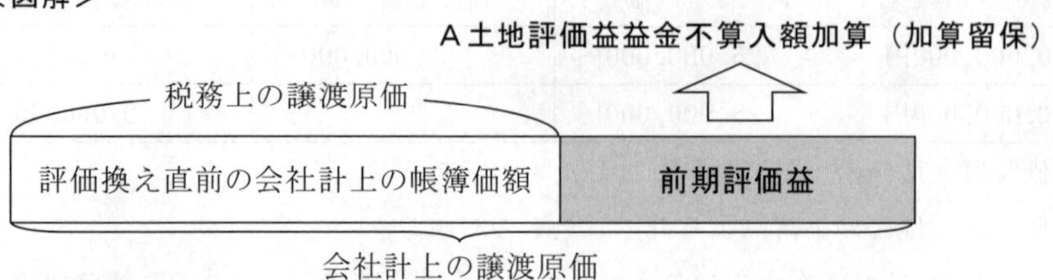

② B土地の評価損は、単なる時価の下落により計上されたものであり、前期の損金の額に算入することはできません。当期に譲渡した際には、前期の評価損損金不算入額の分だけ、譲渡原価の計上が不足し、譲渡益の計上額が過大になっているため、別表四で減算調整が必要になります。

<図解>

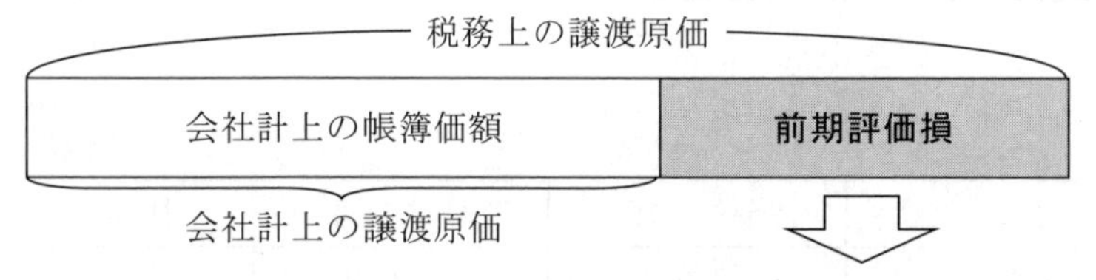

2 評価益が認められる場合（法25②）

会社更生手続、民事再生手続等のための評価換えや、保険会社の株式評価換えというような特別な場合に限って、評価益の計上を認めています。

3 評価損が認められる場合（法33②）

▶▶問題集問題1,2

法人の有する資産につき、次の災害等の事実が生じた場合において、損金経理により帳簿価額を減額したときは、その減額した部分の金額のうち、損金算入限度額に達するまでの金額は、損金の額に算入することができます。

1．災害等（物損等）の事実

災害等（物損等）の事実とは、次の資産の種類に応じ、それぞれに定める事実が生じたことにより、その資産の価額がその帳簿価額を下回ることをいいます。

(1) 棚卸資産

災害等（物損等）の事実
① 災害により著しく損傷したこと
② 著しく陳腐化したこと
③ ①及び②に準ずる特別な事実

<著しい陳腐化>

次の理由により、今後通常の価額又は通常の方法で販売できないことをいいます。

季節商品の売れ残りであること。 型式、性能、品質等が著しく異なる新製品が発売されたこと。

<特別な事実>

次の理由により、通常の方法で販売できないこと等をいいます。

破損、型くずれ、たなざらし、品質変化　等

<評価損が計上できない場合>

次の理由による時価の低下は、災害等の事実に該当しません。

物価変動、過剰生産、建値の変更　等

(2) 有価証券

災害等（物損等）の事実
① 上場有価証券等（企業支配株式等、売買目的有価証券を除く。）時価が著しく低下したこと
② 非上場有価証券等、企業支配株式等、売買目的有価証券*01) 資産状態が著しく悪化したため、時価が著しく低下したこと

*01) 時価法の適用による評価損益は、翌期に洗替え処理を行うことになりますが、資産の評価損益の適用による評価損益は、洗替え処理はありません。時価が著しく低下している場合には、法人がいずれかの規定を選択して適用することになります。

<上場有価証券等>

上場有価証券等とは次の有価証券をいいます。ただし、法人の特殊関係株主等が、その法人の発行済株式等の20%以上を有する場合のその株式等（企業支配株式等）及び売買目的有価証券は除きます。

(イ) 取引所売買有価証券 (ロ) 店頭売買有価証券 (ハ) その他価格の公表が継続的に行われる有価証券

<時価の著しい低下>

次の(イ)及び(ロ)の**いずれにも該当**することをいいます。

(イ)	期末時価＜期末帳簿価額×50%
(ロ)	近い将来、その価額の回復の見込みがない

<資産状態の著しい悪化>

次の(イ)又は(ロ)の**いずれかに該当**することをいいます。

(イ)	株式等の発行法人に更生手続開始の決定等があったこと
(ロ)	当期末における発行法人の1株当たり純資産価額 ＜ 取得時における発行法人の1株当たり純資産価額 × 50%

(3) 固定資産

災害等（物損等）の事実
① 災害により著しく損傷したこと
② 1年以上遊休状態にあること
③ 本来の用途に使用できないため、他の用途に使用されたこと
④ 所在場所の状況が著しく変化したこと
⑤ ①～④までに準ずる特別な事実

<評価損が計上できない場合>

次の事実は、災害等の事実に該当しません。

(イ)	過度の使用又は修理不十分等で著しく損耗していること
(ロ)	償却不足額が生じていること
(ハ)	取得価額が、その取得事情等により、同種の資産の価額に比して高いこと
(ニ)	製造方法の急速な進歩等による旧式化

(4) 繰延資産

繰延資産のうち、他の者の有する固定資産を利用するために支出されたものについては、次の事実が該当します。

災害等（物損等）の事実
① 支出の対象となった固定資産について、(3)①から④の事実が生じたこと
② ①に準ずる特別の事実

2．損金算入限度額

損金算入限度額は、次の算式により計算します。

損金算入限度額
評価換え直前の帳簿価額－その資産の期末時価[*02)]

*02) 期末時価は、その資産が使用収益されるものとして、その時において譲渡される場合に通常付される価額によります。

3．別表四上の調整

別表四上の調整は、次のように行います。なお、前期以前に生じた評価損損金不算入額は、当期に評価損として損金経理をしたものとして取り扱います[*03)]。

*03) 減価償却における繰越償却超過額（減価償却超過額認容額の計算）と同様に取り扱います。

基本算式

(1) 判　定

評価損計上の可否を判定します。

(2) 損金算入限度額

評価換え直前の帳簿価額－その資産の期末時価

(3) 損金不算入額

会社計上評価損の額－(2)

＝　＋の場合　○○評価損損金不算入額（加算留保）

＝　△の場合　評価損計上不足額／前期以前の評価損損金不算入額　}いずれか少ない方

⇩

○○評価損損金不算入額認容（減算留保）

設例１－２　評価損が認められる場合

次の資料により、当社の当期における税務上の調整を示しなさい。

⑴　当社は当期においてＡ土地（評価換え直前の帳簿価額30,000,000円）について、その地価の上昇に伴い帳簿価額を10,000,000円増額し、評価益を計上している。

⑵　当社は、当期においてＢ株式につき損金経理により評価損1,500,000円を計上している。なお、法人税法上の評価損の損金算入限度額は900,000円である。

⑶　Ｃ商品（評価換え直前の帳簿価額は7,000,000円、時価は4,000,000円である。）は、性能の著しく異なる新製品の発売により、通常の方法により販売することができなくなった。これに伴い、当社は帳簿価額の50％相当額である3,500,000円を損金経理により評価損として計上している。

解答

⑴　①　地価の上昇　　∴　評価益計上不可

②　益金不算入額

10,000,000円

⑵　1,500,000－900,000＝600,000円

⑶　①　損金算入限度額

7,000,000－4,000,000＝3,000,000円

②　損金不算入額

3,500,000－3,000,000＝500,000円

（単位：円）

区分		金額	留保	社外流出
加算	Ｂ株式評価損損金不算入額	600,000	600,000	
	Ｃ商品評価損損金不算入額	500,000	500,000	
減算	Ａ土地評価益益金不算入額	10,000,000	10,000,000	

解説

①　単に時価が上昇したことに伴う評価益の計上は、認められません。

②　評価損が計上できる場合であっても、評価損として損金の額に算入する金額は、損金経理をした金額のうち、損金算入限度額に達するまでの金額であり、損金算入限度額を超える部分の金額については、別表四で加算調整が必要です。

③　棚卸資産について、著しい陳腐化（本問では、新製品の発売により、通常の方法により販売することができなくなったこと。）が生じた場合には、評価損の計上が認められます。損金算入限度額は、評価換え直前の帳簿価額と時価との差額になります。

4. 減価償却との関係

減価償却資産について計上した評価損のうち、評価損として損金の額に算入されなかった金額は、償却費として損金経理をした金額に含まれます。

設例1－3 減価償却との関係

次の資料により、当社の当期における税務上の調整を示しなさい。

(1) 当社は、当社が所有する車両（取得価額5,000,000円、期首帳簿価額3,900,000円、耐用年数6年）について、当期末において時価（2,500,000円）が下落したため、損金経理により帳簿価額を減額し、評価損2,000,000円を計上している。なお、この車両については、減価償却費として500,000円を当期の費用に計上している。

(2) 償却方法は定額法（6年の場合の償却率は0.167である。）である。

解答

(1) 償却限度額

5,000,000×0.167＝835,000円

(2) 償却超過額

(500,000＋2,000,000)－835,000＝1,665,000円

（単位：円）

区　分		金　額	留　保	社外流出
加算	減価償却超過額（車両）	1,665,000	1,665,000	
減算				

解説

① 単に時価が下落しただけでは、評価損を計上することはできません。

② 減価償却資産に係る評価損損金不算入額は、償却費として損金経理をした金額に含まれます。したがって、評価損損金不算入額として税務調整するのではなく、減価償却超過額として税務調整をすることになります。

〈減損会計との関係〉

① **企業会計上の取扱い**

減損会計は、資産の収益性の低下により投資額の回収が見込めなくなった場合に、一定の条件の下で回収可能性を反映させるように帳簿価額を減額（減損損失を計上）する会計処理をいいます。

例えば、資産が生み出す営業損益が３期連続でマイナスになる場合、使用範囲又は方法について回収可能価額を著しく低下させる変化がある場合、資産の市場価格が帳簿価額から50％程度以上下落した場合などに、減損損失を認識することになります。

② **税務上の取扱い**

法人税法では、評価損の損金算入が認められるケースは、災害等の事実が生じている場合等に限定されています。したがって、法人が減損損失を計上したとしても、法人税法上の評価損の計上要件を満たしていない場合には、その減損損失の額は、評価損として損金の額に算入することはできません。

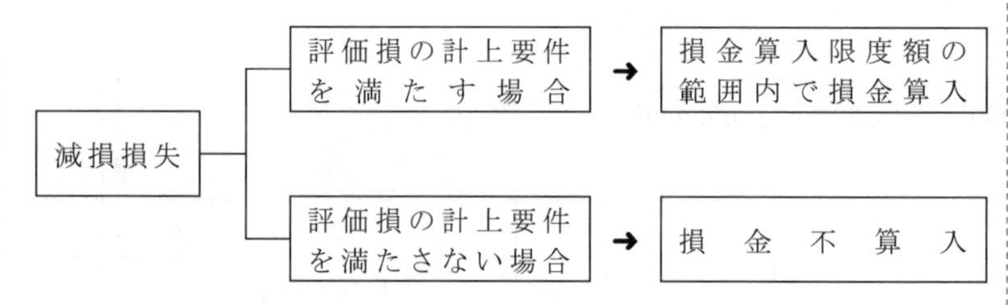

なお、減価償却資産について、損金不算入とされた減損損失の金額は、評価損の損金不算入額と同様に、償却費として損金経理をした金額に含めることが認められています。

次の資料により、当社の当期における税務上の調整を示しなさい。

区　分	評価換え直前の帳簿価額	期末時価	評価損計上額（損金経理）
A 製 品	1,000,000円	500,000円	500,000円
B 株 式	2,000,000円	900,000円	600,000円

（注1）A製品は、過剰生産により値下がりしたため回復が見込めない。
（注2）B株式（上場株式）は、近い将来において価額の回復見込みはない。なお、前期において評価損500,000円を計上したが、申告調整により全額が否認されている。

答案用紙

1．A製品

2．B株式
⑴　判　定

⑵　損金算入限度額

⑶　損金不算入額

（単位：円）

区分		金額	留保	社外流出
加算				
減算				

Ch 1 Ch 2 Ch 3 Ch 4 Ch 5 Ch 6 Ch 7 Ch 8 Ch 9 Ch 10 Ch 11 Ch 12 Ch 13 Ch 14 Ch 15 Ch 16 Ch 17

解答

1．A製品

過剰生産による値下がり　∴　評価損計上不可❷

2．B株式

⑴　判　定

(2,000,000＋500,000)×50％＝1,250,000円＞900,000円　∴　評価損計上可❷

⑵　損金算入限度額

(2,000,000＋500,000)−900,000＝1,600,000円❶

⑶　損金不算入額

600,000−1,600,000＝△1,000,000

1,000,000円❶＞500,000円　∴　500,000円（認容）

（単位：円）

区　分		金　額	留　保	社外流出
加算	A製品評価損損金不算入額	❶500,000	❶500,000	
減算	B株式評価損損金不算入額認容	❶500,000	❶500,000	

解説

B株式は、時価が著しく低下し、近い将来において価額の回復見込みがないことから評価損を計上することができます。なお、前期以前の評価損損金不算入額は、当期の損金算入限度額の範囲内で、減算調整し損金の額に算入することができます。

Chapter 16

外貨建取引等

Section 1 外貨建取引等の換算

日本では外国為替相場は変動相場制を採用しています。そのため、外貨建資産等について円換算をする際に為替差損益が生じることになります。この円換算は、法人の内部計算であり、課税回避につながる操作が容易にできてしまいます。そこで、法人税法では外貨建資産等の換算方法を明確にし、課税の公平を図っています。

このSectionでは、外貨建取引等の換算を学習します。

1 外貨建取引と外貨建資産等

外貨建取引と外貨建資産等は、次のように定義されています。

外貨建取引	外貨建資産等
外国通貨で支払が行われる次の取引をいう。	次の資産及び負債をいう。
⑴ 資産の販売及び購入 ⑵ 役務の提供 ⑶ 金銭の貸付け及び借入れ ⑷ 剰余金の配当その他の取引	⑴ 外貨建債権債務 ⑵ 外貨建有価証券 ⑶ 外貨預金 ⑷ 外国通貨

<図解>

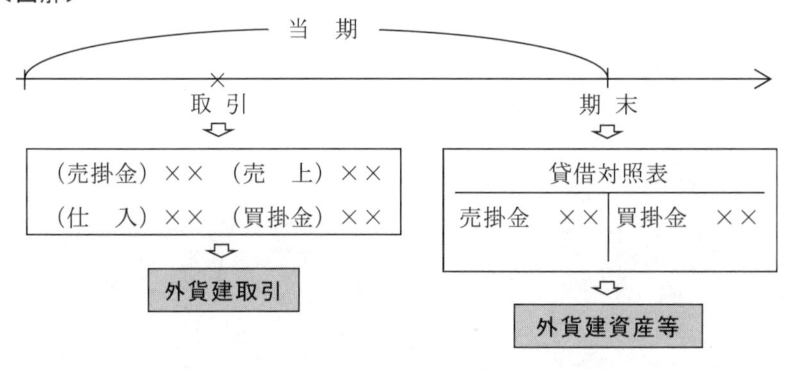

上記の図解中、当期の商品等の売上取引や仕入取引が、外貨建取引であり、外貨建取引により発生した売掛金や買掛金のうち、期末に有するものが外貨建資産等に該当します。

外貨建取引については、取引時点での換算が必要なため、その換算方法が定められ、外貨建資産等については、期末時点における換算替えが必要なため、その換算方法が定められています。

2 外貨建取引の換算

1．取扱い（法61の8①）

内国法人が外貨建取引を行った場合には、その外貨建取引の円換算額は、その外貨建取引を行った時の外国為替相場[*01]により換算した金額とします。

*01) いわゆる為替レートのことです。

基本算式

外国通貨表示の金額×取引日レート

2．外国為替相場

(1) 外国為替相場のしくみ

外国為替相場には、次の3種類があります。

種　類	内　容
電信売相場（T．T．S）	銀行が外貨を売却する場合の相場をいいます。
電信買相場（T．T．B）	銀行が外貨を購入する場合の相場をいいます。
仲　値（T．T．M）	売相場と買相場の中間値をいい、手数料を加味しない場合の相場をいいます。

なお、「売」相場及び「買」相場は、銀行側から見た表現になっています。

＜図解＞

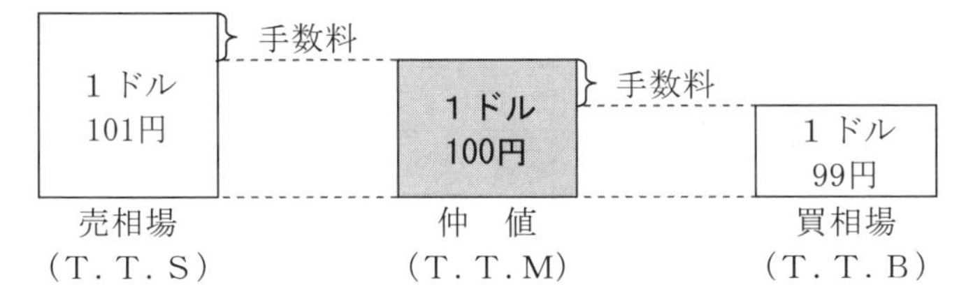

(2) 外国為替相場の採用

外貨建取引の円換算は、次の区分に応じ、その取引日におけるそれぞれの外国為替相場により行います。

① **原　則**

仲値（T．T．M）

② **特　例**

継続適用を要件[*02]として、次の外国為替相場を採用することができます。

(イ) 収益・資産 … 電信買相場（T．T．B）

(ロ) 費用・負債 … 電信売相場（T．T．S）

*02) 特例の採用は、継続適用が要件であるため、問題文にその旨の指示があります。なお、指示がない場合には、原則（仲値）を採用することになります。

3 外貨建資産等の換算

1．換算方法の種類

外貨建資産等の換算方法には、次の２種類があります。

換算方法	意　義
発生時換算法	外貨建資産等に係る外貨建取引の換算に用いた外国為替相場により換算した金額をもって期末時の円換算額とする方法をいいます。
期末時換算法	期末時の外国為替相場により換算した金額をもって期末時の円換算額とする方法をいいます。

2．外貨建資産等の区分と換算方法（法61の9①）

内国法人が事業年度終了時において有する外貨建資産等の円換算額は、その内国法人が選定した換算方法により換算した金額とされます*01)。

*01) 外国通貨の種類ごとに、かつ、外貨建資産等の区分ごとに選定し、外貨建資産等の取得日の属する事業年度の確定申告期限までに、そのよるべき方法を届け出なければなりません。

なお、選定できる換算方法の範囲は、次の区分に応じそれぞれの方法とされています。

外貨建資産等の区分		発生時換算法	期末時換算法
外貨建債権債務	短期外貨建債権債務	○	○
	上　記　以　外	○	○
外貨建有価証券	売買目的有価証券	—	○
	償還有価証券	○	○
	上　記　以　外	○	—
外貨預金	短期外貨預金	○	○
	上　記　以　外	○	○
外国通貨		—	○

（注）短期外貨建債権債務及び短期外貨預金とは、その決済期限又は満期日がその事業年度終了日の翌日から１年以内に到来するものをいいます*02)。

*02) 外貨建債権で既にその決済期限を経過し支払が延滞されているものは、短期外貨建債権には該当しません。

〈外貨建債権債務の範囲〉

外貨建取引に関して支払った前渡金又は収受した前受金で資産の売買代金に充てられるものは、外貨建債権債務に含まれません。なお、外貨建取引に係る未収収益又は未払費用は、外貨建債権債務に該当します。

3．法定換算方法

換算方法を選択できる外貨建資産等について換算方法を選定しなかった場合には、次の区分に応じ、それぞれの方法により換算します。

区　分	法定換算方法
短期外貨建債権債務及び短期外貨建預金	期末時換算法
上記以外	発生時換算法

4．外国為替相場の採用

外貨建資産等の期末時換算法による円換算は、次の区分に応じ、期末におけるそれぞれの外国為替相場により行います。

(1) 原　則

仲値（T．T．M）

(2) 特　例

継続適用を要件[*03]として、次の外国為替相場を採用することができます。

① 資産 … 電信買相場（T．T．B）

② 負債 … 電信売相場（T．T．S）

*03) 特例の採用は、継続適用が要件であるため、問題文にその旨の指示があります。なお、指示がない場合には、原則（仲値）を採用することになります。

5．換算差損益の取扱い

(1) 取扱い

期末時換算法による円換算額とその時の帳簿価額との差額は、その事業年度の益金の額又は損金の額に算入します。

基本算式

期末時換算法による換算差額 ｛ 為替差益 ➜ 益金算入 ／ 為替差損 ➜ 損金算入 ｝

(2) 別表四上の調整

法人税の計算では、期末の円換算額が正しく計算されていれば、為替差損益の額も正しく計算されていると考えます。したがって、会社計上の期末帳簿価額と税務上の期末帳簿価額との間に差額が生じている場合には、その差額は、為替差損益の額の差であるため、別表四において、正しい為替差損益の額に修正する次の税務調整が必要となります。

基本算式

(1) 会社計上の簿価

(2) 税務上の簿価

(3) 過大計上又は計上もれ

(1)－(2) ｛ 資産 ➜ ○○過大計上（減算留保）…為替差損計上もれ ／ 負債 ➜ ○○過大計上（加算留保）…為替差益計上もれ ｝

(2)－(1) ｛ 資産 ➜ ○○計上もれ（加算留保）…為替差益計上もれ ／ 負債 ➜ ○○計上もれ（減算留保）…為替差損計上もれ ｝

(3) 翌事業年度の処理

(1)によりその事業年度の益金の額又は損金の額に算入した金額は、その事業年度の翌事業年度の損金の額又は益金の額に算入します。

つまり、期末時換算法による為替差損益は、翌期において洗替え処理を行うことになります。

設例１－１　外貨建資産等の換算

次の資料により、当社の当期における税務上の調整を示しなさい。

⑴　当社が、当期末において保有する外貨建資産等の内訳は、次のとおりである。なお、期末帳簿価額は、それぞれの資産又は負債の取得時又は発生時における為替相場による円換算額である。

区　分	期末帳簿価額	決済期限又は満期日
売 掛 金	4,000,000円（40,000ドル）	令和８年５月31日
外貨預金	2,060,000円（20,000ドル）	令和９年８月31日
買 掛 金	2,940,000円（30,000ドル）	令和８年４月30日

⑵　当期末における電信売相場と電信買相場の仲値は１ドル101円である。

⑶　当社は、外貨建資産等の換算方法について選定の届出を行っていない。

解答　１．売掛金

⑴　会社計上の簿価

4,000,000円

⑵　税務上の簿価

40,000×101＝4,040,000円

⑶　計上もれ

⑵－⑴＝40,000円

２．外貨預金

長期外貨預金であるため、法定換算方法は発生時換算法　　∴　適　正

３．買掛金

⑴　会社計上の簿価

2,940,000円

⑵　税務上の簿価

30,000×101＝3,030,000円

⑶　計上もれ

⑵－⑴＝90,000円

（単位：円）

	区　分	金　額	留　保	社外流出
加算	売掛金計上もれ	40,000	40,000	
減算	買掛金計上もれ	90,000	90,000	

解説

本問では、外貨建資産等の換算方法について選定の届出を行っていないことから、法定換算方法による換算を行うことになります。したがって、決済期限又は満期日をみて、短期のものは期末時換算法、短期以外（長期）のものは発生時換算法により換算します。

Section 2

為替予約差額の配分

為替予約により外貨建資産等の円換算額を確定させた場合には、その確定させた円換算額がその外貨建資産等の円換算額とされます。この場合に、予約レートによる円換算額と取引日レートによる円換算額に差額が生じることになりますが、その差額を為替予約差額といい、決済日の属する事業年度までの各事業年度に配分することになります。

このSectionでは、為替予約差額の配分を学習します。

1 外貨建資産等の円換算額（法61の8②）

先物外国為替契約等*01)により外貨建取引に係る資産又は負債の円換算額を確定させた場合において、その旨を帳簿書類に記載したときは、その確定した円換算額をもって、その資産又は負債の円換算額とします*02)。

*01) 為替予約のことです。

*02) この円換算額が、期末における円換算額とされるため、期末における換算替えは必要ありません。

2 為替予約差額の配分

▶▶問題集問題1,2,3

1．取扱い（法61の10①）

(1) 概　要

外貨建資産等について、先物外国為替契約等により円換算額を確定させた円換算額で換算した場合には、為替予約差額を決済日の属する事業年度までの各事業年度に配分し、一定の金額をそれぞれその各事業年度の益金の額又は損金の額に算入します。

<図解>

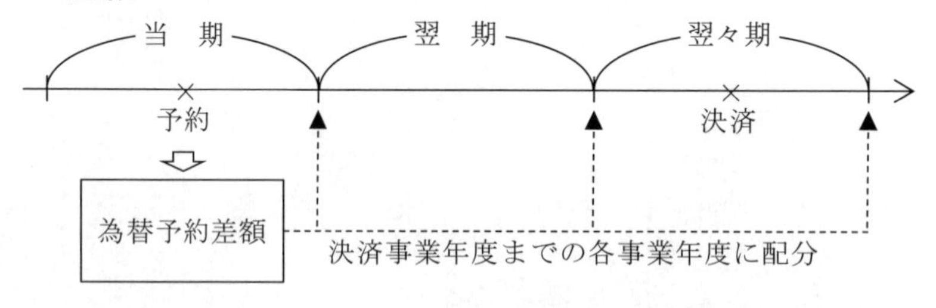

(2) 為替予約差額

為替予約差額は、次の算式により計算した金額をいいます。

基本算式

予約レートによる円換算額 － 取引日レートによる円換算額

為替予約差額の内訳は、取引日と予約日の関係により、次の２つのパターンに分かれます。

① **事後予約**

為替予約差額 { 直直差額 ➜ 予約事業年度に一括計上
　　　　　　　 直先差額 ➜ 決済事業年度までの各事業年度に配分

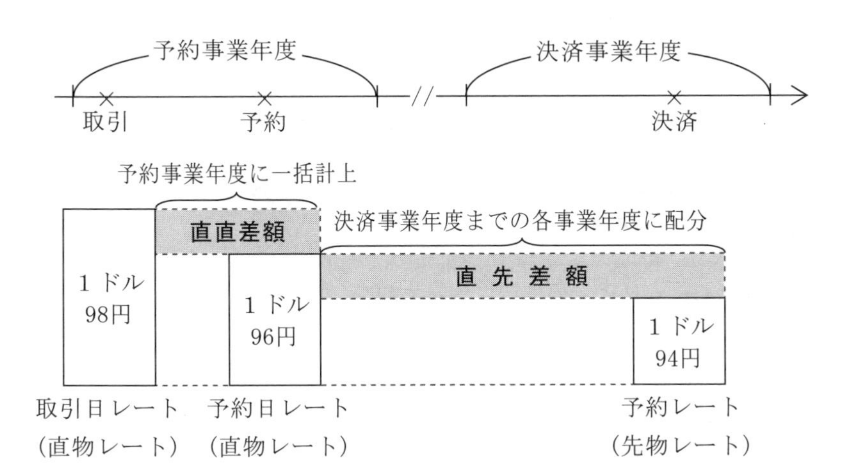

② **事前予約**

為替予約差額:直先差額 ➜ 決済事業年度までの各事業年度に配分

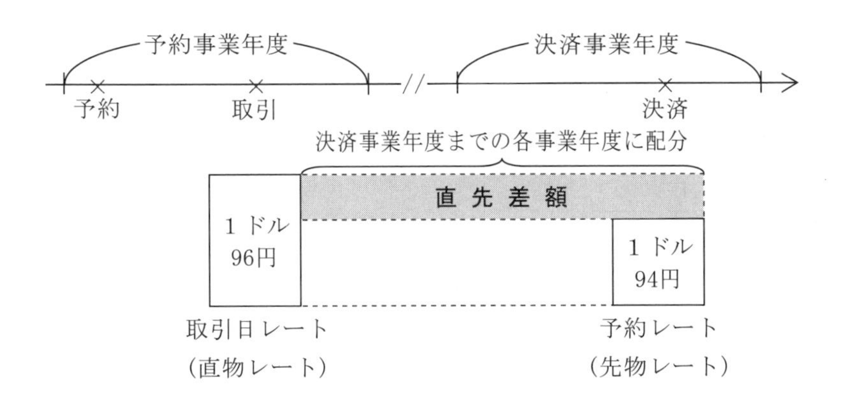

上記より、事後予約及び事前予約のいずれのケースであっても、期間按分による配分が必要となるのは、直先差額ということになります。

2．事後予約の場合

(1) 益金算入額又は損金算入額

直直差額は、予約日の属する事業年度の益金の額又は損金の額に算入します。また、直先差額は、予約日の属する事業年度から決済日の属する事業年度までの各事業年度に期間配分します。

① **直直差額** ➜ 予約事業年度に一括計上

> **基本算式**
>
> 取引日レートによる円換算額 − 予約日レートによる円換算額

② **直先差額** ➜ 予約日から決済日までの期間に渡って配分

> **基本算式**
>
> （予約日レートによる円換算額 − 予約レートによる円換算額）× $\frac{\text{その事業年度の月数※}}{\text{予約日から決済日までの月数}}$
>
> ※ 予約事業年度は、予約日から期末までの月数

（注）月数は、暦にしたがって計算し、1月未満の端数は切り上げます。

<図解>

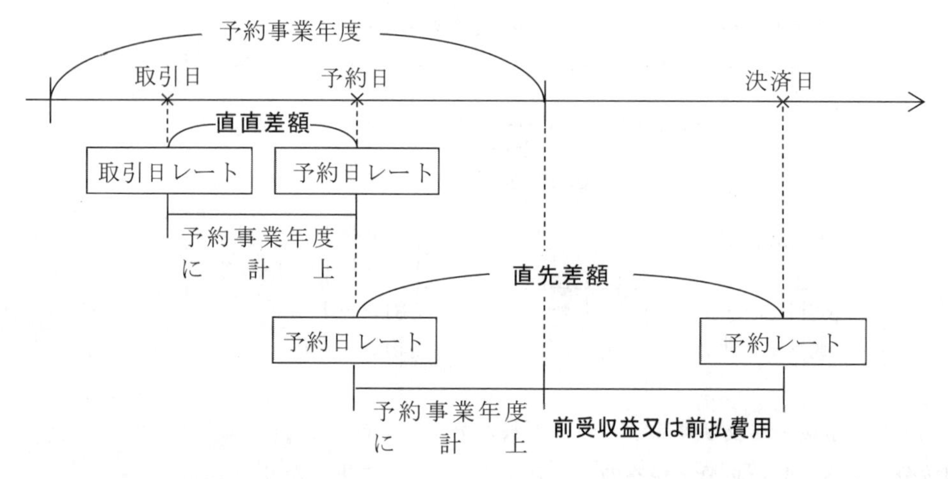

(2) 別表四上の調整

当期が予約事業年度であり、かつ、為替予約差額の全額を収益（為替差益）又は費用（為替差損）に計上している場合の別表四上の調整は、次のとおりです。

> **基本算式**
>
> 直先差額 − 直先差額 × $\frac{\text{予約日から期末までの月数}}{\text{予約日から決済日までの月数}}$
>
> ➜ 前受収益計上もれ（減算留保）
>
> 又は
>
> 前払費用計上もれ（加算留保）

設例２－１　為替予約差額の配分（事後予約）

次の資料により、当社の当期における税務上の調整を示しなさい。

⑴　当社が、当期末において有する外貨建資産等には、次のものが含まれている。

区　　分		期末帳簿価額	返済期限
借　入　金	300,000ドル	29,700,000円	令和10年９月30日

（注）　上記の借入金300,000ドルは、令和７年10月１日に借入れたものであるが、同年12月14日に１ドル当たり99円の為替予約を付しているため、予約レートで換算した金額を期末帳簿価額として付している。

⑵　この借入金の借入時の為替レートは１ドル当たり96円、予約時の為替レートは１ドル当たり97円であり、当期末における為替レートは１ドル当たり100円となっている。

⑶　期間按分を要する場合には、月割りにより計算するものとする。

解答　前払費用計上もれ

$(99-97)\times300,000-(99-97)\times300,000\times\frac{4}{34}=529,412$円

（単位：円）

区　　分		金　　額	留　　保	社外流出
加算	前払費用計上もれ	529,412	529,412	
減算				

解説

①　令和７年10月１日に借入れを行っています。その後、同年12月14日に為替予約を付しているため、事後予約のケースに該当します。

②　期間配分が必要なのは直先差額です。したがって、予約日レートで換算した金額と、予約レートで換算した金額の差額を予約日である令和７年12月14日から返済期限である令和10年９月30日までの期間に渡って期間配分することになります。

3. 事前予約の場合

(1) 益金算入額又は損金算入額

直先差額を、予約日の属する事業年度から決済日の属する事業年度までの各事業年度に期間配分します。なお、事前予約の場合には、予約日と取引日の間で直直差額は生じません。

基本算式

$$\left(\text{取引日レートによる円換算額} - \text{予約レートによる円換算額}\right) \times \frac{\text{その事業年度の月数※}}{\text{取引日から決済日までの月数}}$$

※　予約事業年度は、取引日から期末までの月数

（注）月数は、暦にしたがって計算し、1月未満の端数は切り上げます。

＜図解＞

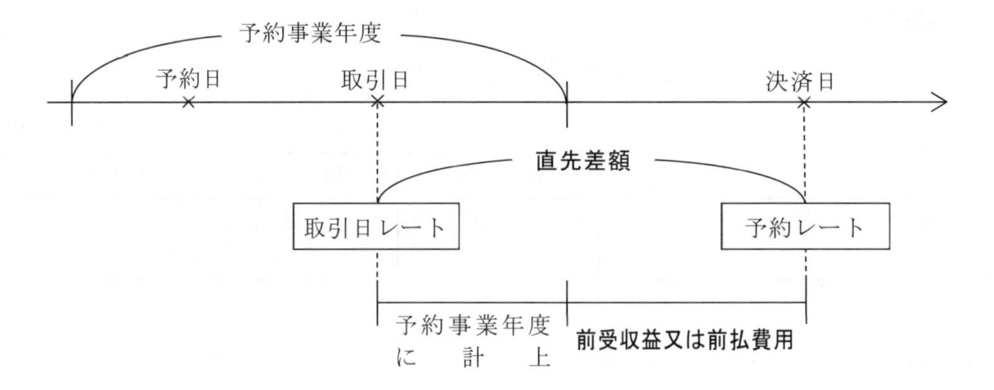

(2) 別表四上の調整

当期が予約事業年度であり、かつ、為替予約差額の全額を収益（為替差益）又は費用（為替差損）に計上している場合の別表四上の調整は、次のとおりです。

基本算式

$$\text{直先差額} - \text{直先差額} \times \frac{\text{取引日から期末までの月数}}{\text{取引日から決済日までの月数}}$$

➜ 前受収益計上もれ（減算留保）
又は
前払費用計上もれ（加算留保）

結論として、事後予約の場合であっても事前予約の場合であっても期間配分が必要となるのは「直先差額」であり、予約日又は取引日から決済日までの期間に渡って配分するということです。なお、直先差額は、取引日と予約日のいずれか遅い日の直物レートと予約レートとの差額となります。

設例2－2　為替予約差額の配分（事前予約）

次の資料により、当社の当期における税務上の調整を示しなさい。

⑴　当社が、当期末において有する外貨建資産等には、次のものが含まれている。

区　　分		期末帳簿価額	回収期限
貸　付　金	120,000ドル	11,760,000円	令和９年４月30日

（注）上記の貸付金120,000ドルは、令和７年５月１日に貸付けたものであるが、同年４月10日に１ドル当たり98円の為替予約を付しているため、予約レートで換算した金額を期末帳簿価額として付している。

⑵　この貸付金の貸付時の為替レートは１ドル当たり96円、予約時の為替レートは１ドル当たり97円であり、当期末における為替レートは１ドル当たり100円となっている。

⑶　期間按分を要する場合には、月割りにより計算するものとする。

解答　前受収益計上もれ

$$(98-96)\times120,000-(98-96)\times120,000\times\frac{11}{24}=130,000円$$

（単位：円）

	区　　分	金　　額	留　　保	社外流出
加算				
減算	前受収益計上もれ	130,000	130,000	

解説

①　令和７年５月１日に貸付けを行っていますが、同年４月10日に事前に為替予約を付しているため、事前予約のケースに該当します。

②　期間配分が必要なのは、事後予約のケースと同じく直先差額です。したがって、貸付時の直物レートで換算した金額と、予約レートで換算した金額の差額を貸付時の令和７年５月１日から回収期限である令和９年４月30日までの期間に渡って期間配分することになります。

3 短期外貨建資産等の特例

1．取扱い（法61の10③）

短期外貨建資産等とは、その決済期限がその事業年度終了日の翌日から１年以内に到来するものをいいます。短期外貨建資産等については、為替予約差額は、その全額をその事業年度の益金の額又は損金の額に算入することができます*01)。

*01) この取扱いを受けるためには、その事業年度に係る確定申告書の提出期限までに、一定の書面による届出が必要です。

2．原則と特例の選択

短期外貨建資産等の特例は、法人の任意に適用を選択することができます。

<図解>

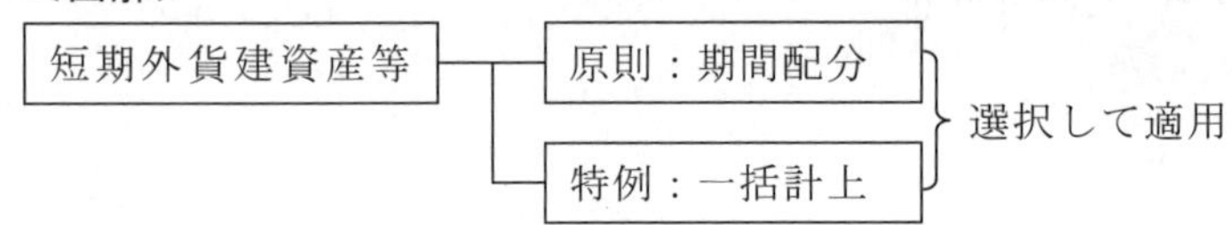

したがって、法人に有利な方法を選択して適用することになります。為替予約差額が為替差益の場合には、原則どおり期間配分し、為替予約差額が為替差損の場合には、特例により一括計上を選択することが、法人にとって有利な選択となります。

なお、特例により一括計上の方法を選択した場合には、前受収益や前払費用は生じないため、為替予約差額について、特に別表四上の調整を行う必要はありません。

次の資料により、当社の当期における税務上の調整を示しなさい。

⑴　当社が当期末において有する外貨建資産等の保有状況は、次のとおりである。なお、当期末における為替レートは１ドル97円である。

区　　分	帳簿価額
定　期　預　金	380,000円（ 4,000ドル）
売　　掛　　金	4,800,000円（50,000ドル）
貸　　付　　金	990,000円（10,000ドル）

（注１）　定期預金は、令和７年５月１日に預け入れたものであり、預入期間は１年のものである。

（注２）　売掛金は、支払期限が令和７年12月20日のものであるが、当期末現在、まだ入金されていないため、計上されたままとなっているものである。

（注３）　貸付金10,000ドルは、令和７年10月１日（同日の為替レートは１ドル94円）に貸付けたものであるが、その貸付けと同時に１ドル99円の為替予約が付されており、支払期限は令和12年９月30日である。なお、期末帳簿価額は予約レートによる円換算額であるが、当社は、この経理処理以外の処理を行っていない。

（注４）　帳簿価額は、当期末現在のものであり、貸付金を除き、その取得又は発生日における為替相場により円換算した金額である。

⑵　当社は外貨建資産等の換算方法について、選定・届出を行っていない。

⑶　期間計算が必要な場合には、月数計算によるものとする。

答案用紙

１．定期預金

⑴　税務上の簿価

⑵　会社計上の簿価

⑶　計上もれ

２．売掛金

３．貸付金（前受収益計上もれ）

（単位：円）

区　　分		金　　額	留　　保	社外流出
加算				
減算				

解答

1．定期預金

(1) 税務上の簿価

4,000×97＝388,000円❶

(2) 会社計上の簿価

380,000円

(3) 計上もれ

(1)−(2)＝8,000円

2．売掛金

短期外貨建債権に該当しないため、発生時換算法　∴　調整不要❶

3．貸付金（前受収益計上もれ）

$$(99-94)\times 10,000-(99-94)\times 10,000\times\frac{6}{5\times 12}=45,000円❷$$

（単位：円）

区分		金額	留保	社外流出
加算	定期預金計上もれ	8,000	❸8,000	
減算	前受収益計上もれ	45,000	❸45,000	

解説

貸付金の期末帳簿価額は、先物外国為替契約等により確定させた円換算額を付しているため、調整はありません。

Chapter 17

貸倒引当金等

Section 1 貸倒損失

貸倒損失は、金銭債権の滅失損を意味するものです。当然、所得金額の計算上は損金の額に算入されます。しかし、実際上、貸倒れたかどうかの判定は、かなりむずかしい面もあることから、課税の公平を図る観点から、基本通達において３つの場合に限定してその判定基準を定めています。

このSectionでは、貸倒損失の取扱いを学習します。

1 法律上の貸倒れ（基通９－６－１）

▶▶問題集問題1

1．貸倒れの事実と貸倒損失額

法人の有する金銭債権について次の事実が発生した場合には、その金銭債権の額のうち次の金額は、その事実の発生した日の属する事業年度において貸倒れとして損金の額に算入します。

発生事実	貸倒損失額
法律による決定 ・更生計画認可の決定 ・再生計画認可の決定 ・特別清算に係る協定の認可の決定	切捨額
関係者の協議決定*01) ・債権者集会の協議決定 ・金融機関等のあっ旋による当事者間の協議による契約	切捨額
債務者の債務超過状態が相当期間継続し、弁済を受けることができないと認められる場合に、書面により債務免除を通知*02)した場合	債務免除額

法律上の貸倒れの事実が発生している場合には、法律の決定等により債権が消滅しているため、損金算入が強制されます。つまり、損金経理しているかどうかは問わず損金の額に算入されることになります。

*01) 関係者の協議決定の場合には、合理的な基準によることが要求されています。合理的な基準とは、すべての債権者についておおむね同一の条件で切捨額が定められているようなことをいいます。

*02) 公正証書等の公証力のある書面による必要はありません。なお、債務免除した場合であっても、その債務者に弁済能力がある場合には贈与と認められ、寄附金や給与として取り扱われます。

2．経理処理と別表四上の調整

次の区分に応じて、別表四上の調整を行います。

区分	経理処理	別表四上の調整
貸倒れの事実に該当する	適正額を損金経理	調整なし（適正）
	損金経理していない	貸倒損失認定損（減算）
貸倒れの事実に該当しない	損金経理	貸倒損失否認（加算）
	損金経理していない	調整なし（適正）

３．他の規定との関係

債務の免除をした場合であっても、その債務者に債務の弁済能力があるときは、貸倒れではなく単なる贈与であるため、次のとおり取り扱うことになります。

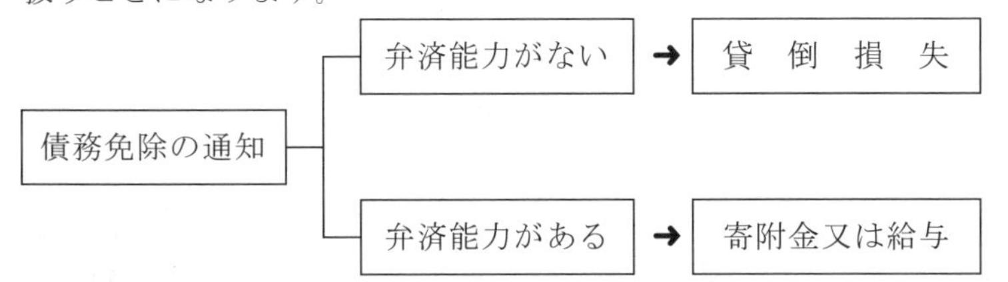

債務を免除した場合において、その債務者に債務の弁済能力があるときは、その債務者が当社の従業員以外の者であれば「寄附金」、その債務者が当社の従業員であれば「給与」として取り扱います。

設例１－１　法律上の貸倒れ

次の資料により、当社の当期における税務上の調整を示しなさい。

⑴　得意先Ａ社は、令和７年５月20日に会社更生法の規定による更生手続開始の申立てを行い、同年11月10日に更生計画認可の決定を受けている。この決定により、当社がＡ社に対して有する売掛金5,000,000円が切捨てられることとなった。

なお、当社は、この取引に関して何ら経理処理を行っていない。

⑵　当社は、取引先Ｂ社に対し貸付金3,000,000円を有しているが、Ｂ社は、業績不振から債務超過の状態が相当期間継続しており、貸付金の弁済を受けることができないと認められるため、債務免除を行うこととした。当社は、債務免除を行う旨をＢ社に文書で通知するとともに、3,000,000円を貸倒損失として損金経理している。

解答

（単位：円）

	区　　分	金　　額	留　　保	社外流出
加算				
減算	貸倒損失認定損	5,000,000	5,000,000	

解説

①　法律上の貸倒れは、法的に債権が消滅しているため、当社が経理をしていない場合であっても、貸倒損失を認識しなければなりません。本問の⑴では、売掛金について何ら経理を行っていないため、別表四で減算調整して、貸倒損失を認識します。

②　債務免除を通知した金額は、回収不能な限り、貸倒損失を認識しなければなりません。本問の⑵では、貸付金について貸倒損失が計上されているため、別表四上の調整はありません。

2 事実上の貸倒れ（基通９－６－２）

▸▸問題集問題2

1．貸倒れの事実と貸倒損失額

法人の有する金銭債権につき、次の事実が発生した場合には、その明らかになった事業年度において貸倒れとして損金経理をすることができます。

発　生　事　実	貸倒損失額
債務者の資産状況、支払能力からみて、その全額が回収できないことが明らかになったこと	金銭債権の全額*01)

*01) 担保があるときは、その担保を処分した後でなければ貸倒れとして損金経理をすることはできません。なお、担保の処分により受け入れた金額を控除した残額について適用することになります。

事実上の貸倒れは、法律上は債権が存在するにもかかわらず、事実上の回収不能を理由として、帳簿上の貸倒処理を認めるものです。したがって、債権の全額が回収不能であり、かつ、損金経理をしている場合に限って、この取扱いを受けることができます。

2．経理処理と別表四上の調整

次の区分に応じて、別表四上の調整を行います。

区　　分	経 理 処 理	別表四上の調整
貸倒れの事実に該当する	適正額を損金経理	調整なし（適正）
	損金経理していない	調整なし
貸倒れの事実に該当しない	損金経理	貸倒損失否認（加算）
	損金経理していない	調整なし（適正）

設例１－２　　事実上の貸倒れ

次の資料により、当社の当期における税務上の調整を示しなさい。

⑴　当社は、得意先Ｃ社に対して売掛金10,000,000円を有しているが、Ｃ社の資産状況、支払能力からみて、売掛金うちの70％は回収不能であると認められる。

⑵　当社は、上記の売掛金のうち回収不能と認められる部分の7,000,000円について貸倒損失として損金経理している。なお、当社は、Ｃ社から担保の徴収はしていない。

解答

（単位：円）

	区　　分	金　　額	留　　保	社外流出
加算	貸倒損失否認	7,000,000	7,000,000	
減算				

解説

「事実上の貸倒れ」は、金銭債権の全額が回収不能となった場合に、その全額を対象に貸倒れ処理を認めるものであり、部分的な貸倒処理は認められません。

3 売掛債権の特例（基通9－6－3）

▸▸問題集問題3

1．貸倒れの事実と貸倒損失額

債務者について次の事実が発生した場合には、その債務者に対して有する売掛債権（売掛金、未収請負金その他これらに準ずる債権をいい、貸付金その他これに準ずる債権を含みません。）について法人が次の金額を貸倒れとして損金経理をすることができます。

発生事実	貸倒損失額*01)
(1) 債務者との取引停止時以後1年以上経過した場合 (2) 同一地域の債務者について有する売掛債権の総額が、取立費用に満たない場合において、督促にもかかわらず弁済がないとき	売掛債権の額 － 備忘価額（1円以上）

*01) この規定は、売掛債権という特殊性に着目して形式的に一定の基準により貸倒れ処理を認めるものであり、この取扱いを受けたもののなかには、回収可能部分がある場合も少なくないため、その後の回収があった場合の簿外資産の発生による不正経理を防止する意味合いで、備忘価額を控除した金額について適用することとされています。

「事実上の貸倒れ」と同様に、帳簿上の貸倒れ処理を認めるもので、法的には債権は消滅していないため、損金経理をすることが要件とされています。なお、この規定の対象取引は、「継続的な取引」です。つまり、不動産取引のような単発的取引については適用がありません。

<取引停止時以後1年以上経過した場合>

取引停止時とは、①取引を停止した時②最後の弁済期③最後の弁済の時のうち最も遅い時をいいます。

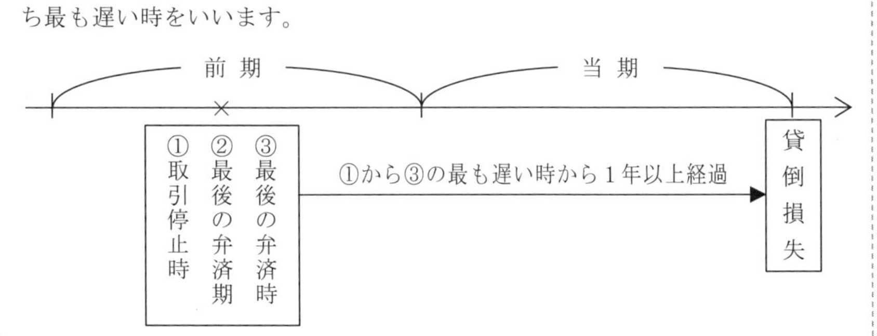

2．経理処理と別表四上の調整

次の区分に応じて、別表四上の調整を行います。

区分	経理処理	別表四上の調整
貸倒れの事実に該当する	備忘価額を控除した残額を損金経理	調整なし（適正）
	損金経理していない	調整なし
貸倒れの事実に該当しない	損金経理	貸倒損失否認（加算）
	損金経理していない	調整なし（適正）

設例１－３ 売掛債権の特例

次の資料により、当社の当期における税務上の調整を示しなさい。

⑴　当社は、Ｄ社と数年来継続して取引を行ってきたが、Ｄ社の業績不振から支払能力が悪化したため令和６年９月30日以後は取引を行っていない。

⑵　当社はＤ社に対して売掛金5,000,000円及び貸付金3,000,000円を有していたが、それぞれ備忘価額１円を残し、7,999,998円を貸倒損失として損金経理している。

解答

（単位：円）

区分		金額	留保	社外流出
加算	貸倒損失否認	2,999,999	2,999,999	
減算				

解説

「売掛債権の特例」は、売掛債権を対象とするものであり、貸付金には適用がありません。したがって、貸付金3,000,000円から備忘価額１円を控除した残額である2,999,999円は、損金の額に算入することはできません。

Section 2

貸倒引当金

法人税法では、損金の額に算入する金額は、債務が確定しているものに限られているため、将来発生する貸倒損失の見積計上である貸倒引当金の繰り入れは、原則として認められません。しかし、売掛金や貸付金について、貸倒れは避けがたいという事実もあり、企業会計でも貸倒引当金の計上が慣行化しています。そこで、法人税法でも会計慣行を尊重する立場から、別段の定めによりその計上を認めています。

このSectionでは、貸倒引当金の取扱いを学習します。

1 概　要

税務上は、期末において有する金銭債権を、その回収可能性に応じて個別評価金銭債権と一括評価金銭債権とに区分します。その区分に応じて、個別評価金銭債権について個別貸倒引当金繰入限度額、一括評価金銭債権について一括貸倒引当金繰入限度額が定められています。

期末債権	貸倒れの可能性が高い	個別評価金銭債権	➜	個別貸倒引当金繰入限度額の計算
	貸倒れの可能性が低い	一括評価金銭債権	➜	一括貸倒引当金繰入限度額の計算

2 適用法人

貸倒引当金制度の適用法人は、次の法人に限定されています。

適用法人の範囲
(1)　中小法人*01)
(2)　リース取引等に係る金銭債権を有する内国法人（(1)を除く。）*02)
(3)　その他一定の内国法人（銀行、保険会社等）

したがって、適用法人以外の法人（資本金の額が1億円を超える一般の法人等）が貸倒引当金の繰入れを行うことは、原則として認められません。

*01) 期末資本金１億円以下の法人のうち、大法人（資本金５億円以上の法人）による完全支配関係があるもの以外の法人のことです。

*02) 繰入れができる金銭債権の範囲が限られています。

3 個別貸倒引当金の繰入れ

▸▸問題集問題4,5,6

1．制度の概要（法52①）

内国法人が、個別評価金銭債権の損失の見込額として、損金経理により貸倒引当金勘定に繰り入れた金額については、その金額のうち個別貸倒引当金繰入限度額に達するまでの金額は、その事業年度の損金の額に算入されます。

⑴ **対象債権** … 個別評価金銭債権を対象とします。	
⑵ **適用要件** … 損金経理により貸倒引当金勘定に繰入れること。	

（注）個別評価金銭債権の範囲

個別評価金銭債権には、次のものが含まれます。

個　別　評　価　金　銭　債　権
①　売掛金、貸付金その他これらに準ずる金銭債権（売掛債権等）
②　保証金、前渡金等に係る返還請求債権（売掛債権等以外）*01)

*01) 保証金、前渡金等は、本来は金銭債権ではありませんが、これらに係る返還請求債権については、実質的に金銭債権に転化したと考えて個別評価金銭債権に含めます。

なお、損金不算入額は、債務者ごとに次のように計算します。

基本算式

⑴ 繰入限度額

⑵ 繰入超過額

会社計上額－繰入限度額 ➜ 個別貸倒引当金繰入超過額（加算留保）

2．実質基準（令96①二）

⑴ 設定事由

次の事由に基づいて、金銭債権の一部につき取立て等の見込みがないと認められる場合には、個別貸倒引当金を設定することができます。

発　生　事　実
⑴　債務超過の状態が相当期間継続し、かつ、その営む事業に好転の見通しがないこと
⑵　災害、経済事情の急変等により多大な損害が生じたこと　等

⑵ 繰入限度額

実質基準による、個別貸倒引当金繰入限度額は、次の算式により計算します。

基本算式

個別評価金銭債権の額－取立て等の見込額
（取立て等の見込みがないと認められる金額）

<図解>

個別評価金銭債権の額	繰入限度額
	取立て等の見込額

3．形式基準（令96①三）

(1) 設定事由

債務者に、次の事由が生じた場合には、個別貸倒引当金を設定することができます。

発　生　事　実
法律の申立て
・更生手続開始の申立て ・再生手続開始の申立て ・破産手続開始の申立て ・特別清算開始の申立て
手形交換所の取引停止処分[*02]

*02) 半年（6月）の間に手形の不渡りが2回生じると手形交換所の取引停止処分を受けることになります。

＜手形交換所の取引停止処分＞

形式基準の設定事由である「手形交換所の取引停止処分」は、原則として当期末までに処分を受けている場合を指しています。

ただし、特例として①当期末までに手形が不渡りとなり、②当期に係る確定申告書の提出期限までに債務者が手形交換所の取引停止処分を受けた場合には、③当期において個別貸倒引当金を設定することが認められています。

当期　　２月

①手形の不渡り
（１回目の不渡り）

③形式基準による繰入れ

②手形交換所取引停止処分
（２回目の不渡り）

(2) 繰入限度額

形式基準による、個別貸倒引当金繰入限度額は、次の算式により計算します。

基本算式
（個別評価金銭債権の額－取立て等の見込額）×50%

＜図解＞

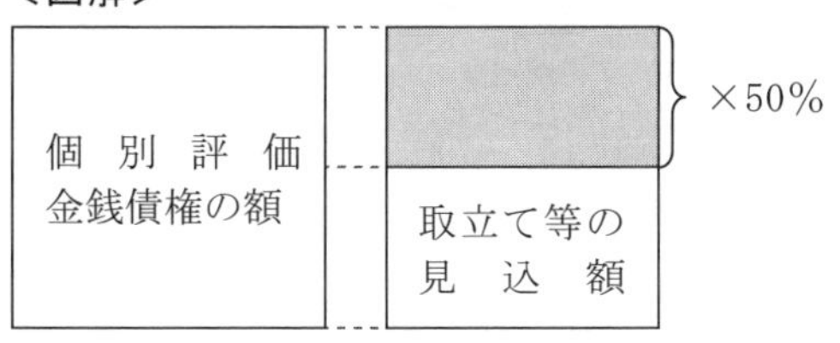

⑶ 取立て等の見込額（基通11－２－９、10）

繰入限度額の計算上、個別評価金銭債権の額から控除する取立て等の見込額は、次の金額の合計額となります。

控除する金額
① 実質的に債権とみられない金額
② 質権等による担保部分の金額
③ 金融機関等の保証部分の金額
④ 第三者の振出手形の金額

＜図解＞

実質的に債権とみられない金額は、債権と債務が相殺可能な部分の金額です*03)。

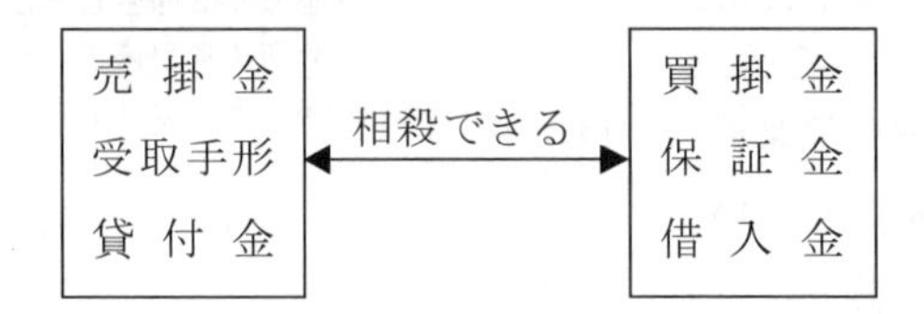

*03) 裏書譲渡等をされている場合には、債権と相殺できないため、支払手形は除かれます。

設例２－１ 形式基準

次の資料により、当社の当期における個別貸倒引当金繰入限度額を計算しなさい。

⑴ 当社の取引先であるＡ社は、業績不振から令和７年11月15日に会社更生法に規定する更生手続開始の申立てを行っている。

⑵ 当社は、Ａ社に対して売掛金23,000,000円を有していたが、買掛金も8,000,000円ある。

⑶ 当社の期末資本金の額は１億円であり、当社の株主に法人株主はいない。

解答 (23,000,000－8,000,000)×50％＝7,500,000円

解説

① Ａ社は、会社更生法に規定する更生手続開始の申立てを行っているため、Ａ社に対して有する売掛金は、個別評価金銭債権に該当します。

② Ａ社に対する買掛金は、実質的に債権とみられない金額に該当します。

４．長期棚上げ基準（令96①一）

⑴　設定事由

債務者が、次の事由に基づいて、弁済を猶予され又は賦払により弁済する場合には、個別貸倒引当金を設定することができます。

発　生　事　実
法律による決定
・更生計画認可の決定 ・再生計画認可の決定 ・特別清算に係る協定の認可の決定
関係者の協議決定
・債権者集会の協議決定 ・金融機関等のあっ旋による当事者間の協議による契約

⑵　繰入限度額

長期棚上げ基準による、個別貸倒引当金繰入限度額は、次の算式により計算します。

基本算式

個別評価金銭債権の額－事由発生年度の翌期首から５年以内に弁済される金額－取立て等の見込額

＜図解＞

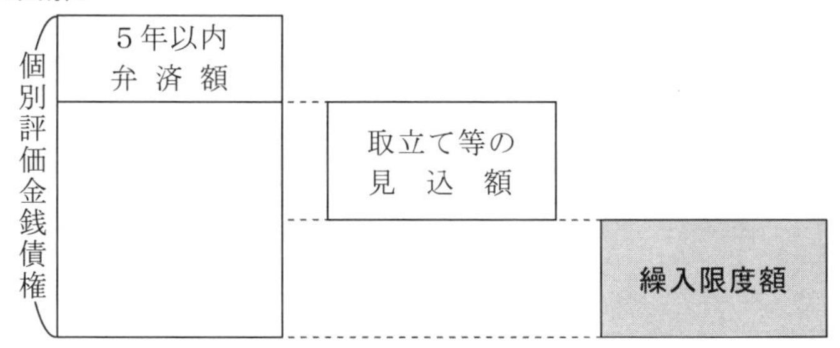

設例２－２　長期棚上げ基準

次の資料により、当社の当期における個別貸倒引当金繰入限度額を計算しなさい。

当社は、Ａ社に対して貸付金15,000,000円（抵当権の設定額は5,000,000円である。）を有していたが、当期の６月１日に、Ａ社について次のとおり会社更生法の規定による更生計画認可の決定が行われた。

⑴　債権金額の40％は、認可の決定の日をもって切捨てる。

⑵　債権金額の60％は、３年間据置いた後、令和11年５月31日を第１回として毎年５月31日に900,000円ずつの10回分割返済とする。

なお、当社の期末資本金の額は１億円であり、株主は全て個人である。

解答　15,000,000×60％－900,000×２－5,000,000＝2,200,000円

解説

①　会社更生法の規定による更生計画認可の決定により、賦払弁済されることとなった金額（15,000,000×60％）は、個別評価金銭債権に該当します。なお、同決定により切捨てられることとなった金額は、貸倒損失として計上することになります。

②　繰入限度額は、個別評価金銭債権の額から、事由発生年度の翌期首から５年以内に弁済される金額（本問の場合、900,000円×２回＝1,800,000円）及び取立て等の見込額（本問の場合、抵当権の設定額である5,000,000円）を控除して求めます。

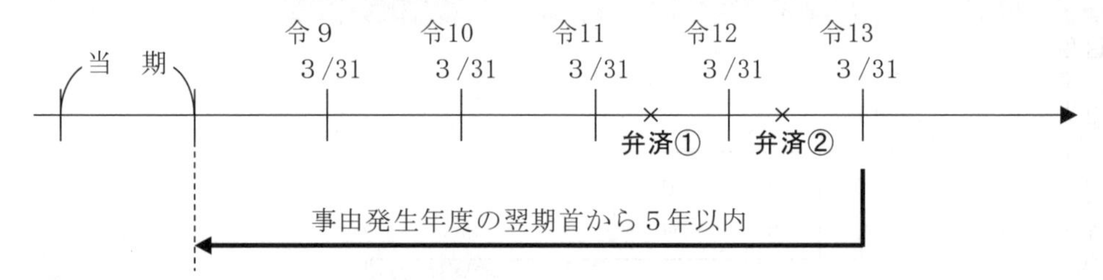

4 一括貸倒引当金の繰入れ

▸▸問題集問題7,8

1．制度の概要（法52②）

内国法人が、一括評価金銭債権の貸倒れによる損失の見込額として、損金経理により貸倒引当金勘定に繰り入れた金額については、その金額のうち一括貸倒引当金繰入限度額に達するまでの金額は、その事業年度の損金の額に算入されます。

(1) **対象債権** … 一括評価金銭債権
(2) **適用要件** … 損金経理により貸倒引当金勘定に繰り入れること。

なお、繰入限度額の計算方法には、貸倒実績率による場合と法定繰入率による場合の２つの方法がありますが、法人の区分に応じて、適用できる計算方法が異なります。

区　分	計　算　方　法	
下記以外の適用法人	貸倒実績率による繰入限度額のみ	
中小法人*01)	貸倒実績率による繰入限度額 法定繰入率による限度額	いずれか多い方を選択して適用する

*01) 中小法人とは、期末資本金１億円以下、かつ、大法人（資本金５億円以上の法人）による完全支配関係がない法人をいいます。

なお、損金不算入額は、次のように計算します。

基本算式
(1) **期末一括評価金銭債権**
(2) **貸倒実績率**
(3) **実質的に債権とみられないものの額** ➜ 中小法人のみ
(4) **繰入限度額**
(5) **繰入超過額**
会社計上額－繰入限度額　　一括貸倒引当金繰入超過額（加算留保）

2．一括評価金銭債権の範囲

(1) 一括評価金銭債権とは

一括評価金銭債権とは、売掛金、貸付金その他これらに準ずる金銭債権（売掛債権等）で個別評価金銭債権以外のものをいいます。

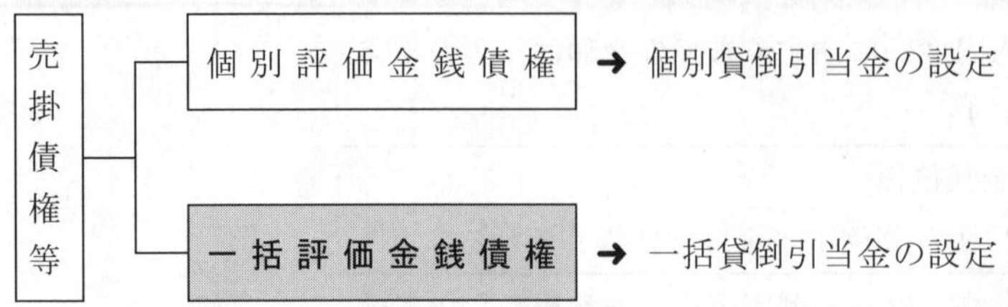

なお、一括評価金銭債権は、その取立て又は回収を金銭で行うことを目的とする債権（金銭債権）に限られているため、回収することを本来の目的としていない単なる預け金や将来費用への振替が予定されている債権等は含まれません。

(2) 具体例

一括評価金銭債権の具体例は、次のとおりです。

含まれるもの	含まれないもの
売掛金、貸付金、受取手形	預貯金、保証金、敷金、預け金、手付金、前渡金*02)
未　収　金	未　収　金*03)
譲渡代金、地代家賃、貸付金利子、損害賠償金	預貯金の利子、公社債の利子、配当金、仕入割戻し
他人が負担すべき費用等の立替金、仮払金	当社の費用の前払としての立替金、仮払金*04)

*02) 回収を目的としていない単なる預け金や、将来他の資産に振替えられるものは一括評価金銭債権に含まれません。

*03) 未収利子等は、元本に付随するものであるため、元本が回収を目的とする債権に該当しないものは、一括評価金銭債権に含まれません。

*04) 回収を目的とせず、将来費用に振替えられる債権は一括評価金銭債権に含まれません。

一括評価金銭債権に含まれる債権の帳簿価額は、すべて税務上の金額（貸倒損失等の調整後の金額）により集計することになります。なお、売掛金の回収等の取引の対価として受け取った手形の割引（裏書）手形は、一括評価金銭債権に含まれます。

(3) 割引（裏書）手形の取扱い

受取手形の割引（裏書を含みます。）をした場合には、その割引手形（裏書手形を含みます。）は、一括評価金銭債権を集計する際には、次のように取り扱います。

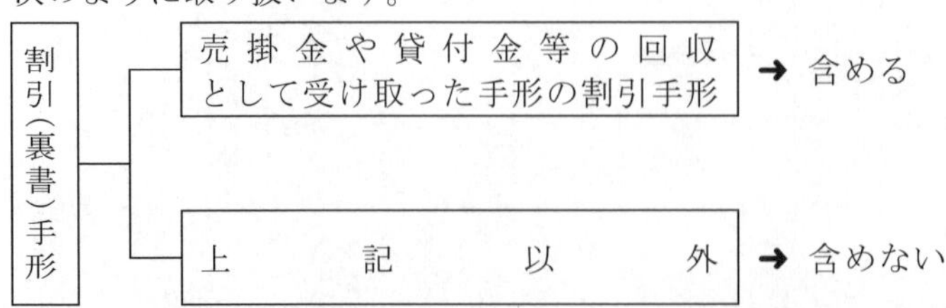

したがって、売掛金や貸付金等の回収として受け取った手形の割引手形が注記表示されている場合には、貸借対照表に計上されている受取手形には含まれていないため、一括評価金銭債権の集計をする際に、加える必要があります。

3．貸倒実績率による繰入限度額

(1) 繰入限度額（法52②）

貸倒実績率による繰入限度額は、次の算式により計算します。

基本算式

期末一括評価金銭債権の額×貸倒実績率

＜図解＞

一括評価金銭債権の額 ×貸倒実績率

(2) 貸倒実績率の計算（令96⑥）

貸倒実績率は、直近の過去3年間の貸倒損失の発生割合で、次の算式により計算します。

基本算式

$$\frac{\text{分母の期間の貸倒損失の額の合計額}\times\dfrac{12}{\text{分母の期間の月数}}}{\text{当期首前3年以内に開始した各事業年度末の一括評価金銭債権の帳簿価額の合計額}\div\text{当期首前3年以内に開始した各事業年度の数}}$$

（小数点以下4位未満切上）

＜分子の貸倒損失の額の合計額＞

分子の貸倒損失の額*05)の合計額には、売掛債権等に係る個別貸倒引当金の繰入額（税務上の金額）が含まれます。また、貸倒損失の額と個別貸倒引当金の繰入額の累積を防止するため、個別貸倒引当金の戻入額（税務上の金額）は控除して集計します*06)。

*05) 売掛債権等以外の金銭債権（保証金、前渡金等に係る返還請求債権）に係る貸倒損失の額は含まれません。

*06) 貸倒れた売掛債権等及び再び個別貸倒引当金を繰り入れた売掛債権等に係る戻入額を控除することになります。

設例2－3　貸倒実績率による繰入限度額

次の資料により、貸倒実績率による繰入限度額を計算しなさい。

当社の当期末における一括評価金銭債権の帳簿価額は381,000,000円である。なお、当社の最近の事業年度における、期末一括評価金銭債権の額及び貸倒損失の額の発生状況は、次のとおりである。

事　業　年　度	期末一括評価金銭債権の額	貸倒損失の額
令和4年4月1日～令和5年3月31日	301,000,000円	3,140,000円
令和5年4月1日～令和6年3月31日	349,000,000円	2,250,000円
令和6年4月1日～令和7年3月31日	365,000,000円	3,350,000円

なお、当社の期末資本金の額は1億円であり、株主はすべて個人である。

解答

⑴　期末一括評価金銭債権

381,000,000円

⑵　貸倒実績率

$$\frac{(3,140,000+2,250,000+3,350,000)\times\frac{12}{36}}{(301,000,000+349,000,000+365,000,000)\div 3}=0.00861\cdots \rightarrow 0.0087$$

⑶　繰入限度額

381,000,000×0.0087＝3,314,700円

解説

①　貸倒実績率の分子は、「当期首前3年以内に開始した各事業年度の貸倒損失の額の合計額」であり、分母は、「当期首前3年以内に開始した各事業年度末の一括評価金銭債権の帳簿価額の合計額」です。

②　貸倒実績率は、「小数点以下4位未満切上」の端数処理が必要です。

4．法定繰入率による繰入限度額

(1) 繰入限度額（措法57の９①）

法定繰入率による繰入限度額は、次の算式により計算します。

＜図解＞

期末一括評価金銭債権の額	（網掛部分）×法定繰入率 実質的に債権とみられないものの額

(2) 実質的に債権とみられないものの額（措令33の７②③）

期末一括評価金銭債権の額から控除する実質的に債権とみられない金額の計算方法には、「原則法」と「簡便法」の２種類があり、いずれか少ない方の金額を選択します。

① 原則法
② 簡便法
いずれか少ない方の金額を選択 ➜ 控除

① 原則法

原則法は、債務者から受入れた金額[*07]があるため、金銭債権と相殺できるものを取引先ごとに計算する方法です。

*07）個別評価金銭債権の場合と異なり、支払手形は除かれません。

取引先ごとに債権の合計額と債務の合計額のいずれか少ない金額を集計	➜	取引先ごとに計算した金額の合計額

＜例＞

（単位：円）

取引先	債	権	債	務
A 社	売 掛 金	8, 000, 000	買 掛 金	9, 000, 000
B 社	売 掛 金	5, 000, 000	営業保証金	3, 000, 000

実質的に債権とみられないものの額を原則法により計算すると次のようになります。

A社	8, 000, 000 円＜9, 000, 000 円	∴ 8, 000, 000 円
B社	5, 000, 000 円＞3, 000, 000 円	∴ 3, 000, 000 円
合計	8, 000, 000＋3, 000, 000＝11, 000, 000 円	

② 簡便法

原則法により計算する場合には、事務処理が煩雑になるため、実務上の簡便性を考慮した簡便法によることも認められています。

基本算式

$$\text{期末一括評価金銭債権の額} \times \frac{\text{基準年度における原則法による実質的に債権とみられないものの額の合計額}}{\text{基準年度における期末一括評価金銭債権の額の合計額}} \left(\text{小数点以下3位未満切捨}\right)$$

(注) 基準年度とは、平成27年4月1日から平成29年3月31日までの間に開始した各事業年度をいいます。

⑶ 法定繰入率(措令33の7④、措通57の9－4)

法定繰入率は、法人の営む主たる事業の区分に応じて、次の率によることになります*08)。

*08) 法人が兼業している場合には、法定繰入率はその主たる事業により選択します。なお、適用除外事業者は、法定繰入率による計算が認められていません。

業　種	法定繰入率
卸売及び小売業	$\frac{10}{1,000}$
製造業	$\frac{8}{1,000}$
金融及び保険業	$\frac{3}{1,000}$
割賦販売小売業等	$\frac{7}{1,000}$
その他の事業(建設業等)	$\frac{6}{1,000}$

設例２－４　法定繰入率による繰入限度額

次の資料により、当社（製造業を営む中小法人である。）の当期における法定繰入率による一括貸倒引当金繰入限度額を計算しなさい。

⑴　当社の当期末における一括評価金銭債権の帳簿価額は、次のとおりである。

①　売掛金　　21,300,000円

②　貸付金　　50,000,000円

⑵　売掛金のうち8,000,000円はＡ社に対するものであるが、同社に対しては買掛金が3,200,000円ある。

⑶　基準年度における期末一括評価金銭債権の帳簿価額及び原則法により計算した実質的に債権とみられないものの額は、次のとおりである。

事　業　年　度	一括評価金銭債権の帳簿価額	実質的に債権とみられないものの額
平成27年４月１日～平成28年３月31日	73,400,000円	2,700,000円
平成28年４月１日～平成29年３月31日	66,300,000円	3,000,000円

解答

⑴　期末一括評価金銭債権

21,300,000＋50,000,000＝71,300,000円

⑵　実質的に債権とみられないものの額

①　原則法

8,000,000円＞3,200,000円　　∴　3,200,000円

②　簡便法

71,300,000×※0.040＝2,852,000円

※　$\frac{2,700,000+3,000,000}{73,400,000+66,300,000}=0.0408\cdots \rightarrow 0.040$

③　3,200,000円＞2,852,000円　　∴　2,852,000円

⑶　繰入限度額

$(71,300,000-2,852,000)\times\frac{8}{1,000}=547,584$円

解説

①　原則法により計算した実質的に債権とみられないものの額は、債務者ごとに債権・債務を比較して少ない金額を合計した金額になります。

②　簡便法により実質的に債権とみられないものの額を計算する際の控除割合は、基準年度（平成27年４月１日から平成29年３月31日までの間に開始した各事業年度）における期末一括評価金銭債権の帳簿価額及び原則法により計算した実質的に債権とみられないものの額を使用して計算します。なお、「小数点以下３位未満切捨」の端数処理があります。

5 取崩し

▸▸問題集問題9

1．取扱い（法52⑩）

損金の額に算入された貸倒引当金勘定の金額は、その事業年度の翌事業年度の益金の額に算入します。つまり、法人税法においては、実際に貸倒損失が発生したか否かにかかわらず、貸倒引当金は毎期洗替えを行い、当期に損金の額に算入された繰入額の全額を翌期に戻し入れ、益金の額に算入することになります。

＜例＞

前期の貸倒引当金繰入額　10,000
当期の貸倒損失発生額　　 2,000

税務上の仕訳（考え方）			
（貸倒損失）	2,000	（金銭債権）	2,000
（貸倒引当金）	10,000	（貸倒引当金戻入）	10,000

税務上は、貸倒損失と貸倒引当金を相殺するという考え方は採りません。貸倒損失は損金の額に算入され、貸倒引当金は毎期洗替えを行います。

2．繰入超過額の認容

法人が前期の繰入超過額を含めて、当期に取崩しを行い、収益に計上している場合には、繰り入れた事業年度と戻し入れた事業年度との間で二重課税が生じないようにするため、前期の繰入超過額を別表四で減算調整することになります。

前期の繰入超過額を含めて取崩しを行い当期の収益に計上している場合 ➜ 貸倒引当金繰入超過額認容（減算留保）

＜差額繰入れ等の特例＞

貸倒引当金の取崩しは、洗替方式によることが原則であり、取崩額と繰入額との差額を損金経理により繰り入れ又は取り崩している場合であっても、その相殺前の金額により繰入れ及び取崩しがあったものとして取り扱うことになります。

設例2－5

次の資料により、当期の当社における税務上の調整を示しなさい。

(1) 当社が、前期において損金経理により貸倒引当金勘定に繰り入れた金額は、2,368,000円である。なお、前期における繰入限度額は2,195,000円であった。

(2) 当期においては、前期に繰り入れた貸倒引当金2,368,000円を全額取り崩して収益に計上している。

解答 繰入超過額認容

2,368,000－2,195,000＝173,000円

(単位：円)

区　　分		金　　額	留　　保	社外流出
加算				
減算	貸倒引当金繰入超過額認容	173,000	173,000	

解説

当社は、前期の繰入超過額を含めて取崩しを行い、当期の収益に計上しているため、前期の繰入超過額を別表四で減算する必要があります。

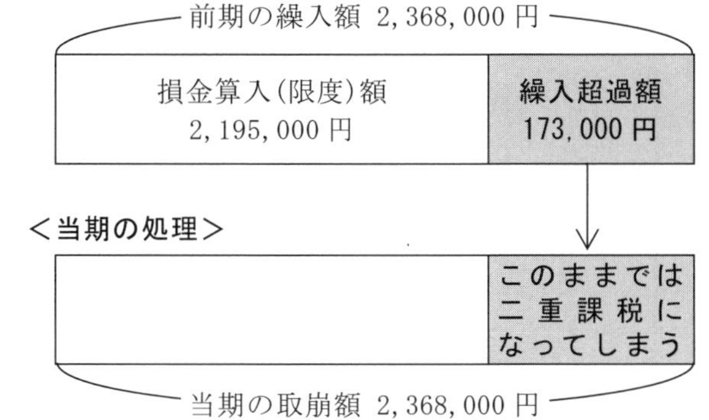

➜ 前期に別表四で加算され課税を受けている。

➜ 貸倒引当金繰入超過額認容（減算留保）

次の資料により、当社の当期における税務上の調整を示しなさい。

⑴　当社は、期末資本金の額が80,000,000円の製造業を営む内国法人（普通法人に該当し、株主は全て個人）である。

⑵　当社は、得意先Ａ社に対して売掛金1,000,000円及び貸付金500,000円を有しているが、Ａ社は令和７年12月10日に民事再生法の規定による再生手続開始の申立てを行っている。なお、当社はＡ社に対する支払手形800,000円を有している。当社は、Ａ社に対する債権に対して、当期において個別貸倒引当金1,500,000円を損金経理により繰り入れている。

⑶　当社が当期末に有する一括評価金銭債権は200,000,000円である。このうちには、Ｂ社に対する売掛金800,000円が含まれており、当社はＢ社に対する買掛金1,000,000円を有している。当社は、当期において一括貸倒引当金2,000,000円を損金経理により繰り入れている。

なお、一括貸倒引当金繰入限度額は法定繰入率により計算するものとし、実質的に債権とみられないものの額を計算する場合における基準年度の控除割合は0.005678……とする。

答案用紙

１．個別貸倒引当金

⑴　繰入限度額

⑵　繰入超過額

２．一括貸倒引当金

⑴　一括評価金銭債権

⑵　実質的に債権とみられないものの額

①　原則法

②　簡便法

③

⑶　繰入限度額

⑷　繰入超過額

（単位：円）

区　分		金　額	留　保	社外流出
加算				
減算				

解 答

1．個別貸倒引当金

⑴ 繰入限度額

(1,000,000＋500,000)×50％＝750,000円❶

⑵ 繰入超過額

1,500,000円－750,000＝750,000円

2．一括貸倒引当金

⑴ 一括評価金銭債権

200,000,000円❶

⑵ 実質的に債権とみられないものの額

① 原則法

800,000円＜1,000,000円　∴ 800,000円❶

② 簡便法

200,000,000×0.005＝1,000,000円❶

③ ①＜②　∴ 800,000円❶

⑶ 繰入限度額

$(200,000,000-800,000)\times\frac{8}{1,000}=1,593,600$円❶

⑷ 繰入超過額

2,000,000円－1,593,600＝406,400円

（単位：円）

区　分		金　額	留　保	社外流出
加算	個別貸倒引当金繰入超過額	750,000	❷750,000	
	一括貸倒引当金繰入超過額	406,400	❷406,400	
減算				

解 説

① 当社は期末資本金の額が１億円以下の普通法人で、期末に資本金５億円以上の法人による完全支配関係がないことから、中小法人に該当するため、貸倒引当金を設定することができます。

② 個別貸倒引当金繰入限度額の計算については、個別評価金銭債権の額から支払手形を控除しないことに注意が必要です。

③ 当社は中小法人に該当するため、法定繰入率により一括貸倒引当金繰入限度額を計算することができます。

2025年度版　ネットスクール出版

税理士試験教材のラインナップ

● 税理士試験に合格するためのメイン教材

税理士試験教科書・問題集・理論集

ネットスクール税理士 WEB 講座の講師陣が自ら「確実に合格できる教材づくり」をコンセプトに執筆・監修した教材です。
税理士試験の合格に必要な内容を効率よく、かつ、挫折しないように工夫した『教科書』、計算力を身に付ける『問題集』、理論問題対策の『理論集』から構成されており、どの科目の教材も、豊富な図解と受験生がつまずきやすいポイントを押さえた、ネットスクール税理士 WEB 講座でも使用している教材です。

簿記論・財務諸表論の教材

税理士試験教科書　簿記論・財務諸表論Ⅰ　基礎導入編【2025年度版】	3,630円（税込）	好評発売中
税理士試験問題集　簿記論・財務諸表論Ⅰ　基礎導入編【2025年度版】	3,300円（税込）	好評発売中
税理士試験教科書　簿記論・財務諸表論Ⅱ　基礎完成編【2025年度版】	3,630円（税込）	好評発売中
税理士試験問題集　簿記論・財務諸表論Ⅱ　基礎完成編【2025年度版】	3,300円（税込）	好評発売中
税理士試験教科書　簿記論・財務諸表論Ⅲ　応用編【2025年度版】	2024 年11月発売	
税理士試験問題集　簿記論・財務諸表論Ⅲ　応用編【2025年度版】	2024 年11月発売	
税理士試験教科書　財務諸表論　理論編【2025年度版】	2024 年12月発売	

☆簿記論・財務諸表論の方はこちらもオススメ！☆

穂坂式 つながる会計理論

税理士 財務諸表論 穂坂式 つながる会計理論【第2版】	2,640円（税込）	好評発売中

過去問ヨコ解き問題集

税理士試験過去問ヨコ解き問題集 簿記論【第3版】	3,740 円（税込）	好評発売中
税理士試験過去問ヨコ解き問題集 財務諸表論【第５版】	3,740 円（税込）	好評発売中

● 試験前の総仕上げには必須のアイテム！

ラストスパート模試　毎年５～6月ごろ発売予定

試験直前期は、出題予想に基づいた『ラストスパート模試』で総仕上げ！
全3回分の本試験さながらの模擬試験を収載。
分かりやすい解説とともに直前期の得点力 UP をサポートします。
※ 画像や内容は 2024 年度版をベースにしたものです。変更となる場合もございます。

● 税理士試験の学習を本格的に始める前に…

知識ゼロでも大丈夫！　税理士試験のための簿記入門

税理士試験向けの独自の内容で簿記の基本が学習できる1冊です。

本書を読むことで、税理士試験の簿記論に直結した基礎学習が可能なので、簿記の学習経験が無い方や基礎が不安な方にオススメです。

2,640円（税込）好評発売中！

法人税法の教材

税理士試験教科書・問題集　法人税法Ⅰ　基礎導入編【2025年度版】	3,300円（税込）	好評発売中
税理士試験教科書　法人税法Ⅱ　基礎完成編【2025年度版】	3,630円（税込）	好評発売中
税理士試験問題集　法人税法Ⅱ　基礎完成編【2025年度版】	3,300円（税込）	好評発売中
税理士試験教科書　法人税法Ⅲ　応用編【2025年度版】	2024年12月発売	
税理士試験問題集　法人税法Ⅲ　応用編【2025年度版】	2024年12月発売	
税理士試験理論集　法人税法【2025年度版】	2,420円（税込）	2024年9月発売

相続税法の教材

税理士試験教科書・問題集　相続税法Ⅰ　基礎導入編【2025年度版】	3,300円（税込）	好評発売中
税理士試験教科書　相続税法Ⅱ　基礎完成編【2025年度版】	3,630円（税込）	好評発売中
税理士試験問題集　相続税法Ⅱ　基礎完成編【2025年度版】	3,300円（税込）	好評発売中
税理士試験教科書　相続税法Ⅲ　応用編【2025年度版】	2024年12月発売	
税理士試験問題集　相続税法Ⅲ　応用編【2025年度版】	2024年12月発売	
税理士試験理論集　相続税法【2025年度版】	2,420円（税込）	2024年9月発売

消費税法の教材

税理士試験教科書・問題集　消費税法Ⅰ　基礎導入編【2025年度版】	3,300円（税込）	好評発売中
税理士試験教科書　消費税法Ⅱ　基礎完成編【2025年度版】	3,630円（税込）	好評発売中
税理士試験問題集　消費税法Ⅱ　基礎完成編【2025年度版】	3,300円（税込）	好評発売中
税理士試験教科書　消費税法Ⅲ　応用編【2025年度版】	2024年12月発売	
税理士試験問題集　消費税法Ⅲ　応用編【2025年度版】	2024年12月発売	
税理士試験理論集　消費税法【2025年度版】	2,420円（税込）	2024年9月発売

国税徴収法の教材

税理士試験教科書　国税徴収法【2025年度版】	4,620円（税込）	好評発売中
税理士試験理論集　国税徴収法【2025年度版】	2,420円（税込）	2024年9月発売

書籍のお求めは全国の書店・インターネット書店、またはネットスクールWEB-SHOPをご利用ください。

ネットスクール WEB-SHOP

https://www.net-school.jp/

ネットスクール WEB-SHOP 

※ 書名・価格・発行年月は変更する場合もございますので、予めご了承ください。(2024年9月現在)

本書の発行後に公表された法令等及び試験制度の改正情報、並びに判明した誤りに関する訂正情報については、弊社WEBサイト内の『**読者の方へ**』にてご案内しておりますので、ご確認下さい。

https://www.net-school.co.jp/

なお、万が一、誤りではないかと思われる箇所のうち、弊社WEBサイトにて掲載がないものにつきましては、**書名（ＩＳＢＮコード）と誤りと思われる内容**のほか、お客様の**お名前及び郵送の場合はご返送先の郵便番号とご住所**を明記の上、弊社まで**郵送またはe - mail**にてお問い合わせ下さい。

＜郵送先＞　〒101－0054
東京都千代田区神田錦町3－23メットライフ神田錦町ビル３階
ネットスクール株式会社　正誤問い合わせ係

＜e - mail＞　seisaku@net-school.co.jp

※正誤に関するもの以外のご質問、本書に関係のないご質問にはお答えできません。
※**お電話によるお問い合わせはお受けできません。**ご了承下さい。

税理士試験　教科書
法人税法Ⅱ　基礎完成編　【2025年度版】

2024年９月６日　初版　第１刷

著　　　者　ネットスクール株式会社
発　行　者　桑原知之
発　行　所　ネットスクール株式会社　出版本部
〒101－0054　東京都千代田区神田錦町3－23
電　話　03（6823）6458（営業）
ＦＡＸ　03（3294）9595
https://www.net-school.co.jp
執筆総指揮　田中政義
表紙デザイン　株式会社オセロ
編　　　集　吉川史織　加藤由季
ＤＴＰ制作　中嶋典子　石川祐子　吉永絢子
有限会社ドアーズ本舎　長谷川正晴
印刷・製本　日経印刷株式会社

 ISBN 978-4-7810-3831-5